T5-AWI-045

NERVAL

LE RÊVE ET LA VIE

NERVAL

LE RÊVE ET LA VIE

HACHETTE

Cette édition reproduit les textes des recueils préparés par Gérard de Nerval et, pour les pièces séparées, celui des éditions posthumes établies d'après les manuscrits.

INTRODUCTION

par JEAN-LOUIS VAUDOYER,
de l'Académie française.

LA GLOIRE posthume de Gérard de Nerval fut très longue, très lente à naître, à croître, à prospérer. Le « cas » Nerval n'est point, à cet égard, sans analogie avec le « cas » Stendhal. L'un et l'autre, soit de leur vivant, soit immédiatement après leur mort, furent — fort étourdiment — considérés sinon comme des amateurs, du moins comme des écrivains mineurs, des écrivains du « second rayon ». Stendhal s'était expressément confié à la postérité : « Je serai compris en 1880 ; ou en 1900... » ; mais le discret, le modeste Nerval s'est-il jamais soucié du destin futur de ses ouvrages ? S'il revenait sur terre, il serait probablement ébahi en constatant la place prépondérante qu'il occupe désormais dans l'histoire des lettres françaises. — Jusqu'à la fin du siècle dernier, les manuels ignorent son œuvre. Ce n'est pas avant 1909, dans la onzième édition de la fameuse *Histoire de la Littérature* de Gustave Lanson (et lorsque cet ouvrage a déjà eu un tirage de cent vingt mille exemplaires), que le nom de Nerval y apparaît, timidement, en une « note » imprimée en caractères minuscules, au bas d'une page ; « note » où Lanson, non sans désinvolture, s'exprime ainsi : « Malgré mon peu de goût pour les énumérations de noms, je ne puis m'empêcher d'inscrire ici Gérard de Nerval, le traducteur de *Faust*, romantique d'imagination et de vie, qui sombra dans la folie ; délicieux écrivain pourtant, dans la plus saine tradition du XVIIIe siècle, qui sut trouver la couleur sans renoncer à l'esprit et à l'élégance, dans la prose exquise de ses contes et de ses voyages. » C'est tout [1] ; pas un mot pour les sonnets des *Chimères*, pour *Aurélia ;* après quoi, ayant ainsi expédié Nerval, Lanson consacre quatre grandes pages à... Béranger.

1. L'édition actuelle fait à Nerval une juste place.

Aujourd'hui, cent ans après la mort de Nerval, la situation est exactement renversée : si l'on ouvre, par exemple, la récente *Introduction à la Poésie française*, de M. Thierry Maulnier (un maître de la jeune critique), on n'y trouve point le nom de Béranger, cela va sans dire, en revanche on y lit ceci : « ... La première moitié du XIXe siècle, dans l'histoire de la littérature, ce n'est pas Hugo, Vigny, Lamartine, Musset, c'est ce diamant aux feux obscurs, ce miroir où se reflète la part invisible du monde : Gérard de Nerval.... » Et dans le florilège qui accompagne cette introduction — où Hugo et Lamartine occupent chacun trois pages et Musset deux —, six pages entières sont données aux *poésies* de Nerval ; c'est-à-dire que ce florilège retient dans sa presque totalité une œuvre poétique qui vaut autant par sa qualité que par sa brièveté.... En cette année 1955, les « nervaliens » ne sont pas moins nombreux, pas moins fanatiques que les « stendhaliens » ; et ceux-ci comme ceux-là s'attachent à l'homme autant (sinon plus) qu'à l'œuvre. De lustre en lustre, les éditions de Nerval, les travaux de critique et d'exégèse qui lui sont consacrés se multiplient ; et l'on peut gager que, un jour ou l'autre, le cinéma s'emparera de Sylvie et d'Aurélia comme il s'est emparé de la Sanseverina et de Mme de Rênal... suprême consécration — hélas —, de nos jours, de toute renommée.

Il est assurément permis d'aimer, d'admirer Gérard de Nerval sans lui sacrifier les grands romantiques. Toute production littéraire subit avec le temps un déchet plus ou moins considérable. Ce déchet sera d'autant plus grand que la production aura été plus féconde. Lamartine et Hugo, pas plus que Ronsard, La Fontaine ou Verlaine n'ont échappé à cette loi fatale, et si, comme Baudelaire, comme Rimbaud, Nerval y a été soustrait, c'est que son œuvre s'offre d'elle-même, dans son petit volume, comme une sélection. D'autre part, cette œuvre ne se développe pas en surface, mais secrètement, en profondeur, cherchant et trouvant sa substance dans les régions souterraines et en quelque sorte claustrées de l'inspiration intime.... Si l'œuvre de Hugo peut être comparée à un océan et celle de Lamartine à un lac, celle de Nerval pourrait être comparée à un puits artésien.

Entièrement subjective, cette œuvre est inséparable de la vie de son auteur. A « raconter » celle-ci, on a chance d'éclairer quelque peu celle-là. C'est à quoi nous allons nous risquer, très sommairement.

Le Valois, au bord septentrional de l'Ile-de-France, appartient si indiscutablement à Gérard de Nerval que l'un de ses premiers historiographes, Jacques Boulenger, a pu intituler *Le Pays de Gérard de Nerval* un ouvrage entièrement consacré à cette province. Pourtant, Gérard est né à Paris, le 22 mai 1808, dans le Marais, sur la paroisse Saint-Merry. Il s'appelait Gérard Labrunie. Nerval est un pseudonyme qu'il adopta en songeant à l'empereur romain Nerva — du nom d'une petite terre que ses ancêtres maternels possédaient près de Senlis —, dont, par jeu, il prétendait descendre. Son père, Étienne Labrunie, était médecin militaire. Quelques semaines après la naissance de son fils, il dut rejoindre son poste à l'armée du Rhin. L'enfant fut donc mis en nourrice à Loisy, village proche de Mortefontaine, d'où sa mère était originaire. Le docteur Labrunie avait emmené avec lui sa femme. On ne sait rien d'elle, sinon qu'elle « ressemblait à une figure de Prud'hon ». Elle mourut en 1810, au fond de la Silésie, et, en 1812, le docteur, à Wilna, fut blessé et fait prisonnier. Ainsi Gérard fut-il confié à un oncle maternel qu'il appelle, dans *Sylvie*, « l'oncle de Montagny » et qui eut sur l'enfant une grande influence : « J'ai été élevé en province, chez un vieil oncle qui possédait une bibliothèque formée en grande partie à l'époque de l'ancienne révolution.... Une certaine tendance au mysticisme, à un moment où la religion officielle n'existait plus, avait sans doute guidé mon parent dans le choix de ces sortes d'écrits.... » Cette bibliothèque contenait surtout des ouvrages d'occultisme et de magie. A les lire, le petit Labrunie, perméable et sensible, contracta le goût du mystère et du surnaturel. Dès son adolescence, il abolit toute frontière entre le Rêve et la Vie.... *Le Rêve et la Vie*, tel est le titre (nous l'avons conservé ici) du volume qui, publié après sa mort, rassembla ses chefs-d'œuvre.

Mêlés à ces livres d'occultisme et de magie, la bibliothèque de Mortefontaine contenait aussi ceux des encyclopédistes, car l'oncle était « un ami de la nature ». La production de Nerval sera tout imprégnée de cette double influence : son style simple, souple et direct, d'une pureté classique, il le devra à Voltaire, à Rousseau, à Montesquieu, tandis que les antiques recueils des nécromants orienteront les songeries d'un esprit tourmenté, à jamais insatisfait ; et c'est par eux qu'il pénétrera précocement dans les mondes chimériques où il était destiné à perdre la raison.

Séparé de son père et orphelin de mère, Gérard trouva dans la compagnie des petites filles de son âge une affectueuse et sentimentale consolation. *Sylvie* évoque cette aimable et pastorale jeunesse. Avec Sylvie et ses amies, Gérard courait de Chantilly à Compiègne, prenant part aux fêtes des archers, pêchant des écrevisses dans les ruisseaux. Il embrassait Sylvie et rassurait Célénie, qui avait peur des gardes-chasse. Il chantait de vieilles chansons. Tout près de là, dans l'île des Peupliers, à Ermenonville, est la tombe de Rousseau. Comment ne pas songer à l'auteur des *Confessions* en lisant le récit de cette enfance ? La Sylvie de Gérard, c'est une sœur plus jeune de Mlle Galley, pour laquelle Jean-Jacques cueillait des cerises dans le verger vaudois.

Gérard et Sylvie étaient presque fiancés. « C'est mon amoureux, disait la fillette, il a de jolis cheveux blonds. » Mais, une première fois, le *Rêve* vint combattre et vaincre la *Vie*. Un soir que tous ces enfants dansaient sur une pelouse devant un château du temps de Henri IV, Gérard entendit et regarda chanter une jeune fille grande et belle qu'on appelait Adrienne : « A mesure qu'elle chantait, écrit-il, l'ombre tombait des grands arbres et le clair de lune naissant descendait sur elle seule. » Quand elle se tut, il alla cueillir des lauriers sur la terrasse du château, les tressa en couronne et les posa sur la tête d'Adrienne : « Elle ressemblait à la Béatrice de Dante, qui sourit au poète sur la lisière des saintes demeures. » D'après Gérard, Adrienne était « la fille d'un descendant d'une famille alliée aux anciens rois de France ». Pour ce jour de fête, elle s'était mêlée aux jeux des petits villageois. Le poète ne devait plus la revoir. Il partit pour Paris. Lorsqu'il revint dans le Valois, quelques années plus tard, elle s'était faite religieuse ; et puis elle était morte. Il s'agissait, croit-on, d'une jeune Anglaise, quelque peu aventurière, nommée Sophie Dawes, future baronne de Feuchères. Le dernier duc de Bourbon (voilà le sang royal) la disait être sa fille ; en réalité, elle était sa maîtresse. Mais est-il indispensable d'identifier Adrienne ? Entre le faux et le vrai, les frontières, pour Gérard, nous le verrons et le reverrons, ne sont jamais que des franges, flottantes, incertaines. Suivons-le plutôt à Paris où, en 1814, le docteur Labrunie, qui reparaît, veuf et retraité, emmène son fils.

C'était un homme rude, simple, fort égoïste, qui ne comprenait pas grand-chose aux sensibleries et aux inquiétudes de son garçon. Chaque matin, un vieux soldat, serviteur dévoué du docteur, faisait lever l'enfant dès l'aube et le conduisait, avant l'éveil de Paris, hors de la ville, où, dans quelque ferme, ils déjeunaient de pain et de lait. Nous verrons que, à la fin de sa vie, Gérard, entre deux crises de folie, aimait encore à vagabonder dans ces fermes.

Il fit ses études externe au lycée Charlemagne où il eut pour condisciple Théophile Gautier, avec lequel il devait se lier d'une inaltérable et fraternelle affection. Là, il traduisit, l'année de sa rhétorique, le *Faust* de Gœthe. Cette traduction, à peine publiée, le rendit presque célèbre. Un soir, dînant avec Eckermann, Gœthe feuilletait un livre avec des marques de vive approbation : « Que lisez-vous là, maître ? demanda Eckermann. — Une traduction de mon *Faust* en langue française. — Ah ! oui, dit Eckermann, légèrement dédaigneux, j'ai entendu parler de cela ; c'est un jeune homme de dix-huit ans ; cela doit sentir le collège ! — Dix-huit ans ! s'écria Gœthe. Cette traduction est un véritable prodige de style. Son auteur deviendra l'un des plus purs écrivains de France ! » Et il ajouta : « Je n'aime plus le *Faust* en allemand ; mais, dans cette traduction, tout agit de nouveau avec fraîcheur et vivacité. Il me passe par la tête des idées d'orgueil quand je pense que mon livre se fait valoir dans la langue de Bossuet, de Corneille et de Racine. Je vous le répète, ce jeune homme ira loin.... » — Gérard, plus tard, disait plaisamment : « Le destin a donné raison à Gœthe en me donnant le goût des voyages.... »

Majeur et momentanément riche de la petite fortune héritée de sa mère, Gérard s'alla loger fastueusement au cœur de Paris : impasse du Doyenné, parmi des écrivains et des peintres, tous jeunes, joyeux et fols, et où Gautier, bientôt, vint le rejoindre. Cette demeure de l'impasse du Doyenné est, avec l'hôtel Pimodan (ou Lauzun), dans l'île Saint-Louis, l'un des berceaux sacrés du romantisme. Le Doyenné est détruit depuis longtemps. Il se trouvait dans la cour du Carrousel, y formant un îlot de belles maisons anciennes, fort délabrées — ce que l'on appellerait aujourd'hui un « îlot insalubre » — entre le ravissant petit arc de triomphe à colonnes roses et ce qui subsistait, hier encore, de l'affreux monument dédié à Gambetta. Baudelaire a chanté ce vieux quartier dans la pièce du *Cygne :*

> *... Le vieux Paris n'est plus (la forme d'une ville*
> *Change plus vite, hélas ! que le cœur d'un mortel)....*

Au Doyenné, l'on donnait des fêtes, des bals costumés. Comme le bruit de ces fêtes empêchait les voisins de dormir, Nerval, Gautier et leurs amis invitaient les locataires, « et nous avions, écrit Gérard, une collection d'attachés d'ambassade en habit bleu à boutons d'or, de jeunes conseillers d'État, de référendaires en herbe, dont la nichée d'hommes déjà sérieux, mais encore aimables, se développait dans ce pâté de maisons, autour des Tuileries et des ministères voisins.... Ils n'étaient reçus qu'à condition d'amener des femmes du monde, protégées, si elles y tenaient, par des dominos et des loups... ».

Nerval habitait depuis quelque temps déjà ce pittoresque et charmant logis lorsqu'il rencontra celle que, dans ses récits, il nommera Aurélia. — Jenny Colon, « une fort jolie femme, selon Gautier, au teint blanc, délicat, avec quelque chose de soyeux comme une feuille de camélia ou de papier de riz », chantait à l'Opéra-Comique. Gérard y entra un soir ; en la voyant, il crut reconnaître Adrienne et contempla l'image vivante de celle qu'il ne devait jamais oublier. Dès lors, il passa ses soirées au théâtre, adorant de loin la femme qui allait être la cause de sa première crise de folie. Son amour pour Jenny Colon fut d'abord une manie douce et tendre. Il venait chaque soir au théâtre dans une loge qu'il y avait louée ; et, chaque soir, il faisait porter à la cantatrice un bouquet de chez Mme Prévôt. Aucune lorgnette ne lui semblait assez bonne pour contempler l'actrice; aucune canne assez belle pour frapper le plancher. Maxime du Camp demandait un jour à Gautier : « Comment donc s'est ruiné Gérard ? » Et Gautier répondit : « En faisant des excès de cannes et des débauches de lorgnettes.... » Ses amis essayaient d'éveiller sa jalousie : la cantatrice n'était point une vertu farouche. Mais cet aspect de la vie terrestre de Jenny n'intéressait pas du tout Gérard : « Je m'en informais aussi peu que des bruits qui ont pu courir sur la princesse d'Élide ou sur la reine de Trébizonde. » Il disait encore : « Qu'importe, c'est une image que je poursuis, et rien de plus ! »

Gérard fut-il ou ne fut-il pas l'amant heureux de Jenny Colon ? Le regretté Aristide Marie, auteur d'un ouvrage capital sur Nerval, assure que Gérard, pendant quelques mois peut-être, « connut l'ivresse décevante d'une rapide liaison ». Mais il faut citer aussi une conversation tenue à Bruxelles entre Gautier et Jenny Colon. Théophile Gautier, ayant parlé de Nerval à Jenny, celle-ci aurait répondu : « Je ne l'ai vu qu'une fois.... Je recevais des bouquets, sans trop savoir d'où ils venaient. Ne m'accusez pas de l'avoir fait souffrir ; quand celui qui aime est muet, celle qui est aimée est sourde. Dites à votre ami que je suis innocente du mal qu'on m'attribue. » Gautier répéta ces propos à Gérard, qui répondit angéliquement : « A quoi cela aurait-il servi qu'elle m'aimât ? »

Aimé ou pas aimé, Nerval écrivit à Jenny des lettres qui n'ont certainement jamais été lues par leur destinataire. Reprises et augmentées, elles formeront plus tard le recueil *Aurélia*, fait de visions qui, selon une expression de Nerval lui-même, « doivent à la rêverie éveillée plus qu'au sommeil ». Les cent pages d'*Aurélia* sont probablement uniques dans notre littérature. Nous ne voyons rien chez nous qui puisse être comparé à ces divagations pathétiques, à ces songeries brûlantes, qui rappellent parfois, par leur hantise de l'invisible, de l'insaisissable, certaines pages d'Edgar Poe ou de Henri Heine. Toutefois, par la pureté, l'élégance, la simplicité de la forme, ces pages sont de l'écrivain le plus sûr et le plus nativement maître de sa langue. Si l'inspiration est romantique, l'expression est toute classique. « *Aurélia*, écrit Jean Giraudoux, nous donne sans cesse l'impression d'avoir été écrite à un niveau qui n'est pas le nôtre ; tantôt à mi-hauteur de nos imaginations les plus hautes, tantôt à mi-hauteur de nos plus grandes désolations. C'est ce passage constant du zénith au nadir qui nous fait presque regarder comme des asiles de paix et de fraîcheur les points où Nerval se pose parfois à notre portée.... »

Mais il arrive aux rêveurs les plus invétérés de vouloir donner à leurs rêves une substance matérielle ; Gérard commit cette imprudence lorsqu'il conduisit un soir Jenny Colon devant le château où l'inoubliable Adrienne, naguère, lui était apparue. Là, il lui raconta tout : « La source de cet amour entrevu dans les nuits, rêvé plus tard, réalisé par elle.... » Hélas ! Jenny Colon n'y comprit rien ; et elle se fâcha même un peu. Par la suite, elle devait épouser un flûtiste de l'orchestre : M. Leplus.

C'est alors que Nerval part pour l'Allemagne. Les effusions du romantisme allemand n'étaient point faites pour apaiser Gérard, qui s'habitue à accueillir la compagnie des fantômes les plus extravagants. A son retour, il est fatigué, malade. Il a des hallucinations de plus en plus fréquentes. Toute chose prend pour lui un aspect double. Il a dit lui-même, parlant de cette époque : « Mes actions, insensées en apparence, étaient soumises à ce que l'on appelle illusion, selon la raison humaine.... » Bientôt, il cherche à réaliser ces « illusions ». On le rencontre au Palais-Royal, traînant une langouste vivante au bout d'une faveur bleue. Un autre soir, il chante, en commençant de se dévêtir, « un hymne mystérieux qu'il a entendu dans une vie antérieure ». — Il dut, au début de 1841, entrer dans une maison de repos, sise à Picpus. Son cas était celui de la folie avec conscience. Quelques semaines plus tard, il quitte ce premier asile pour la maison de santé du docteur Esprit Blanche, alors rue de Norvins, à Montmartre.

En automne, il en sort, momentanément guéri : « ... Au fond, écrit-il à la femme d'Alexandre Dumas, j'ai fait un rêve très amusant, et je le regrette ; j'en suis même à me demander s'il n'était pas plus vrai que tout ce qui me semble seul explicable et naturel aujourd'hui; mais, comme il y a ici des médecins et des commissaires qui veillent à ce que l'on n'étende pas le champ de la poésie aux dépens de la voie publique, on ne m'a laissé sortir et vaguer définitivement parmi les gens raisonnables que lorsque je suis convenu bien formellement d'*avoir été malade*, ce qui coûtait beaucoup à mon amour propre et à ma véracité.... Je me trouve tout désorienté et tout confus en retombant du ciel, où je marchais de plain-pied il y a quelques mois. » Il était redevenu grave, sage et exquis, mélangeant dans sa conversation l'érudition et le caprice, sachant toutes les langues d'Europe, connaissant toutes les religions. Ses contemporains, lorsqu'ils parlent de lui, sont tous d'accord : ils n'ont pas connu d'homme plus charmant, de meilleures manières, et aussi bon.

L'année suivante (il a trente-cinq ans), le voici en Égypte. Il devait rester en Orient une année entière. Il a laissé de ce voyage une relation qui est un chef-d'œuvre quasiment inconnu. Les péripéties en sont, on le pense bien, inattendues, souvent touchantes, parfois saugrenues. Au Caire, sur le conseil du consul de France, « pour vivre tranquille », il se marie. Il épouse, ou plutôt achète une sorte d'esclave à demi javanaise : Zeynab, ce qui lui attire mille ennuis. D'Égypte, il va en Syrie. A Beyrouth, il fait entrer Zeynab, qui l'embarrasse, dans une école de jeunes filles que dirige une Marseillaise, Mme Carlès. Il pénètre dans le Liban, où il chasse le faucon. Il y cherche aussi des princesses. Il finit par en trouver une dans la pension même de Mme Carlès. C'est une jeune Druse, nommée Suléma, fille d'un cheik de la montagne. Cette Suléma, Nerval trouve qu'elle ressemble à son rêve : « Désormais, je n'étais plus seul, mon avenir se dressait sur le fond lumineux de ce tableau ; la femme idéale que chacun poursuit dans ses songes s'était réalisée pour moi ; tout le reste était oublié.... » Dans ses hallucinations lucides, si l'on peut dire, il unit les mythes d'Isis aux mystères d'Eleusis, à la légende d'Orphée, au livre de la Genèse. Suléma devient « la vierge qui me fut destinée dès les premiers jours de la Création.... Des scènes qui se passaient avant l'apparition des hommes sur la terre me revenaient en mémoire, et je me voyais sous les rameaux d'or de l'Éden, assis auprès d'elle, servi par les esprits obéissants. » Aristide Marie remarque fort justement que cette exaltation diffère peu de l'exaltation qui, deux ans auparavant, l'avait conduit dans la clinique du docteur Blanche.

... Hélas ! le destin du pauvre Nerval n'était point de vivre à sa guise dans un pays où l'on rencontre cependant tant de dormeurs éveillés. La fièvre l'oblige de quitter le Liban. Il n'épousera jamais Suléma ! Il regagne « le pays du froid et des orages ; et déjà l'Orient n'est plus pour moi, dit-il tristement, qu'un de ces rêves du matin auxquels viennent bientôt succéder les ennuis du jour ».... Il revient par Malte et par Naples, où, à Pompéi, en compagnie d'une jeune Anglaise, nommée Octavie, il cherche le temple d'Isis. Il débarque en décembre à Marseille. Ses amis furent frappés « du reflet lumineux qui spiritualisait sa figure, de l'éclat extatique de ses yeux et de son front. Il semblait que la flamme intérieure qui le consumait eût reçu un aliment nouveau.... » De la diversité des théogonies, il avait dégagé « la constance du lien mystique qui fait communier l'esprit avec le divin »....

Le voici à Paris. Adrienne est morte dans un couvent probablement imaginaire ; Aurélia est enterrée depuis dix-huit mois au cimetière Montmartre dans la tombe où repose Jenny Colon-Leplus. Mais désormais l'esprit de Gérard a-t-il besoin, pour quitter la terre, de l'invitation, de la compagnie des fantômes ? Il gagne maintenant, quand il le veut, dans la jubilation, les contrées supra-terrestres où demeurent les dieux ; il a à sa disposition tous les Olympes et tous les Paradis.... Hélas ! il a beau braver tous les vertiges, cet esprit agile et ambitieux finira par s'élever si haut qu'il se perdra pour jamais dans les altitudes de l'infini.

***

Entre le retour de Gérard de Nerval à Paris et son deuxième internement, dix ans vont s'écouler, au cours desquels sa vie sera presque normale, presque paisible.

Son activité littéraire, pendant ces dix années, est grande. Il donne une réédition du *Diable amoureux*, de Cazotte, pour laquelle il écrit une préface que l'on trouve maintenant dans *Les Illuminés*. Il est lucide et sain d'esprit ; mais il ne peut cependant se détacher de ceux qu'il appelle « mes excentriques », et son goût tenace est « d'analyser les bigarrures de l'âme humaine ». Après Cazotte, il s'occupe de Raoul Spifame, le roi de Bicêtre, de Cagliostro, de Restif de la Bretonne, de Quintus Aucler, théosophe de l'époque révolutionnaire. Ce livre des *Illuminés* montre combien Nerval se promenait à l'aise dans toutes les mythologies ; et c'est le moment de rappeler la réponse célèbre qu'il fit à quelqu'un qui, un soir, chez Victor Hugo, lui reprochait de ne pas avoir de religion : « Pas de religion, moi ! Allons donc ! s'écria-t-il, j'en ai dix-sept, au moins ! » Outre *Les Illuminés*, il publie son *Voyage en Orient*, une traduction de l'*Intermezzo*, de Henri Heine ; enfin, « il fait du théâtre ». Toute sa vie, Nerval a voulu être auteur dramatique. Déjà, il avait fait représenter *Piquillo*, opéra-comique écrit pour Jenny Colon, puis un gros drame romantique, *Léo Burckart*, inspiré par les sociétés secrètes d'Allemagne. Il écrivit aussi, pour Berlioz, une partie du livret de *La Damnation de Faust*. En 1849, un autre livret, *Les Monténégrins*, qui est d'une extrême faiblesse. Mais cette année-là, ce furent les costumes des *Monténégrins* que l'on choisit pour le cortège du Bœuf Gras, et la corporation des bouchers invita les auteurs à leur banquet, ce qui ravit Nerval. L'œuvre dramatique qui lui tient au cœur est un certain *Imagier de Harlem ou la Découverte de l'Imprimerie*, « sorte, dit-il, de second *Faust* ». Il pense d'abord à en faire un livret pour Liszt. Ce fut finalement un drame pour la

Porte-Saint-Martin. La pièce eut quelque succès ; mais ce succès ne dura pas. Sinon une courte comédie, *Corilla*, qu'on trouvera dans ce recueil, le théâtre de Nerval ne lui a point survécu.

A cette époque aussi se place un second voyage en Allemagne pendant lequel, à Weimar, il écoute Liszt jouer, dans la chambre de Schiller, *Les Plaintes de la Jeune Fille*, de Schubert. Puis il visite la Hollande et rentre à Paris sans un sou. Mais, sans argent, Gérard est sans besoin : rencontrant Champfleury, il lui dit qu'il n'a pas dépensé cinquante francs en deux mois. Sans que rien altère « l'élégance native et l'aristocratie de toute sa personne », il prend peu à peu l'habitude de vivre dans les gargotes des Halles, ou à Montmartre, ou dans les auberges de l'Ile-de-France et du Valois. Il fait à ses amis le récit de ses rêves « avec, écrit Gautier, des inflexions si douces dans la voix qu'on se prenait souvent à l'écouter comme un chant ».

Les signes avant-coureurs de la crise nouvelle, on peut les discerner dans les retours du fantôme double qui semblait s'être évaporé de sa mémoire : « Un jour, écrit-il dans *Aurélia*, nous dînions sous une treille, dans un petit village des environs de Paris ; une femme vint chanter près de notre table, et je ne sais quoi, dans sa voix usée mais sympathique, me rappela celle d'Aurélia. Je la regardai ; ses traits mêmes n'étaient pas sans ressemblance avec ceux que j'avais aimés. On la renvoya, et je n'osai la retenir, mais je me disais : « Qui sait si *son esprit* n'est pas dans cette femme ! » Une nuit d'avril, sur la place de la Concorde, il veut se jeter dans la Seine ; mais à ce moment-là toutes les étoiles s'éteignent ; un soleil noir lui apparaît dans le ciel désert. « Que va-t-il arriver, songe-t-il, quand les hommes s'apercevront qu'il n'y a plus de soleil ? » Puis, arrivé au Louvre, il voit, dans ce même ciel, plusieurs lunes passer dans les nuages avec une grande rapidité. Il gagne les Halles, imagine l'effroi des maraîchers lorsqu'ils s'apercevront que la nuit est devenue éternelle. Il rentre chez lui ; il s'étonne, au matin, de revoir la lumière ; il se dit que le soleil a conservé probablement assez de lumière pour éclairer encore la terre pendant trois jours, mais que l'astre dévore sa propre substance. Enfin, il va chez Henri Heine (qui fut l'un de ses amis les plus chers) : « En entrant, je lui dis que tout était fini et qu'il fallait nous préparer à mourir. Il appela sa femme qui me dit : « Qu'avez-vous ? — Je ne sais, lui dis-je, je suis perdu. » On envoya chercher un fiacre, et une jeune fille conduisit Nerval à la maison de santé Dubois.

Il en sort au bout d'un mois. Une fois encore, il se croit guéri : « Je me trouve tout à fait bien portant, car, jusque-là, j'avais encore des papillons noirs. » Il reprend sa vie vagabonde. Il pense à écrire *Sylvie*. Il confie à Arsène Houssaye, dans une lettre datée de Mortefontaine : « Jusqu'ici rien n'a pu guérir mon cœur, qui souffre toujours du mal du pays. » On ne peut songer sans que le cœur se serre à ces suprêmes semaines de lucidité, pendant lesquelles Nerval, avant d'abandonner à jamais la Vie pour le Rêve, cède à ce « mal du pays », et, y cédant, écrit son chef-d'œuvre. Un chef-d'œuvre « pur sang », qui, au même titre qu'une « suite pour clavier » de Couperin, qu'une « sanguine » de Watteau, qu'une « figure » de Houdon, qu'un « paysage » de Corot, peut être proposé comme un témoignage exemplaire du génie français.

Sylvie n'est pas une « improvisation ». Gérard y a beaucoup pensé, longuement travaillé. En 1852, il dit à Buloz (le directeur de la *Revue des Deux Mondes*) : « Quand vous m'avez écrit, j'étais dans le Valois, faisant le paysage de mon action. » En février 1853 : « Je n'arrive pas, c'est désolant ! Cela tient peut-être à vouloir trop bien faire. » Le 29 juillet : « Je reviens de Chantilly, je suis sûr de l'histoire, mais non de l'écourter. Après tout, nous ferions un autre morceau sous un autre titre. Autrement, cela n'en finirait pas.... Cependant, s'il y avait un moyen !... La seule hâte me fait travailler ; sinon, je perle trop.... » Enfin, le 15 août 1853, *Sylvie*, ces cinquante pages immortelles (qui longtemps firent seules la réputation, la gloire de Nerval) parurent dans la *Revue des Deux Mondes*. — Onze jours plus tard (le 26 août), Gérard entrait derechef chez le docteur Blanche.

Il a été possible de reconstituer sa vie pendant les quarante-huit heures qui précédèrent ce second internement. Le 24 août, dans ses chères Halles, à l'église Saint-Eustache, il se prosterne devant l'autel de la Sainte Vierge, et le souvenir de sa mère le fait pleurer. Il va déposer ensuite chez son père (vieillard retombé en enfance) un bouquet de marguerites. Puis il se rend au Muséum et y contemple l'hippopotame et les monstres de la préhistoire. A ce moment, une averse tombe, et Gérard croit à un nouveau Déluge. Pour le conjurer, il jette dans un ruisseau un anneau d'argent ; la pluie cesse aussitôt et le soleil revient. Mouillé, il va chez un ami, qui lui donne d'autres vêtements et le fait s'étendre sur un lit. Il s'endort. Isis lui apparaît : « Je suis la même que Marie, lui dit-elle, la même que ta mère, la même aussi que, sous toutes les formes, tu as toujours aimée. A chacune de tes épreuves, j'ai quitté l'un des masques dont je voile mes traits, et bientôt tu me verras telle que je suis.... » Ces magnifiques et solennelles paroles ne sont-elles pas comme la clef de toute la vie sentimentale et imaginaire de Gérard ; la clef, aussi, de son œuvre ?

Le genre de folie dont il était possédé n'a rien à voir avec celle qui naît de l'alcool ou des stupéfiants. Gérard de Nerval fut toujours de la plus grande sobriété. Ses hallucinations n'ont rien d'artificiel, de provoqué. Nerval est peut-être le seul exemple d'un poète que le rêve seul a intoxiqué jusqu'à l'aliénation ; mais cette aliénation n'a jamais eu un caractère morbide ou malsain....

Isis disparue, Gérard se réveille et sort avec son ami. Au Palais-Royal, ses excentricités attroupent la foule. Finalement, on le reconduit à la maison de santé dont il a déjà été le pensionnaire, onze ans plus tôt, et qui est maintenant à Passy, dirigée par le docteur Émile Blanche, le fils d'Esprit Blanche, qui avait soigné Nerval autrefois. De là, il écrit à l'ami chez lequel il a vu Isis en rêve : « Il y a cinq ou six jours, j'ai été pris d'un transport au cerveau. En vous quittant, j'ai fait des folies. Avec un esprit plus sain, je vous écris de venir me voir, si vous pouvez, chez M. Blanche, à Passy. N'ai-je point laissé chez vous mon gilet ? Je ne sais ce qu'est devenu mon argent, du moins ce qui me restait. Mais tout se retrouve, comme tout se paie, suivant le mot de Balzac. Venez vite. » Et ses amis viennent. En octobre, il s'installe dans la maison de santé en prévision d'un long séjour. Il fait transporter dans un petit pavillon ses meubles personnels et tous les souvenirs de sa romantique jeunesse, de ses heureuses années.... A Passy, cette vie de fol a toutes les apparences d'une vie de sage. Gérard est enchanté de son installation : « Je suis d'une santé ridicule, si bien que je suis obligé de sauter toute la journée et de faire des exercices gymnastiques pour me calmer un peu. Je suis comme un enfant ; je chante et je ris à tout propos, ce qui étonne un peu les gens qui ne savent pas que cela est dans mes habitudes, du moins lorsque je n'ai pas d'inquiétudes graves.... » Toutefois, le docteur Blanche ne songe point à lui rendre une liberté que

Nerval réclame au docteur lui-même en ces termes : « ... Mes épreuves sont terminées, et pour parler comme les initiés, j'ai déposé la clef d'Osiris sur l'autel de la sagesse.... Je voulais trop faire en bravant la mort. C'est dans une autre vie qu'elle me rendra celle que j'aime. Ici, je n'écoute pas la voix d'un songe, mais la promesse sacrée de Dieu. »

Le docteur Blanche qui, dans toute cette histoire, fut la modération, la clairvoyance et la sagesse mêmes, ne consent pas immédiatement à cette libération. Ce n'est que le 27 mai 1854, neuf mois après y être entré, que Nerval quittera la maison de Passy. Jusque-là, il y vit comme dans une pension, y recevant ses amis à sa guise. Il y travaille aussi beaucoup. Pendant ces neuf mois, il composa sans doute quelques-uns des sonnets qui formeront, dans son œuvre posthume, la suite des *Chimères*, improprement appelée parfois *Vers dorés*. Ces sonnets constituent l'un des plus précieux trésors de la poésie française. Les plus beaux sont d'apparence hermétique ; en réalité, on en possède la clef si on les étudie en se référant à la vie de Nerval. Mais leur pouvoir particulier tient à ce qu'ils sont émouvants en dehors de toute signification. Pour qu'ils touchent, il suffit que l'on soit sensible à la beauté des images, à la beauté de la mélodie verbale, à un extraordinaire pouvoir de suggestion. Par là, ils réalisent, par anticipation, ce que chercheront à faire les symbolistes, Stéphane Mallarmé, et après lui, Paul Valéry. Mais l'art mallarméen, comme l'art valéryen, est prémédité, voulu ; les jeux de l'allusion s'y déduisent de règles établies selon les lois d'une logique particulière. Rien de pareil dans les sonnets nervaliens, que l'on peut comparer plutôt à des morceaux de musique, composés sur quelques thèmes connus de l'auteur seul, et librement employés par lui. Ces thèmes ont pour unique contrainte les obligations de la prosodie la plus fixe, la plus classique, la plus stricte. Ils sont pour cela de bons exemples à opposer à ceux qui prétendent que le vers régulier est un instrument sans ressources et sans souplesse, usé jusqu'à la corde.

Le plus beau de ces sonnets est certainement *El Desdichado* (mot espagnol qui signifie *Le Déshérité*) et qui est désormais aussi célèbre, aussi souvent cité et récité que l'était hier le sonnet d'Arvers ou *Le Vase brisé*. Aidé de textes en prose comme *Aurélia*, comme *Sylvie*, comme *Octavie*, il n'est pas impossible de traduire « en clair » ce qu'ont d'obscur ces quatorze vers. Mais que gagneraient-ils à être dépouillés de leur mystère ? — Ce sonnet est secret comme le visage d'un dieu. Ne penchons pas sur lui la lampe de Psyché.

Trois jours après avoir quitté la clinique de Passy, Gérard de Nerval est à Strasbourg. S'il est guéri, cette guérison est fragile et vite menacée. « J'ai fait tant de bruit à l'Hôtel de la Fleur, écrit-il au poète Antony Deschamps, que je crois qu'il y a des gens qui en sont partis à cause de cela ; des femmes peut-être, malheureusement, que l'on n'a qu'entrevues. Eh bien, les garçons sont si polis dans cet établissement qu'ils ne m'ont fait que des observations détournées sur ce que je ne me rendais peut-être pas très bien compte des heures. J'ai dit : « Mais je n'ai pas de montre et « le jour paraît de bonne heure ; est-ce que j'ai dérangé « quelqu'un ? Il fallait me le dire. » Ce garçon m'a dit : « Monsieur sait bien ce qu'il fait. » J'ai répondu : « Pas « toujours. »

A la fin de juillet, aussitôt rentré à Paris, il s'occupe de ses œuvres, se fatigue, s'excite, et, le 6 août, on doit le reconduire — une troisième et dernière fois — à Passy. La crise nouvelle est plus forte. Gérard n'est plus le malade complaisant, facile, de naguère. Au bout de huit jours, il s'échappe et rôde pendant deux semaines. On n'a jamais su où. Ensuite, il revient. Et, en septembre, il va de nouveau mieux. Trompé par cette guérison apparente, il ne consent plus à être prisonnier. Comme le docteur Blanche ne veut pas lui rendre la liberté, Gérard, pour l'obtenir, s'adresse à la Société des gens de lettres. Sa requête a toutes les apparences de la sagesse, de la raison. Le comité, composé de gens qui le connaissent peu ou mal, appuie cette requête, que Jules Janin, président de la Société, très légèrement, contresigne. Le docteur Blanche fait tout ce qu'il peut pour éviter le malheur qu'il prévoit. Toutefois, il n'empêche pas l'inévitable : à la fin d'octobre, il est obligé de laisser partir celui qu'il n'a cessé de soigner non seulement avec les ressources de la science, mais avec les inspirations du cœur.

Hélas ! Gérard est bien loin d'être guéri ! Jamais il n'a été si malade. Cette douce, patiente clairvoyance de son état, il ne la possède plus. Les lettres de cette époque qu'on a de lui sont amères, découragées, parfois désespérées. Il répète souvent : « Je n'aime plus le vin de la vie !... » Son existence est un morne vagabondage. Il passe ses nuits dans des cabarets, dans des bouges. A l'aube, il erre dans les carrières de la banlieue, dans tous les endroits qu'il a dépeints si ingénument — comme avec les pinceaux de Corot — dans les derniers chapitres de *La Bohème galante*. Quelquefois, l'un de ses amis le voit apparaître ; il demande l'hospitalité pour une nuit ; on veut le garder ; mais rien ne peut le retenir. Ces apparitions sont généralement accompagnées de manifestations bizarres : il apporte une perruche à Méry, un homard à Jules Janin, un barbet, un danois et un caniche à Busquet. Il prétend qu'il y a un trésor caché sous un arbre, aux Tuileries, et, près du bassin de ce jardin, il croit voir les poissons rouges sortir de l'eau pour lui dire avec mille politesses que la Reine de Saba l'attend. Mais il éblouit toujours ceux qu'il rencontre par sa conversation merveilleuse, par son érudition sans pédantisme, par la manière dont il mêle aux vivants les dieux disparus.

L'hiver de 1854 est un hiver très rude. Nerval vit dans une misère dont il ne souffre pas, car les épreuves matérielles n'existent plus pour lui. L'éditeur Hetzel disait pittoresquement que Gérard « n'était pas homme à s'inquiéter de si peu que de manquer de tout !... » Toutefois, cette misère le détruit lentement. Sur de petits papiers, il écrit les derniers morceaux d'*Aurélia*. Leur obscurité, comme celle des sonnets, est tout apparente. Ils contiennent les images les plus belles, les impressions les plus poignantes que peut inspirer l'appel de l'au-delà à un esprit tout prêt à quitter les chaînes de ce monde.

... Le 26 janvier 1855, à l'aube, on trouva Gérard pendu, rue de la Vieille-Lanterne, ignoble petite ruelle, sorte d'égout à ciel ouvert, situé près de la Seine, sur l'emplacement des anciennes boucheries ; à peu près à la place où se trouve maintenant la scène du théâtre Sarah-Bernhardt.

Était-ce un suicide ? Était-ce un crime ? La question n'a jamais été éclaircie. Probablement ne le sera-t-elle jamais. Nous citerons, non sans un frisson de pitié et d'horreur, ce passage du livre d'Aristide Marie : « Ce fut entre six et sept heures du matin, alors qu'un jour blafard commençait à filtrer sur les parois des lugubres maisons, qu'on aperçut Gérard pendu à la grille de l'escalier. Il était accroché au troisième barreau, à l'intersection du croisillon, au moyen d'un cordon mince en toile écrue, ceinture de tablier de cuisine, d'après Houssaye et Maxime Du Camp, lacet blanc de corset, muni de son ferret de cuivre, d'après Nadar. La tête était couverte d'un chapeau haut de forme. » Une laitière accompagnée d'un ivrogne aurait la première aperçu le cadavre. L'homme, peu clairvoyant, salua : « Mais vous ne voyez pas qu'il s'est pendu ? lui dit la laitière. — On ne se pend pas avec un chapeau sur la tête », répliqua l'ivrogne. Cette réplique est celle aussi d'un sergent de ville auquel Victorien Sardou, le matin même et sur les lieux, demanda s'il s'agissait d'un suicide : « Cela n'y ressemble guère, répondit le sergent de ville. Ce chapeau sur la tête, ça a bien l'air d'une farce qu'on lui a faite. »

Pour les uns — les plus nombreux de beaucoup — le suicide de Nerval est chose certaine ; et, assurément, on peut très bien admettre qu'un homme aussi peu maître de sa raison soit capable, dans un moment d'égarement, de mettre fin à ses jours. De plus, dans la semaine qui précéda sa mort, Nerval montra à deux personnes (Gautier et Du Camp) un cordon étroit, de fil écru, qu'il sortit de sa poche en disant : « Voici ce que je viens d'acheter ; c'est la ceinture que portait Mme de Maintenon quand elle faisait jouer *Esther*. » Mais les rares partisans de l'assassinat font état d'un billet de lui adressé — l'avant-veille du jour où l'on devait découvrir son cadavre — à sa tante Labrunie. Dans ce billet, Gérard prenait rendez-vous avec cette tante ; et, le lendemain, il se faisait réclamer par un ami au poste de police du Châtelet. Il avait donc déjà passé une nuit dans le quartier où il devait passer également, douze heures plus tard, la nuit fatale. Il avait été arrêté dans une sorte de rafle, puis relâché. Pareille chose lui arrivait souvent ; si souvent qu'on a pu supposer avec vraisemblance que le « joli monde » qui voyait, après ces rafles, la police traiter avec égards ce « monsieur » en redingote et qu'on relâchait toujours, finit par soupçonner Nerval d'être un « mouton », une sorte de policier secret. Relâché le 25 janvier, il sortit du bureau de police, selon son ami Busquet, « au milieu des murmures et même des menaces les plus directes des camarades retenus prisonniers ». Que l'un de ces singuliers camarades, mis en liberté après lui, l'ait trouvé le soir même dans les bouges de la Boucherie et lui ait fait un mauvais parti, cela n'est pas inadmissible. On pouvait, dans ces petites rues sinistres, pendre en toute tranquillité un homme aussi peu capable de se défendre : « La ville était déserte sous la neige ; il gelait à dix-huit degrés. » On le voit, la thèse du suicide et celle de l'assassinat peuvent l'une et l'autre se défendre. Laissons donc cette mort dans le mystère qui l'enveloppe et témoignons à la mémoire de Nerval la même charité d'âme que témoigna le vicaire de service à Notre-Dame. Lorsqu'on vint le trouver, ce vicaire demanda simplement : « Quelqu'un a-t-il vu ce malheureux se pendre ? — Non, personne. — Alors notre devoir est de supposer qu'il a été victime d'un crime. »

On trouva sur Nerval les brouillons raturés d'*Aurélia*, un passeport pour l'Orient, une carte de visite, une lettre, deux reçus d'un asile de nuit, et deux sous, qu'il avait peut-être conservés pour payer son lit.

On l'enterra le 30 janvier. Le service se fit à Notre-Dame, l'enterrement au Père-Lachaise. Tout le monde des lettres, à Paris, avait sincèrement aimé Gérard. Les écrivains et les journalistes qui marchaient derrière le corbillard étaient tristes et malheureux. Néanmoins, ces confrères ne purent trouver le moyen d'assurer à la dépouille de Gérard un asile durable. Il y eut de beaux articles dans les journaux. *Le Mousquetaire* publia ceux de Dumas et de Méry, emphatiques et ostentatoires, mais qui ne furent rien de plus que des « gestes ». Théophile Gautier et Arsène Houssaye seuls, leur vie durant, s'occupèrent pieusement de la tombe de leur ami. Ils obtinrent du baron Haussmann, en 1867, une concession perpétuelle. On dut faire alors une translation de cendres. Tout ce qui restait de Gérard de Nerval tint désormais dans un cercueil d'enfant. En 1890, le vieil Arsène Houssaye, dernier survivant d'une grande époque, fit placer sur cette tombe « une colonne de marbre blanc supportant une urne voilée ». Voici « la fiche de situation » de la tombe de l'auteur de *Sylvie : Labrunie, dit Gérard de Nerval, 49e division ; 4e ligne ; face 48. No 8 de la 52e division.* Autour de Gérard dorment Casimir Delavigne, qu'il avait admiré (un peu trop) dans sa jeunesse, Balzac, qu'il avait admiré toute sa vie, et Charles Nodier, dont le fantôme gracieux et fantasque doit converser la nuit avec le fantôme de celui qui le nommait son « tuteur littéraire ».

Nous placerons sur cette tombe, en guise d'épitaphe, les paroles que prononcèrent, au moment de la mort de Nerval, trois de ses contemporains, ses amis et ses pairs :

Paul de Saint-Victor : « *Il est mort, on peut le dire, de la nostalgie du monde invisible ; ouvrez-vous, portes éternelles, et laissez entrer celui qui a passé son temps terrestre à languir et à se consumer d'attente sur votre seuil !* »

Théophile Gautier : « *Il a passé du rêve de la vie au rêve de l'éternité, et à sa mémoire s'attache ce respect que l'Islam accorde aux esprits visités de Dieu.* »

Enfin, Henri Heine, son frère en poésie : « *C'était vraiment plutôt une âme qu'un homme ; je dis une âme d'ange, quelque banal que soit le mot.* »

JEAN-LOUIS VAUDOYER,
de l'Académie française.

POÉSIES

IL N'A PARU, *du vivant de Nerval, aucun recueil complet de ses poésies. Elles ont été réunies vingt-deux ans après sa mort dans le tome VI de ses* Œuvres *publiées en 1877 chez Michel Lévy frères : quelques inédits parurent en 1897.*

*Durant la période de jeunesse, Gérard avait recopié en des manuscrits calligraphiés les rondeaux, odes, épîtres et poèmes épiques qu'il composait à l'imitation des poètes du XVI*e *siècle.*

*En 1827, paraît son premier livre de poèmes sousle titre d'*Élégies nationales. *Puis les revues littéraires du temps,* Almanach des Muses, Annales romantiques, L'Artiste, Le Cabinet de lecture, *publient ses traductions de poètes allemands ou ses poésies propres : tantôt il « ronsardise » selon son expression, tantôt il imite les Anglais ou les romantiques allemands, qui lui révèlent la vraie poésie. En 1830, il a recueilli sous le titre de* Poésies allemandes *ses traductions de Klopstock, Gœthe, Schiller, Bürger, mais il fait aussi connaître, aux Français Hoffmann, Uhland, Kőrner, Jean-Paul Richter, Henri Heine.*

En 1832, une odelette, Fantaisie, *apporte un frisson nouveau : ce thème de la vie antérieure qu'il doit peut-être à ses lectures de Restif de la Bretonne et que Baudelaire reprendra après lui. Dans le même temps, son désir d'être avant tout un poète dramatique le livre tout entier au théâtre et à l'opéra-comique ; il écrit aussi quelques poésies familières.*

C'est la période de sa passion pour Jenny Colon. La rupture, l'effervescence cérébrale de 1841, la mort de la femme aimée en 1842, le grand voyage d'une année en Orient et en Italie (1843), dix ans d'angoisse à la recherche des destinées de l'âme humaine, l'exploration systématique de ses songes vont faire de Nerval un grand poète.

« La muse était entrée dans mon cœur comme une déesse aux paroles dorées, elle s'est échappée comme une Pythie en jetant des cris de douleur.... J'ai fait les premiers vers par enthou-

siasme de jeunesse, les seconds par amour, les derniers par désespoir ».

Après sa « descente aux enfers », Nerval compose le Christ aux Oliviers, *la* Rêverie de Charles VI, *les sept extraordinaires sonnets des* Chimères, Madame et souveraine *et son* Épitaphe.

Comme si la mort le pressait, en quelques années il rassemble et classe ses poésies. Aux Châteaux de Bohême *(1853) il ajoute les poèmes écrits avant 1845, entre autres* Avril, Fantaisie, Pensée de Byron, Les Cydalises, Chanson gothique, Sérénade, Daphné, Vers dorés.

Aux Filles du feu *(1854) il confie les* Chimères, *son chef-d'œuvre. « Composés dans cet état de rêverie supernaturaliste comme disent les Allemands, ils ne sont guère plus obscurs, écrit-il, que la métaphysique d'Hégel ou les* Mémorables *de Swedenborg et perdraient de leur charme à être expliqués,* si la chose était possible... *; la dernière chose qui me restera, ce sera de me croire poète ».*

En les publiant dans ce recueil, nous n'avons pas tenté d'en faire l'exégèse : des notes, à la fin du volume, mettent seulement en évidence certains faits, établissent certaines correspondances entre les Chimères *et d'autres textes nervaliens.*

Écrits, comme Aurélia, *en remontant du fond des abîmes, ces sonnets s'identifient à la terrible aventure spirituelle de Nerval et sont pour lui ce que sont pour Hugo* Dieu *et la* Fin de Satan.

C'est la biographie de Nerval écrite par Aristide Marie[1] *et la lecture des autres textes contenus dans notre édition qui permettront au lecteur d'approcher au plus près du secret des* Chimères, *« écrin de perles sombres, étranges et fascinatrices comme sa folie ».*

H. André-Bernard.

1. *Gérard de Nerval. Le Poète. L'Homme,* Hachette, 1914 et 1955.

ODELETTES

NOBLES ET VALETS

Ces nobles d'autrefois dont parlent les romans,
Ces preux à fronts de bœuf, à figures dantesques,
Dont les corps charpentés d'ossements gigantesques [1]
Semblaient avoir au sol racine et fondements ;

S'ils revenaient au monde, et qu'il leur prît l'idée
De voir les héritiers de leurs noms immortels,
Race de Laridons [2], encombrant les hôtels
Des ministres, — rampante, avide et dégradée ;

Êtres grêles, à buscs, plastrons et faux mollets : —
Certes ils comprendraient alors, ces nobles hommes,
Que, depuis les vieux temps, au sang des gentilshommes
Leurs filles ont mêlé bien du sang de valets !

1832.

LE RÉVEIL EN VOITURE

Voici ce que je vis : — Les arbres sur ma route
Fuyaient mêlés, ainsi qu'une armée en déroute ;
Et sous moi, comme ému par les vents soulevés,
Le sol roulait des flots de glèbe et de pavés.

Des clochers conduisaient parmi les plaines vertes
Leurs hameaux aux maisons de plâtre, recouvertes
En tuiles, qui trottaient ainsi que des troupeaux
De moutons blancs, marqués en rouge sur le dos.

1. Voir les notes à la fin du volume.

Et les monts enivrés chancelaient : la rivière
Comme un serpent boa, sur la vallée entière
Étendu, s'élançait pour les entortiller....
— J'étais en poste, moi, venant de m'éveiller !

1832.

LE RELAIS

En voyage, on s'arrête, on descend de voiture ;
Puis entre deux maisons on passe à l'aventure,
Des chevaux, de la route et des fouets étourdi,
L'œil fatigué de voir et le corps engourdi.

Et voici tout à coup, silencieuse et verte,
Une vallée humide et de lilas couverte,
Un ruisseau qui murmure entre les peupliers, —
Et la route et le bruit sont bien vite oubliés !

On se couche dans l'herbe et l'on s'écoute vivre,
De l'odeur du foin vert à loisir on s'enivre,
Et sans penser à rien on regarde les cieux....
Hélas ! une voix crie : « En voiture, messieurs ! »

1832.

UNE ALLÉE DU LUXEMBOURG

Elle a passé, la jeune fille
Vive et preste comme un oiseau :
A la main une fleur qui brille,
A la bouche un refrain nouveau.

C'est peut-être la seule au monde
Dont le cœur au mien répondrait,
Qui venant dans ma nuit profonde
D'un seul regard l'éclaircirait !

Mais non, — ma jeunesse est finie....
Adieu, doux rayon qui m'as lui, —
Parfum, jeune fille, harmonie....
Le bonheur passait, — il a fui !

1832.

NOTRE-DAME DE PARIS

Notre-Dame est bien vieille ; on la verra peut-être
Enterrer cependant Paris qu'elle a vu naître.
Mais, dans quelque mille ans, le temps fera broncher
Comme un loup fait un bœuf, cette carcasse lourde,
Tordra ses nerfs de fer, et puis d'une dent sourde
Rongera tristement ses vieux os de rocher.

Bien des hommes de tous les pays de la terre
Viendront pour contempler cette ruine austère,
Rêveurs, et relisant le livre de Victor [1]....
— Alors ils croiront voir la vieille basilique,
Toute ainsi qu'elle était puissante et magnifique,
Se lever devant eux comme l'ombre d'un mort !

1832.

DANS LES BOIS

Au printemps, l'oiseau naît et chante ;
N'avez-vous pas ouï sa voix ?...
Elle est pure, simple et touchante,
La voix de l'oiseau — dans les bois !

L'été, l'oiseau cherche l'oiselle ;
Il aime, et n'aime qu'une fois.
Qu'il est doux, paisible et fidèle,
Le nid de l'oiseau — dans les bois !

Puis quand vient l'automne brumeuse,
Il se tait avant les temps froids.
Hélas ! qu'elle doit être heureuse
La mort de l'oiseau — dans les bois !

1835.

AVRIL

Déja les beaux jours, la poussière,
Un ciel d'azur et de lumière,
Les murs enflammés, les longs soirs ;
Et rien de vert : à peine encore
Un reflet rougeâtre décore
Les grands arbres aux rameaux noirs.

Ce beau temps me pèse et m'ennuie.
Ce n'est qu'après des jours de pluie
Que doit surgir, en un tableau,
Le printemps verdissant et rose,
Comme une nymphe fraîche éclose,
Qui, souriante, sort de l'eau.

1831.

FANTAISIE

Il est un air pour qui je donnerais
Tout Rossini [1], tout Mozart et tout Weber,
Un air très vieux, languissant et funèbre,
Qui pour moi seul a des charmes secrets.

Or, chaque fois que je viens à l'entendre,
De deux cents ans mon âme rajeunit....
C'est sous Louis treize ; et je crois voir s'étendre
Un coteau vert, que le couchant jaunit,

Puis un château de brique à coins de pierre,
Aux vitraux teints de rougeâtres couleurs,
Ceint de grands parcs, avec une rivière
Baignant ses pieds, qui coule entre des fleurs :

Puis une dame, à sa haute fenêtre,
Blonde aux yeux noirs [2], en ses habits anciens,
Que, dans une autre existence peut-être,
J'ai déjà vue... et dont je me souviens [3] !

1832

LA GRAND-MÈRE

VOICI trois ans qu'est morte ma grand-mère [1],
— La bonne femme, — et, quand on l'enterra,
Parents, amis, tout le monde pleura
D'une douleur bien vraie et bien amère.

Moi seul j'errais dans la maison, surpris
Plus que chagrin ; et, comme j'étais proche
De son cercueil, — quelqu'un me fit reproche
De voir cela sans larmes et sans cris.

Douleur bruyante est bien vite passée :
Depuis trois ans, d'autres émotions,
Des biens, des maux, — des révolutions, —
Ont dans les cœurs sa mémoire effacée.

Moi seul j'y songe, et la pleure souvent ;
Depuis trois ans, par le temps prenant force,
Ainsi qu'un nom gravé dans une écorce,
Son souvenir se creuse plus avant.

1835.

LA COUSINE

L'HIVER a ses plaisirs : et souvent, le dimanche,
Quand un peu de soleil jaunit la terre blanche,
Avec une cousine on sort se promener....
« Et ne vous faites pas attendre pour dîner »,

Dit la mère. Et quand on a bien, aux Tuileries,
Vu sous les arbres noirs les toilettes fleuries,
La jeune fille a froid... et vous fait observer
Que le brouillard du soir commence à se lever.

Et l'on revient, parlant du beau jour qu'on regrette,
Qui s'est passé si vite... et de flamme discrète :
Et l'on sent en rentrant, avec grand appétit,
Du bas de l'escalier, — le dindon qui rôtit.

1852.

PENSÉE DE BYRON

Élégie.

Par mon amour et ma constance,
J'avais cru fléchir ta rigueur,
Et le souffle de l'espérance
Avait pénétré dans mon cœur ;
Mais le temps, qu'en vain je prolonge,
M'a découvert la vérité,
L'espérance a fui comme un songe [1]
Et mon amour seul m'est resté !

Il est resté comme un abîme
Entre ma vie et le bonheur,
Comme un mal dont je suis victime,
Comme un poids jeté sur mon cœur !
Pour fuir le piège où je succombe,
Mes efforts seraient superflus ;
Car l'homme a le pied dans la tombe,
Quand l'espoir ne le soutient plus.

J'aimais à réveiller la lyre,
Et souvent, plein de doux transports,
J'osais, ému par le délire,
En tirer de tendres accords.
Que de fois, en versant des larmes,
J'ai chanté tes divins attraits !
Mes accents étaient pleins de charmes,
Car c'est toi qui les inspirais.

Ce temps n'est plus, et le délire
Ne vient plus animer ma voix ;
Je ne trouve point à ma lyre
Les sons qu'elle avait autrefois.
Dans le chagrin qui me dévore,
Je vois mes beaux jours s'envoler ;
Si mon œil étincelle encore,
C'est qu'une larme va couler !

Brisons la coupe de la vie ;
Sa liqueur n'est que du poison ;
Elle plaisait à ma folie,
Mais elle enivrait ma raison.
Trop longtemps épris d'un vain songe,
Gloire ! amour ! vous eûtes mon cœur :
O Gloire ! tu n'es qu'un mensonge ;
Amour ! tu n'es point le bonheur !

1827.

GAIETÉ

PETIT *piqueton* [1] de Mareuil,
Plus clairet qu'un vin d'Argenteuil,
Que ta saveur est souveraine !
Les Romains ne t'ont pas compris
Lorsqu'habitant l'ancien Paris
Ils te préféraient le Surène.

Ta liqueur rose, ô joli vin !
Semble faite du sang divin
De quelque nymphe bocagère ;
Tu perles au bord désiré
D'un verre à côtes, coloré
Par les teintes de la fougère.

Tu me guéris pendant l'été
De la soif qu'un vin plus vanté
M'avait laissé [2] depuis la veille ;
Ton goût suret, mais doux aussi,
Happant mon palais épaissi,
Me rafraîchit quand je m'éveille.

Eh quoi ! si gai dès le matin,
Je foule d'un pied incertain
Le sentier où verdit ton pampre !...
— Et je n'ai pas de Richelet [3]
Pour finir ce docte couplet...
Et trouver une rime en ampre.

POLITIQUE 1832

Dans Sainte-Pélagie [1],
Sous ce règne élargie,
Où, rêveur et pensif,
Je vis captif,

Pas une herbe ne pousse
Et pas un brin de mousse
Le long des murs grillés
Et frais taillés !

Oiseau qui fends l'espace....
Et toi, brise, qui passe
Sur l'étroit horizon
De la prison,

Dans votre vol superbe,
Apportez-moi quelque herbe,
Quelque gramen [2], mouvant
Sa tête au vent !

Qu'à mes pieds tourbillonne
Une feuille d'automne
Peinte de cent couleurs
Comme les fleurs !

Pour que mon âme triste
Sache encor qu'il existe
Une nature, un Dieu
Dehors ce lieu,

Faites-moi cette joie [3],
Qu'un instant je revoie
Quelque chose de vert
Avant l'hiver !

1831.

LE POINT NOIR

Quiconque a regardé le soleil fixement
Croit voir devant ses yeux voler obstinément
Autour de lui, dans l'air, une tache livide.

Ainsi, tout jeune encore et plus audacieux,
Sur la gloire un instant j'osai fixer les yeux :
Un point noir est resté dans mon regard avide.

Depuis, mêlée à tout comme un signe de deuil,
Partout, sur quelque endroit que s'arrête mon œil,
Je la vois se poser aussi, la tache noire ! —

Quoi, toujours ? Entre moi sans cesse et le bonheur !
Oh ! c'est que l'aigle seul — malheur à nous ! malheur ! —
Contemple impunément le Soleil et la Gloire.

LES PAPILLONS

I

De toutes les belles choses
Qui nous manquent en hiver,
Qu'aimez-vous mieux ? — Moi, les roses ;
— Moi, l'aspect d'un beau pré vert ;
— Moi, la moisson blondissante,
Chevelure des sillons ;
— Moi, le rossignol qui chante ;
— Et moi, les beaux papillons !

Le papillon, fleur sans tige,
Qui voltige,
Que l'on cueille en un réseau ;
Dans la nature infinie,
Harmonie
Entre la plante et l'oiseau !...

Quand revient l'été superbe,
Je m'en vais au bois tout seul :
Je m'étends dans la grande herbe,
Perdu dans ce vert linceul.
Sur ma tête renversée,
Là, chacun d'eux à son tour,
Passe comme une pensée
De poésie ou d'amour !

Voici le papillon *faune*,
Noir et jaune ;
Voici le *mars* azuré,
Agitant des étincelles
Sur ses ailes
D'un velours riche et moiré.

Voici le *vulcain* rapide,
Qui vole comme un oiseau :
Son aile noire et splendide
Porte un grand ruban ponceau.
Dieux ! le *soufré*, dans l'espace,
Comme un éclair a relui....
Mais le joyeux *nacré* passe,
Et je ne vois plus que lui !

II

Comme un éventail de soie,
Il déploie
Son manteau semé d'argent ;
Et sa robe bigarrée
Est dorée
D'un or verdâtre et changeant.

Voici le *machaon-zèbre*,
De fauve et de noir rayé ;
Le *deuil*, en habit funèbre,
Et le *miroir* bleu strié ;
Voici l'*argus*, feuille-morte,
Le *morio*, le *grand-bleu*,
Et le *paon-de-jour* qui porte
Sur chaque aile un œil de feu !

Mais le soir brunit nos plaines ;
Les *phalènes*
Prennent leur essor bruyant,
Et les *sphinx* aux couleurs sombres,
Dans les ombres
Voltigent en tournoyant.

C'est le *grand-paon* à l'œil rose
Dessiné sur un fond gris,
Qui ne vole qu'à nuit close,
Comme les chauves-souris ;
Le *bombice* du troène,
Rayé de jaune et de vert,
Et le *papillon du chêne*
Qui ne meurt pas en hiver !...

Voici le *sphinx* à la tête
De squelette,
Peinte en blanc sur un fond noir,
Que le villageois redoute,
Sur sa route,
De voir voltiger le soir.

Je hais aussi les *phalènes*,
Sombres hôtes de la nuit,
Qui voltigent dans nos plaines
De sept heures à minuit ;
Mais vous, papillons que j'aime,
Légers papillons de jour,
Tout en vous est un emblème
De poésie et d'amour !

III

Malheur, papillons que j'aime,
Doux emblème,
A vous pour votre beauté !...
Un doigt, de votre corsage,
Au passage,
Froisse, hélas ! le velouté !...

Une toute jeune fille
Au cœur tendre, au doux souris,
Perçant vos cœurs d'une aiguille,
Vous contemple, l'œil surpris :
Et vos pattes sont coupées
Par l'ongle blanc qui les mord,
Et vos antennes crispées
Dans les douleurs de la mort !...

1830.

NI BONJOUR, NI BONSOIR

Sur un air grec

Νὴ χαλιμέρα, νὴ ὥρα χαλί.

Le matin n'est plus ! Le soir pas encore :
Pourtant de nos yeux l'éclair a pâli.

Νὴ χαλιμέρα, νὴ ὥρα χαλί

Mais le soir vermeil ressemble à l'aurore,
Et la nuit plus tard amène l'oubli !

1846.

LES CYDALISES

Où sont nos amoureuses ?
Elles sont au tombeau :
Elles sont plus heureuses,
Dans un séjour plus beau !

Elles sont près des anges,
Dans le fond du ciel bleu,
Et chantent les louanges
De la mère de Dieu !

O blanche fiancée !
O jeune vierge en fleur !
Amante délaissée,
Que flétrit la douleur !

L'Éternité profonde
Souriait dans vos yeux....
Flambeaux éteints du monde,
Rallumez-vous aux cieux !

LYRISME ET VERS D'OPÉRA

ESPAGNE [1]

MON doux pays des Espagnes,
Qui voudrait fuir ton beau ciel,
Tes cités et tes montagnes,
Et ton printemps éternel ?

Ton air pur qui nous enivre,
Tes jours, moins beaux que tes nuits,
Tes champs, où Dieu voudrait vivre
S'il quittait son paradis ?

Autrefois, ta souveraine,
L'Arabie [2], en te fuyant,
Laissa sur ton front de reine
Sa couronne d'Orient !

Un écho redit encore
A ton rivage enchanté
L'antique refrain du Maure :
Gloire, amour et liberté !

1837.

CHŒUR D'AMOUR

ICI l'on passe
Des jours enchantés !
L'ennui s'efface
Aux cœurs attristés
Comme la trace
Des flots agités.

Heure frivole
Et qu'il faut saisir,
Passion folle
Qui n'est qu'un désir,
Et qui s'envole
Après le plaisir !

1837.

CHANSON GOTHIQUE

BELLE épousée
J'aime tes pleurs !
C'est la rosée
Qui sied aux fleurs.

Les belles choses
N'ont qu'un printemps,
Semons de roses
Les pas du Temps !

Soit brune ou blonde
Faut-il choisir ?
Le Dieu du monde,
C'est le Plaisir.

1849.

LA SÉRÉNADE[1]

(Imitée d'Uhland[2].)

Oh ! quel doux chant m'éveille ?
— Près de ton lit je veille,
Ma fille ! et n'entends rien....
Rendors-toi, c'est chimère !
— J'entends dehors, ma mère,
Un chœur aérien !...

— Ta fièvre va renaître.
— Ces chants de la fenêtre
Semblent s'être approchés.
— Dors, pauvre enfant malade,
Qui rêves sérénade....
Les galants sont couchés !

— Les hommes, que m'importe....
Un nuage m'emporte....
Adieu le monde, adieu !
Mère, ces sons étranges,
C'est le concert des anges
Qui m'appellent à Dieu !

1830.

CHANT MONTÉNÉGRIN

C'est l'empereur Napoléon,
Un nouveau César, nous dit-on,
Qui rassembla ses capitaines :
« Allez là-bas
Jusqu'à ces montagnes hautaines ;
N'hésitez pas !

« Là sont des hommes indomptables,
Au cœur de fer,
Des rochers noirs et redoutables
Comme les abords de l'enfer. »

Ils ont amené des canons
Et des houzards et des dragons.
« — Vous marchez tous, ô capitaines !
Vers le trépas ;
Contemplez ces roches hautaines,
N'avancez pas !

« Car la montagne a des abîmes
Pour vos canons ;
Les rocs détachés de leurs cimes
Iront broyer vos escadrons.

« Monténégro, Dieu te protège,
Et tu seras libre à jamais,
Comme la neige
De tes sommets ! »

1848.

CHŒUR SOUTERRAIN

Au fond des ténèbres,
Dans ces lieux funèbres,
Combattons le sort :
Et pour la vengeance,
Tous d'intelligence,
Préparons la mort.

Marchons dans l'ombre ;
Un voile sombre
Couvre les airs :
Quand tout sommeille,
Celui qui veille
Brise ses fers !

1848.

CHANT DES FEMMES EN ILLYRIE

Pays enchanté,
C'est la beauté
Qui doit te soumettre à ses chaînes.

Là-haut sur ces monts
Nous triomphons :
L'Infidèle est maître des plaines.

Chez nous
Son amour jaloux
Trouverait des inhumaines....
Mais, pour nous conquérir,
Que faut-il nous offrir ?
Un regard, un mot tendre, un soupir !...

O soleil riant
De l'Orient !
Tu fais supporter l'esclavage ;
Et tes feux vainqueurs
Domptent les cœurs,
Mais l'amour peut bien davantage.

Ses accents
Sont tout-puissants
Pour enflammer le courage....
A qui sait tout oser
Qui pourrait refuser
Une fleur, un sourire, un baiser ?

1849.

LE ROI DE THULÉ [1]

Il était un roi de Thulé
A qui son amante fidèle
Légua, comme souvenir d'elle,
Une coupe d'or ciselé.

C'était un trésor plein de charmes
Où son amour se conservait :
A chaque fois qu'il y buvait
Ses yeux se remplissaient de larmes.

Voyant ses derniers jours venir,
Il divisa son héritage,
Mais il excepta du partage
La coupe, son cher souvenir.

Il fit à la table royale
Asseoir les barons dans sa tour ;
Debout et rangée alentour,
Brillait sa noblesse loyale.

Sous le balcon grondait la mer.
Le vieux roi se lève en silence,
Il boit, — frissonne, et sa main lance
La coupe d'or au flot amer !

Il la vit tourner dans l'eau noire,
La vague en s'ouvrant fit un pli,
Le roi pencha son front pâli....
Jamais on ne le vit plus boire.

1846.

LES CHIMÈRES

EL DESDICHADO [1]

Je suis le ténébreux [2], — le veuf, — l'inconsolé,
Le prince d'Aquitaine à la tour abolie [3] :
Ma seule *étoile* est morte, — et mon luth constellé
Porte le *soleil noir* de la *Mélancolie* [4].

Dans la nuit du tombeau, toi qui m'as consolé [5],
Rends-moi le Pausilippe et la mer d'Italie,
La *fleur* qui plaisait tant à mon cœur désolé,
Et la treille où le pampre à la rose s'allie.

Suis-je Amour ou Phébus ?... Lusignan ou Biron [6] ?
Mon front est rouge encore du baiser de la reine [7] ;
J'ai rêvé dans la grotte où nage la sirène [8]....

Et j'ai, deux fois vainqueur, traversé l'Achéron [9] :
Modulant tour à tour sur la lyre d'Orphée
Les soupirs de la sainte et les cris de la fée [10].

10 décembre 1853.

MYRTHO [1]

Je pense à toi, Myrtho, divine enchanteresse,
Au Pausilippe altier, de mille feux brillant,
A ton front inondé des clartés d'Orient,
Aux raisins noirs mêlés avec l'or de ta tresse,

C'est dans ta coupe aussi que j'avais bu l'ivresse,
Et dans l'éclair furtif de ton œil souriant,
Quand aux pieds d'Iacchus [2] on me voyait priant,
Car la Muse m'a fait l'un des fils de la Grèce.

Je sais pourquoi là-bas le volcan [3] s'est rouvert....
C'est qu'hier tu l'avais touché d'un pied agile,
Et de cendres soudain l'horizon s'est couvert.

Depuis qu'un duc normand [4] brisa tes dieux d'argile,
Toujours, sous les rameaux du laurier de Virgile,
Le pâle hortensia s'unit au myrthe vert !

15 février 1854.

HORUS [1]

Le dieu Kneph [2] en tremblant ébranlait l'univers :
Isis [3], la mère, alors se leva sur sa couche,
Fit un geste de haine à son époux farouche,
Et l'ardeur d'autrefois brilla dans ses yeux verts.

« Le voyez-vous, dit-elle, il meurt, ce vieux pervers,
Tous les frimas du monde ont passé par sa bouche,
Attachez son pied tors, éteignez son œil louche,
C'est le dieu des volcans et le roi des hivers !

« L'aigle a déjà passé, l'esprit nouveau m'appelle,
J'ai revêtu pour lui la robe de Cybèle [4]....
C'est l'enfant bien-aimé d'Hermès et d'Osiris [5] ! »

La déesse avait fui sur sa conque dorée [6],
La mer nous renvoyait son image adorée,
Et les cieux rayonnaient sous l'écharpe d'Iris [7].

1854.

ANTEROS [1]

Tu demandes pourquoi j'ai tant de rage au cœur
Et sur un col flexible une tête indomptée ;
C'est que je suis issu de la race d'Antée [2],
Je retourne les dards contre le dieu vainqueur.

Oui, je suis de ceux-là qu'inspire le Vengeur [3],
Il m'a marqué le front de sa lèvre irritée,
Sous la pâleur d'Abel, hélas ! ensanglantée,
J'ai parfois de Caïn l'implacable rougeur !

Jéhovah ! le dernier, vaincu par ton génie,
Qui, du fond des enfers, criait : « O tyrannie ! »
C'est mon aïeul Bélus [4] ou mon père Dagon [5]....

Ils m'ont plongé trois fois dans les eaux du Cocyte [6],
Et, protégeant tout seul ma mère Amalécyte [7],
Je ressème à ses pieds les dents du vieux dragon [8].

1854.

DELFICA [1]

La connais-tu, Dafné [2], cette ancienne romance,
Au pied du sycomore [3], ou sous les lauriers blancs,
Sous l'olivier, le myrte ou les saules tremblants,
Cette chanson d'amour qui toujours recommence !...

Reconnais-tu le Temple [4], au péristyle immense,
Et les citrons amers où s'imprimaient tes dents,
Et la grotte [5] fatale aux hôtes imprudents,
Où du dragon vaincu dort l'antique semence [6] ?...

Ils reviendront, ces Dieux que tu pleures toujours !
Le temps va ramener l'ordre des anciens jours ;
La terre a tressailli d'un souffle prophétique....

Cependant la sibylle [7] au visage latin
Est endormie encor sous l'arc de Constantin [8]
— Et rien n'a dérangé le sévère portique [9].

1845.

ARTÉMIS [1]

La Treizième [2] revient.... C'est encor la première ;
Et c'est toujours la seule, — ou c'est le seul moment ;
Car es-tu reine, ô toi ! la première ou dernière ?
Es-tu roi, toi le seul ou le dernier amant ?...

Aimez qui vous aima du berceau dans la bière ;
Celle que j'aimai seul m'aime encor tendrement [3] :
C'est la mort — ou la morte.... O délice ! O tourment !
La rose qu'elle tient, c'est la *Rose trémière* [4].

Sainte napolitaine aux mains pleines de feux [5],
Rose au cœur violet, fleur de sainte Gudule [6] :
As-tu trouvé ta croix [7] dans le désert des cieux ?

Roses blanches [8], tombez ! vous insultez nos dieux [9] :
Tombez, fantômes blancs, de votre ciel qui brûle :
— La sainte de l'abîme [10] est plus sainte à mes yeux !

1854.

LE CHRIST AUX OLIVIERS

Dieu est mort ! le ciel est vide....
Pleurez ! enfants, vous n'avez plus de père !

JEAN-PAUL [1].

I

QUAND le Seigneur, levant au ciel ses maigres bras
Sous les arbres sacrés, comme font les poètes,
Se fut longtemps perdu dans ses douleurs muettes,
Et se jugea trahi par des amis ingrats ;

Il se tourna vers ceux qui l'attendaient en bas
Rêvant d'être des rois, des sages, des prophètes...
Mais engourdis, perdus dans le sommeil des bêtes,
Et se prit à crier : « Non, Dieu n'existe pas ! »

Ils dormaient. « Mes amis, savez-vous *la nouvelle ?*
J'ai touché de mon front à la voûte éternelle ;
Je suis sanglant, brisé, souffrant pour bien des jours !

Frères, je vous trompais : Abîme ! abîme ! abîme !
Le dieu manque à l'autel où je suis la victime.... ?
Dieu n'est pas ! Dieu n'est plus ! » Mais ils dormaient tou-
[jours !...

II

Il reprit : « Tout est mort ! J'ai parcouru les mondes ;
Et j'ai perdu mon vol dans leurs chemins lactés,
Aussi loin que la vie, en ses veines fécondes,
Répand des sables d'or et des flots argentés :

« Partout le sol désert côtoyé par des ondes,
Des tourbillons confus d'océans agités....
Un souffle vague émeut les sphères vagabondes,
Mais nul esprit n'existe en ces immensités.

« En cherchant l'œil de Dieu, je n'ai vu qu'une orbite
Vaste, noire et sans fond, d'où la nuit qui l'habite
Rayonne sur le monde et s'épaissit toujours ;

« Un arc-en-ciel étrange entoure ce puits sombre,
Seuil de l'ancien chaos dont le néant est l'ombre,
Spirale engloutissant les Mondes et les Jours !

III

« Immobile Destin, muette sentinelle,
Froide Nécessité !... Hasard qui, t'avançant
Parmi les mondes morts sous la neige éternelle,
Refroidis, par degrés, l'univers pâlissant,

« Sais-tu ce que tu fais, puissance originelle,
De tes soleils éteints, l'un l'autre se froissant....
Es-tu sûr de transmettre une haleine immortelle,
Entre un monde qui meurt et l'autre renaissant ?...

« O mon père ! est-ce toi que je sens en moi-même ?
As-tu pouvoir de vivre et de vaincre la mort ?
Aurais-tu succombé sous un dernier effort

« De cet ange des nuits [2] que frappa l'anathème ?...
Car je me sens tout seul à pleurer et souffrir,
Hélas ! et, si je meurs, c'est que tout va mourir ! »

IV

Nul n'entendait gémir l'éternelle victime,
Livrant au monde en vain tout son cœur épanché ;
Mais prêt à défaillir et sans force penché,
Il appela le *seul* — éveillé dans Solyme [3] :

« Judas ! lui cria-t-il, tu sais ce qu'on m'estime,
Hâte-toi de me vendre, et finis ce marché :
Je suis souffrant, ami ! sur la terre couché....
Viens ! ô toi qui, du moins, as la force du crime ! »

Mais Judas s'en allait, mécontent et pensif,
Se trouvant mal payé, plein d'un remords si vif
Qu'il lisait ses noirceurs sur tous les murs écrites....

Enfin Pilate [4] seul, qui veillait pour César,
Sentant quelque pitié, se tourna par hasard :
« Allez chercher ce fou ! » dit-il aux satellites [5].

V

C'était bien lui, ce fou, cet insensé sublime...
Cet Icare [6] oublié qui remontait les cieux,
Ce Phaéton [7] perdu sous la foudre des dieux,
Ce bel Atys [8] meurtri que Cybèle [9] ranime !

L'augure interrogeait le flanc de la victime,
La terre s'enivrait de ce sang précieux....
L'univers étourdi penchait sur ses essieux,
Et l'Olympe un instant chancela vers l'abîme.

« Réponds ! criait César à Jupiter Ammon [10],
Quel est ce nouveau dieu qu'on impose à la terre ?
Et si ce n'est un dieu, c'est au moins un démon.... »

Mais l'oracle invoqué pour jamais dut se taire ;
Un seul pouvait au monde expliquer ce mystère :
— Celui qui donna l'âme aux enfants du limon [11].

1844.

VERS DORÉS[1]

Eh quoi ! tout est sensible [2] !
PYTHAGORE.

HOMME, libre penseur ! te crois-tu seul pensant
Dans ce monde où la vie éclate en toute chose ?
Des forces que tu tiens ta liberté dispose,
Mais de tous tes conseils l'univers est absent.

Respecte dans la bête un esprit agissant :
Chaque fleur est une âme à la Nature éclose ;
Un mystère d'amour dans le métal repose ;
« Tout est sensible ! » Et tout sur ton être est puissant.

Crains, dans le mur aveugle, un regard qui t'épie :
A la matière même un verbe est attaché....
Ne la fais pas servir à quelque usage impie !

Souvent dans l'être obscur habite un Dieu caché ;
Et comme un œil naissant couvert par ses paupières,
Un pur esprit s'accroît sous l'écorce des pierres !

1845.

POÉSIES DIVERSES

LA TÊTE ARMÉE

NAPOLÉON mourant vit une *Tête armée* [1]....
Il pensait à son fils déjà faible et souffrant :
La Tête, c'était donc sa France bien-aimée,
Décapitée, aux pieds du César expirant.

Dieu, qui jugeait cet homme et cette renommée,
Appela Jésus-Christ ; mais l'abîme, s'ouvrant,
Ne rendit qu'un vain souffle, un spectre de fumée [2] :
Le demi-dieu, vaincu, se releva plus grand.

Alors on vit sortir du fond du purgatoire
Un jeune homme inondé des pleurs de la Victoire [3],
Qui tendit sa main pure au monarque des cieux ;

Frappés au flanc tous deux par un double mystère,
L'un répandait son sang pour féconder la terre,
L'autre versait au Ciel la semence des Dieux !

A HÉLÈNE DE MECKLEMBOURG [1]

LE vieux palais attend la princesse saxonne
Qui des derniers Capets veut sauver les enfants ;
Charlemagne attentif à ses pas triomphants
Crie à Napoléon que Charles Quint pardonne.

Mais deux rois à la grille attendent en personne ;
Quel est le souvenir qui les tient si tremblants,
Que l'aïeul aux yeux morts s'en retourne à pas lents,
Dédaignant de frapper ces pêcheurs de couronne ?

O Médicis ! les temps seraient-ils accomplis ?
Tes trois fils sont rentrés dans ta robe aux grands plis
Mais il en reste un seul qui s'attache à ta mante.

C'est un aiglon tout faible, oublié par hasard,
Il rapporte la foudre à son père César....
Et c'est lui qui dans l'air amassait la tourmente !

1837.

A MADAME SAND [1]

Ce roc voûté par art, chef-d'œuvre d'un autre âge [2],
Ce roc de Tarascon hébergeait autrefois
Les géants descendus des montagnes de Foix,
Dont tant *d'os* excessifs rendent sûr témoignage [3],

O seigneur Du Bartas [4], je suis de ton lignage [5],
Moi qui soude mon vers à ton vers d'autrefois !
Mais les vrais descendants des vieux *Comtes de Foix*
Ont besoin de *témoins* pour parler dans notre âge.

J'ai passé près Salzbourg [6] sous des rochers tremblants ;
La cigogne d'Autriche y nourrit les milans [7].
Barberousse et Richard ont sacré ce refuge.

La neige règne au front de leurs pics infranchis,
Et ce sont, m'a-t-on dit, les *ossements* blanchis
Des anciens monts rongés par la mer du déluge.

A MADAME IDA DUMAS[1]

J'étais assis chantant aux pieds de Michaël [2],
Mithra [3] sur notre tête avait fermé sa tente,
Le Roi des rois dormait dans sa couche éclatante,
Et tous deux en rêvant nous pleurions Israël !

Quand Tippoo [4] se leva dans la nuée ardente...
Trois voix avaient crié vengeance au bord du ciel :
Il rappela d'en haut mon frère Gabriel [5],
Et tourna vers Michel sa prunelle sanglante :

« Voici venir le Loup, le Tigre et le Lion....
L'un s'appelle Ibrahim [6], l'autre Napoléon
Et l'autre Abd-el-Kader [7], qui rugit dans la poudre ;

« Le glaive d'Alaric [8], le sabre d'Attila [9],
Ils les ont.... Mon épée et ma lance sont là....
Mais le Cæsar romain nous a volé la foudre ! »

UNE FEMME EST L'AMOUR

Une femme est l'amour, la gloire et l'espérance ;
Aux enfants qu'elle guide, à l'homme consolé,
Elle élève le cœur et calme la souffrance,
Comme un esprit des cieux sur la terre exilé.

Courbé par le travail ou par la destinée,
L'homme à sa voix s'élève et son front s'éclaircit :
Toujours impatient dans sa course bornée,
Un sourire le dompte et son cœur s'adoucit.

Dans ce siècle de fer, la gloire est incertaine :
Bien longtemps à l'attendre il faut se résigner,
Mais qui n'aimerait pas dans sa grâce sereine
La Beauté qui la donne et qui la fait gagner ?

RÊVERIE DE CHARLES VI [1]

Fragment.

... Que de soins sur un front la main de Dieu rassemble
Et donne pour racine aux fleurons du bandeau !
Pourquoi mit-il encore ce pénible fardeau
Sur ma tête aux pensers sombres abandonnée [2],
Et souffrante, et déjà de soi-même inclinée ?

Moi qui n'aurais aimé, si j'avais pu choisir,
Qu'une existence calme, obscure et sans désir :
Une pauvre maison dans quelque bois perdue [3],
De tapis de lierre et de mousse tendue ;
Des fleurs à cultiver, la barque d'un pêcheur,
Et de la nuit sur l'eau respirer la fraîcheur ;
Prier Dieu sur les monts, suivre mes rêveries
Par les bois ombragés et les grandes prairies,
Des collines le soir descendre le penchant,
Le visage baigné des lueurs du couchant ;
Quand un vent parfumé nous apporte en sa plainte
Quelques sons affaiblis d'une ancienne complainte...
Oh ! ces feux du couchant, vermeils, capricieux,
Montent, comme un chemin splendide, vers les cieux !
Il semble que Dieu dise à mon âme souffrante :
« Quitte le monde impur, la foule indifférente,
Suis d'un pas assuré cette route qui luit,
Et viens à moi, mon fils !... et n'attends pas *la nuit* ! [4] »

1847.

« MADAME et souveraine [1],
Que mon cœur a de peine... »
Ainsi disait un enfant chérubin :
« Madame et souveraine,
Que mon cœur a de peine.... »

. . . .

Cette nuit, je ne sais trop pourquoi, ce refrain
A trotté dans ma tête et m'a laissé tout triste....
J'ai des torts envers vous... mais de ces torts d'artiste
Que l'on peut pardonner de la main à la main.
Je suis un fainéant, bohème journaliste,
Qui dîne d'un bon mot étalé sur son pain.
Vieux avant l'âge et plein de rancunes amères [2],
Méfiant comme un rat, trompé par trop de gens [3],
Ne croyant nullement aux amitiés sincères,
J'ai mis exprès à bout les nobles sentiments
Qui vous poussaient, madame, à calmer les tourments
D'une âme abandonnée au pays des misères.

Daignez me pardonner cet essai maladroit...
Vos lettres m'ont prouvé que dans cette bagarre
Vous possédiez l'esprit qui marche ferme et droit,
Vous voulez votre *dû*, mot grotesque et barbare,
Que l'on n'accepterait jamais au *Tintamarre*[4]....
Mais il paraît qu'il faut payer ce que l'on doit.
Vous aurez donc, madame, et manuscrits et lettres,
Doucement ficelés dans un calicot vert,
Car ma plume est gelée aux jours noirs de l'hiver.
Sans feu dans mon taudis, sans carreaux aux fenêtres,
Je vais trouver le *joint* du ciel ou de l'enfer,
Et j'ai pour l'autre monde enfin bouclé mes guêtres.
J'ai fait mon épitaphe[5] et prends la liberté
De vous la dédier dans un sonnet stupide
Qui s'élance à l'instant du fond d'un cerveau vide...
Mouvement de coucou par le froid arrêté :
La misère a rendu ma pensée invalide !

ÉPITAPHE

SONNET

Il a vécu tantôt gai comme un sansonnet,
Tout à tour amoureux, insoucieux et tendre,
Tantôt sombre et rêveur comme un triste Clitandre,
Un jour il entendit qu'à sa porte on sonnait.

C'était la Mort ! Alors il la pria d'attendre
Qu'il eût posé le point à son dernier sonnet ;
Et puis sans s'émouvoir il s'en alla s'étendre
Au fond du coffre froid où son corps frissonnait.

Il était paresseux, à ce que dit l'histoire,
Il laissait trop sécher l'encre dans l'écritoire.
Il voulait tout savoir mais il n'a rien connu.

Et quand vint le moment, où, las de cette vie,
Un soir d'hiver, enfin l'âme lui fut ravie,
Il s'en alla disant : Pourquoi suis-je venu ?

PETITS CHATEAUX DE BOHÊME

●

NOUS AURIONS PU *placer en tête de cette édition les* Petits Châteaux de Bohême, *que Nerval composa en 1852, mais ne publia qu'en 1853, deux ans avant sa mort. Ils contiennent en effet le récit de sa jeunesse par lui-même et constituent la meilleure des introductions aux* Poésies *qui les accompagnaient. L'ouvrage publié chez l'éditeur Didier reproduisait les textes donnés en feuilleton dans l'*Artiste *en 1852 sous le titre de* La Bohème galante ; *mais il les avait remaniés et c'est sous cette nouvelle forme qu'ils doivent être reproduits désormais.*

Les Petits Châteaux de Bohême *se composent de trois récits : le premier et le troisième sont accompagnés de poésies, comme il a été dit page 28, le second est suivi de* Corilla, *intermède qu'on trouvera dans* Les Filles du Feu, *parce que Nerval l'y avait transporté en 1854.*

Les Petits Châteaux de Bohême *évoquent le temps où Gérard étudiant de médecine qui a jeté la robe aux orties, contre le désir de son père, s'installe avec Arsène Houssaye et Camille Rogier rue du Doyenné à l'ombre du vieux Louvre et de l'arc du Carrousel. Nous sommes en 1835 : Gérard a rencontré l'année précédente, probablement, une actrice des Variétés devenue cantatrice à l'Opéra-Comique, Jenny Colon, née comme lui en 1808 ; il rêve d'en faire sa* Reine de Saba *et, plein d'espoir, il a installé ce grand lit à colonnes qu'il croit être celui de Marguerite de Valois et dont ses amis se moqueront longtemps.*

Il vient de toucher un héritage de 30 000 francs en mars 1835. Désormais féru de théâtre, il se jette dans l'entreprise du Monde dramatique, *publication luxueuse qu'il va mener avec prodigalité : comme Balzac, se croyant doué pour les affaires, perdit ses fonds (et ceux des autres) dans l'imprimerie, Nerval se trouve ruiné en 1836. Mais, entre-temps, nos bohèmes galants et leurs Cydalises s'amusent et font du tapage : après le célèbre bal des Truands, le 28 novembre 1835, ils sont expulsés par le propriétaire et se séparent.*

*Ce salon du Doyenné n'est pas qu'un lieu de fête : on y travaille aussi. Rogier est peintre, Houssaye et Nerval se sont juré de rénover la poésie française « affaiblie par les langueurs du XVIII*e *siècle et troublée par des novateurs trop ardents (les romantiques dont ils viennent de quitter le Cénacle) ».*

On va voir quel talent de mémorialiste et de conteur possédait Nerval : d'autres textes en témoignent, antérieurs aux Châteaux de Bohême *et qui ne pouvaient trouver place dans notre édition (*La Main enchantée *(1832),* Le Monstre vert *(1850),* Mes Prisons *(1851),* Les Nuits d'Octobre *(1852).*

Tels qu'on va les lire, les Petits Châteaux de Bohême *nous livrent une tranche de la vie de Nerval pendant la période qui précède sa crise de démence de 1841 et le voyage qu'il fit en Orient en 1843.*

H. A.-B.

PETITS CHATEAUX DE BOHÊME

A UN AMI [1]

O primavera, gioventù dell'anno,
Bella madre di fiori,
D'erbe novelle e di novelli amori....

Pastor fido.

MON ami, vous me demandez si je pourrais retrouver quelques-uns de mes anciens vers, et vous vous inquiétez même d'apprendre comment j'ai été poète, longtemps avant de devenir un humble prosateur.

Je vous envoie les trois âges du poète — il n'y a plus en moi qu'un prosateur obstiné. J'ai fait les premiers vers par enthousiasme de jeunesse, les seconds par amour, les derniers par désespoir. La Muse est entrée dans mon cœur comme une déesse aux paroles dorées ; elle s'en est échappée comme une pythie en jetant des cris de douleur. Seulement, ses derniers accents se sont adoucis à mesure qu'elle s'éloignait. Elle s'est détournée un instant, et j'ai revu comme en un mirage les traits adorés d'autrefois !

La vie d'un poète est celle de tous. Il est inutile d'en définir toutes les phases. Et, maintenant :

Rebâtissons, ami, ce château périssable
Que le souffle du monde a jeté sur le sable.
Replaçons le sofa sous les tableaux flamands.
[Et pour un jour encor relisons nos romans].

PREMIER CHATEAU

I. LA RUE DU DOYENNÉ

C'ÉTAIT dans notre logement commun de la rue du Doyenné [2] que nous nous étions reconnus frères. — *Arcades ambo* [3], — dans un coin du vieux Louvre des Médicis, — bien près de l'endroit où exista l'ancien hôtel de Rambouillet.

Le vieux salon du doyen [4], aux quatre portes à deux battants, au plafond historié de rocailles et de guivres [5], — restauré par les soins de tant de peintres [6], nos amis, qui sont depuis devenus célèbres, retentissait de nos rimes galantes, traversées souvent par les rires joyeux ou les folles chansons des Cydalises [7].

Le bon Rogier [8] souriait dans sa barbe, du haut d'une échelle, où il peignait sur un des trois dessus de glace un Neptune, — qui lui ressemblait ! Puis les deux battants d'une porte s'ouvraient avec fracas : c'était Théophile [9]. On s'empressait de lui offrir un fauteuil Louis XIII, et il lisait, à son tour, ses premiers vers — pendant que Cydalise Ire, ou Lorry, ou Victorine, se balançaient nonchalamment dans le hamac de Sarah la blonde, tendu à travers l'immense salon.

Quelqu'un de nous se levait parfois, et rêvait à des vers nouveaux en contemplant, des fenêtres, les façades sculptées de la galerie du Musée, égayée de ce côté par les arbres du manège.

Vous l'avez bien dit :

> Théo, te souviens-tu de ces vertes saisons
> Qui s'effeuillaient si vite en ces vieilles maisons,
> Dont le front s'abritait sous une aile du Louvre ?

Ou bien, par les fenêtres opposées, qui donnaient sur l'impasse, on adressait de vagues provocations aux yeux espagnols de la femme du commissaire, qui apparaissaient assez souvent au-dessus de la lanterne municipale.

Quels temps heureux ! On donnait des bals, des soupers, des fêtes costumées, — on jouait de vieilles comédies, où Mademoiselle Plessy [10], étant encore débutante, ne dédaigna pas d'accepter un rôle : — c'était celui de Béatrice, dans *Jodelet* [11]. Et que notre pauvre Édouard Ourliac [12] était comique dans les rôles d'Arlequin !

Nous étions jeunes, toujours gais, souvent riches.... Mais je viens de faire vibrer la corde sombre : notre palais est rasé. J'en ai foulé les débris l'automne passé. Les ruines mêmes de la chapelle, qui se découpaient si gracieusement sur le vert des arbres, et dont le dôme s'était écroulé un jour, au XVIIIe siècle, sur six malheureux chanoines réunis pour dire un office, n'ont pas été respectées. Le jour où l'on coupera les arbres du manège, j'irai relire sur la place *La Forêt coupée* [13], de Ronsard :

> Écoute, bûcheron, arreste un peu le bras :
> Ce ne sont pas des bois que tu jettes à bas ;
> Ne vois-tu pas le sang, lequel dégoutte à force,
> Des nymphes, qui vivaient dessous la dure écorce ?

Cela finit ainsi, vous le savez :

> La matière demeure et la forme se perd !

Vers cette époque, je me suis trouvé, un jour encore, assez riche pour enlever aux démolisseurs et racheter deux lots de boiseries du salon, peintes par nos amis. J'ai les deux dessus de porte de Nanteuil[14] ; le *Watteau*, de Vattier, signé ; les deux panneaux longs de Corot, représentant deux *Paysages* de Provence ; le *Moine rouge*, de Châtillon, lisant la Bible sur la hanche cambrée d'une femme nue, qui dort [15] ; les *Bacchantes*, de Chassériau, qui tiennent des tigres en laisse comme des chiens ; les deux trumeaux de Rogier, où la Cydalise, en costume Régence, en robe de taffetas feuille-morte, — triste présage [16], — sourit, de ses yeux chinois, en respirant une rose, en face du portrait en pied de Théophile, vêtu à l'espagnole. L'*affreux* propriétaire, qui demeurait au rez-de-chaussée, mais sur la tête duquel nous dansions trop souvent, après deux ans de souffrances qui l'avaient conduit à nous donner congé, a fait couvrir depuis toutes ces peintures d'une couche à la détrempe, parce qu'il prétendait que les nudités l'empêchaient de louer à des bourgeois. — Je bénis le sentiment d'économie qui l'a porté à ne pas employer la peinture à l'huile.

De sorte que tout cela est à peu près sauvé. Je n'ai pas retrouvé le *Siège de Lérida*, de Lorentz [17], où l'armée française monte à l'assaut, précédée par des violons ; ni les deux petits *Paysages* de Rousseau, qu'on aura sans doute coupés d'avance ; mais j'ai, de Lorentz, une *maréchale* poudrée, en uniforme Louis XV. — Quant au lit Renaissance, à la console Médicis, aux deux buffets [18], à mon *Ribeira* [19], aux tapisseries des *Quatre Éléments*, il y a longtemps que tout cela s'était dispersé. « Où avez-vous perdu tant de belles choses ? me dit un jour Balzac. — Dans les malheurs ! » lui répondis-je, en citant un de ses mots favoris.

II. PORTRAITS

Reparlons de la Cydalise, ou, plutôt, n'en disons qu'un mot. Elle est embaumée et conservée à jamais dans le pur cristal d'un sonnet de Théophile, — du Théo, comme nous disions.

Théophile a toujours passé pour solide; il n'a jamais cependant pris de ventre et s'est conservé tel encore que nous le connaissions. Nos vêtements étriqués sont si absurdes, que l'Antinoüs [1], habillé d'un habit, semblerait énorme, comme la Vénus, habillée d'une robe moderne : l'un aurait l'air d'un fort de la halle endimanché, l'autre d'une marchande de poisson. L'armature colossale du corps de notre ami (on peut le dire, puisqu'il voyage en Grèce aujourd'hui) lui fait souvent du tort près des dames abonnées aux journaux de modes; une connaissance plus parfaite lui a maintenu la faveur du sexe le plus faible et le plus intelligent; il jouissait d'une grande réputation dans notre cercle et ne se mourait pas toujours aux pieds chinois [2] de la Cydalise.

En remontant plus haut dans mes souvenirs, je retrouve un Théophile maigre... Vous ne l'avez pas connu. Je l'ai vu, un jour, étendu sur un lit, — long et vert, — la poitrine chargée de ventouses. Il s'en allait rejoindre, peu à peu, son pseudonyme, Théophile de Viau [3], dont vous avez décrit les amours panthéistes, — par le chemin ombragé de l'*Allée de Sylvie*. Ces deux poètes, séparés par deux siècles, se seraient serré la main, aux Champs Élysées de Virgile, beaucoup trop tôt.

Voici ce qui s'est passé à ce sujet :

Nous étions plusieurs amis, d'une société antérieure, qui menions gaiement une existence de mode, alors, même pour les gens sérieux. Le Théophile mourant nous faisait peine, et nous avions des idées nouvelles d'hygiène, que nous communiquâmes aux parents. Les parents comprirent, chose rare; mais ils aimaient leur fils. On renvoya le médecin, et nous dîmes à Théo : « Lève-toi... et viens souper. » La faiblesse de son estomac nous inquiéta d'abord. Il s'était endormi et senti malade à la première représentation de *Robert le Diable* [4]. On rappela le médecin. Ce dernier se mit à réfléchir, et, le voyant plein de santé au réveil, dit aux parents : « Ses amis ont peut-être raison. »

Depuis ce temps-là, le Théophile refleurit. — On ne parla

plus de ventouses, et on nous l'abandonna. La nature l'avait fait poète, nos soins le firent presque immortel. Ce qui réussissait le plus sur son tempérament, c'était une certaine préparation de cassis sans sucre, que ses sœurs lui servaient dans d'énormes amphores en grès de la fabrique de Beauvais ; Ziégler [5] a donné depuis des formes capricieuses à ce qui n'était alors que de simples cruches au ventre lourd. Lorsque nous nous communiquions nos inspirations poétiques, on faisait, par précaution, garnir la chambre de matelas, afin que le *paroxysme*, dû quelquefois au Bacchus de cassis, ne compromît pas nos têtes avec les angles des meubles.

Théophile, sauvé, n'a plus bu que de l'eau rougie et un doigt de champagne dans les petits soupers.

III. LA REINE DE SABA

REVENONS-Y. — Nous avions désespéré d'attendrir la femme du commissaire. — Son mari, moins farouche qu'elle, avait répondu, par une lettre fort polie, à l'invitation collective que nous leur avions adressée. Comme il était impossible de dormir dans ces vieilles maisons, à cause des suites chorégraphiques de nos soupers, — munis du silence complaisant des autorités voisines, — nous invitions tous les locataires distingués de l'impasse, et nous avions une collection d'attachés d'ambassades, en habits bleus à boutons d'or, de jeunes conseillers d'État [1], de référendaires en herbe, dont la nichée d'hommes déjà sérieux, mais encore aimables, se développait dans ce pâté de maisons, en vue des Tuileries et des ministères voisins. Ils n'étaient reçus qu'à condition d'amener des femmes du monde, protégées, si elles y tenaient, par des dominos et des loups.

Les propriétaires et les concierges étaient seuls condamnés à un sommeil troublé — par les accords d'un orchestre de guinguette choisi à dessein, et par les bonds éperdus d'un galop monstre, qui, de la salle aux escaliers et des escaliers à l'impasse, allait aboutir nécessairement à une petite place entouré d'arbres, — où un cabaret s'était abrité sous les ruines imposantes de la chapelle du Doyenné. Au clair de lune, on admirait encore les restes de la vaste coupole italienne qui s'était écroulée, au XVIIIe siècle, sur les six malheureux chanoines, — accident duquel le cardinal Dubois[2] fut un instant soupçonné.

Mais vous me demanderez d'expliquer encore, en pâle prose, ces six vers de votre pièce intitulée : *Vingt ans*.

> D'où vous vient, ô Gérard ! cet air académique ?
> Est-ce que les beaux yeux de l'Opéra-Comique
> S'allumeraient ailleurs ? La *reine du Sabbat* [3],
> Qui, depuis deux hivers, dans vos bras se débat,
> Vous échapperait-elle ainsi qu'une chimère ?
> Et Gérard répondait : « Que la femme est amère ! »

Pourquoi *du Sabbat*..., mon cher ami ? et pourquoi jeter maintenant de l'absinthe dans cette coupe d'or, moulée sur un beau sein ?

Ne vous souvenez-vous plus des vers de ce *Cantique des Cantiques* [4], où l'Ecclésiaste nouveau s'adresse à cette même reine du matin :

> La grenade qui s'ouvre au soleil d'Italie
> N'est pas si gaie encore, à mes yeux enchantés,
> Que ta lèvre entrouverte, ô ma belle folie,
> Où je bois à longs flots le vin des voluptés.

La reine de Saba [5], c'était bien celle, en effet, qui me préoccupait alors, — et doublement. — Le fantôme éclatant de la fille des Hémiarites tourmentait mes nuits sous les hautes colonnes de ce grand lit sculpté, acheté en Touraine, et qui n'était pas encore garni de sa brocatelle rouge à ramages. Les salamandres [6] de François Ier me versaient leur flamme du haut des corniches, où se jouaient des amours imprudents. ELLE m'apparaissait radieuse, comme au jour où Salomon l'admira s'avançant vers lui dans les splendeurs pourprées du matin. Elle venait me proposer l'éternelle énigme que le Sage ne put résoudre, et ses yeux, que la malice animait plus que l'amour, tempéraient seuls la majesté de son visage oriental. — Qu'elle était belle ! non pas plus belle cependant qu'une autre reine du matin dont l'image tourmentait mes journées [7].

Cette dernière réalisait vivante mon rêve idéal et divin. Elle avait, comme l'immortelle Balkis, le don communiqué par la huppe miraculeuse [8]. Les oiseaux se taisaient en entendant ses chants, — et l'auraient certainement suivie à travers les airs.

La question était de la faire débuter à l'Opéra. Le

triomphe de Meyerbeer [9] devenait le garant d'un nouveau succès. J'osai en entreprendre le poème. J'aurais réuni ainsi dans un trait de flamme les deux moitiés de mon double amour. — C'est pourquoi, mon ami, vous m'avez vu si préoccupé dans une de ces nuits splendides où notre Louvre était en fête. — Un mot de Dumas [10] m'avait averti que Meyerbeer nous attendait à sept heures du matin.

IV. UNE FEMME EN PLEURS

Je ne songeais qu'à cela au milieu du bal. Une femme, que vous vous rappelez sans doute, pleurait à chaudes larmes dans un coin du salon et ne voulait, pas plus que moi, se résoudre à danser. Cette belle éplorée ne pouvait parvenir à cacher ses peines. Tout à coup elle me prit le bras et me dit : « Ramenez-moi, je ne puis rester ici. »

Je sortis en lui donnant le bras. Il n'y avait pas de voiture sur la place. Je lui conseillai de se calmer et de sécher ses yeux, puis de rentrer ensuite dans le bal ; elle consentit seulement à se promener sur la petite place.

Je savais ouvrir une certaine porte en planches qui donnait sur le manège, et nous causâmes longtemps au clair de lune, sous les tilleuls. Elle me raconta longuement tous ses désespoirs.

Celui qui l'avait amenée s'était épris d'une autre ; de là une querelle intime ; puis elle avait menacé de s'en retourner seule ou accompagnée ; il lui avait répondu qu'elle pouvait bien agir à son gré. De là les soupirs, de là les larmes.

Le jour ne devait pas tarder à poindre. La grande sarabande commençait. Trois ou quatre peintres d'histoire, peu danseurs de leur nature, avaient fait ouvrir le petit cabaret et chantaient à gorge déployée : *Il était un raboureur*, ou bien : *C'était un calonnier qui revenait de Flandre*, souvenir des réunions joyeuses de la mère Saguet [1]. — Notre asile fut bientôt troublé par quelques masques qui avaient trouvé ouverte la petite porte. On parlait d'aller déjeuner à Madrid [2] — au Madrid du bois de Boulogne — ce qui se faisait quelquefois. Bientôt le signal fut donné, on nous entraîna, et nous partîmes à pied, escortés par trois gardes françaises, dont deux étaient simplement MM. d'Egmont et de Beauvoir ; — le troisième, c'était Giraud, le peintre ordinaire des gardes françaises.

Les sentinelles des Tuileries ne pouvaient comprendre cette apparition inattendue, qui semblait le fantôme d'une scène d'il y a cent ans, où des gardes françaises auraient mené au violon une troupe de masques tapageurs. De plus, l'une des deux petites marchandes de tabac si jolies, qui faisaient l'ornement de nos bals n'osa se laisser emmener à Madrid sans prévenir son mari, qui gardait la maison.

Nous l'accompagnâmes à travers les rues. Elle frappa à sa porte. Le mari parut à une fenêtre de l'entresol. Elle lui cria : « Je vais déjeuner avec ces messieurs. »

Il répondit : « Va-t'en au diable ! c'était bien la peine de me réveiller pour cela ! »

La belle désolée faisait une résistance assez faible pour se laisser entraîner à Madrid, et, moi, je faisais mes adieux à Rogier en lui expliquant que je voulais aller travailler à mon *scénario*. « Comment ! tu ne nous suis pas ? Cette dame n'a plus d'autre cavalier que toi... et elle t'avait choisi pour la reconduire. — Mais j'ai rendez-vous à sept heures chez Meyerbeer, entends-tu bien ? »

Rogier fut pris d'un fou rire. Un de ses bras appartenait à la Cydalise ; il offrit l'autre à la belle dame, qui me salua d'un petit air moqueur. J'avais servi du moins à faire succéder un sourire à ses larmes.

J'avais quitté la proie pour l'ombre... comme toujours [3] !

V. PRIMAVERA [1]

En ce temps, je ronsardisais [2] — pour me servir d'un mot de Malherbe [3]. Il s'agissait alors pour nous, jeunes gens, de rehausser la vieille versification française, affaiblie par les langueurs du XVIIIe siècle, troublée par les brutalités des novateurs trop ardents ; mais il fallait aussi maintenir le droit antérieur de la littérature nationale dans ce qui se rapporte à l'invention et aux formes générales.

« Mais, me direz-vous, il faut enfin montrer ces premiers vers, ces *juvenilia* [4]. « Sonnez-moi ces sonnets », comme disait Dubellay [5]. »

Eh bien ! étant admise l'étude assidue de ces vieux poètes, croyez bien que je n'ai nullement cherché à en faire le pastiche, mais que leurs formes de style m'impressionnaient malgré moi, comme il est arrivé à beaucoup de poètes de notre temps.

Les *odelettes*, ou petites odes de Ronsard, m'avaient servi de modèle. C'était encore une forme classique, imitée par lui d'Anacréon [6], de Bion, et, jusqu'à un certain point, d'Horace. La forme concentrée de l'odelette ne me paraissait pas moins précieuse à conserver que celle du sonnet, où Ronsard s'est inspiré si heureusement de Pétrarque, de même que, dans ses élégies, il a suivi les traces d'Ovide; toutefois, Ronsard a été généralement plutôt grec que latin : c'est là ce qui distingue son école de celle de Malherbe.

Vous verrez, mon ami, si ces poésies déjà vieilles ont encore conservé quelque parfum. — J'en ai écrit de tous les rythmes, imitant plus ou moins, comme l'on fait quand on commence.

L'ode sur les papillons [7] est encore une coupe à la Ronsard, et cela peut se chanter sur l'air du cantique de Joseph [8]. Remarquez une chose, c'est que les odelettes se chantaient et devenaient même populaires, témoin cette phrase du *Roman comique* [9] : « Nous entendîmes la servante, qui, d'une bouche imprégnée d'ail, chantait l'ode du vieux Ronsard :

> Allons de nos voix
> Et de nos luths d'ivoire
> Ravir les esprits !

Ce n'était, du reste, que renouvelé des odes antiques, lesquelles se chantaient aussi. J'avais écrit les premières sans songer à cela, de sorte qu'elles ne sont nullement lyriques. La dernière : « Où sont nos amoureuses ? » est venue, malgré moi, sous forme de chant ; j'en avais trouvé en même temps les vers et la mélodie, que j'ai été obligé de faire noter ; et qui a été trouvée très concordante aux paroles.

SECOND CHATEAU

Celui-la fut un château d'Espagne ; construit avec des châssis, des *fermes* et des praticables.... Vous en dirai-je la radieuse histoire, poétique et lyrique à la fois ? Revenons d'abord au rendez-vous donné par Dumas, et qui m'en avait fait manquer un autre.

J'avais écrit avec tout le feu de la jeunesse un scénario fort compliqué, qui parut faire plaisir à Meyerbeer. J'emportai avec effusion l'espérance qu'il me donnait ; seulement, un autre opéra, *Les Frères corses*, lui était déjà destiné par Dumas, et le mien n'avait qu'un avenir assez lointain. J'en avais écrit un acte lorsque j'apprends, tout d'un coup, que le traité fait entre le grand poète et le grand compositeur se trouve rompu, je ne sais pourquoi. — Dumas partait pour son voyage de la Méditerranée, Meyerbeer avait déjà repris la route de l'Allemagne. La pauvre *Reine de Saba*, abandonnée de tous, est devenue depuis un simple conte oriental qui fait partie des *Nuits du Rhamazan*[1].

C'est ainsi que la poésie tomba dans la prose et mon château théâtral dans le *troisième* dessous. — Toutefois, les idées scéniques et lyriques s'étaient éveillées en moi, j'écrivis en prose un acte d'opéra-comique, me réservant d'y intercaler, plus tard, des morceaux. Je viens d'en retrouver le manuscrit primitif[2], qui n'a jamais tenté les musiciens auxquels je l'ai soumis. Ce n'est donc qu'un simple proverbe, et je n'en parle ici qu'à titre d'épisode de ces petits mémoires littéraires.

TROISIÈME CHATEAU

CHATEAU de cartes, château de Bohême, château en Espagne, — telles sont les premières stations à parcourir pour tout poète. Comme ce fameux roi dont Charles Nodier[1] a raconté l'histoire, nous en possédons au moins sept de ceux-là pendant le cours de notre vie errante, — et peu d'entre nous arrivent à ce fameux château de briques et de pierre[2], rêvé dans la jeunesse, — d'où quelque belle aux longs cheveux nous sourit amoureusement à la seule fenêtre ouverte, tandis que les vitrages treillissés reflètent les splendeurs du soir.

En attendant, je crois bien que j'ai passé une fois par le château du diable. Ma Cydalise, à moi, perdue[3], à jamais perdue !... Une longue histoire, qui s'est dénouée dans un pays du Nord[4], — et qui ressemble à tant d'autres ! Je ne veux ici que donner le motif des vers suivants, conçus dans la fièvre et dans l'insomnie. Cela commence par le désespoir et cela finit par la résignation.

Puis revint un souffle épuré de la première jeunesse, et quelques fleurs poétiques s'entrouvrent encore, dans la forme de l'odelette aimée, — sur le rythme sautillant d'un orchestre d'opéra.

PROMENADES ET SOUVENIRS

•

LE DERNIER *fascicule de l'*Illustration *de 1854 et ceux du 5 janvier et du 3 février 1855 publièrent sous le titre de* Promenades et Souvenirs *les textes qui sont suivre. Après la mort de Nerval, ses éditeurs recueillirent ces pages dans* La Bohème galante *d'abord, en 1855, puis au tome V des* Œuvres complètes.

« Je suis, disait Nerval, du nombre des écrivains dont la vie tient intimement aux ouvrages qui les ont fait connaître ». Promenades et Souvenirs *nous fournissent de nouveaux mémoires de la vie du poète.*

Dans les Châteaux de Bohême, *il avait raconté la jeunesse ardente d'un groupe d'amis : maintenant, dans cette sorte de reportage rétrospectif écrit en 1854, à la veille de sa mort tragique, Nerval conte à la fois son enfance, son adolescence et sa nostalgie présente des jours heureux. De 1850 à 1853, il a fait plusieurs fois le voyage de Paris à Saint-Germain et de Paris aux villages du Valois, pour préparer* Sylvie *: il s'est plu à remonter le temps et à faire s'éveiller devant lui les visages dont quelques-uns animaient ses songes.*

Sans doute il évoque le château des Brouillards et Montmartre et le château de Saint-Germain ; mais nous retiendrons surtout que c'est dans ce récit qu'il nous parle le mieux de sa mère morte à vingt-cinq ans, des petites villes et des demeures aimées jadis, des fillettes et des jeunes filles du Valois ou de Saint-Germain avec qui il courait les forêts ou qu'il rêvait d'épouser : Célénie, Fanchette, La Créole, Héloïse, Louise,

Sylvie, Adrienne. Les deux derniers chapitres sont de la même veine que Sylvie.

Il y a plus; le poète sensible explique sa vie tout entière par son enfance au pays du Valois. « Le sentiment du merveilleux, le goût des voyages lointains ont été sans doute pour moi le résultat de ces impressions premières, ainsi que du séjour que j'ai fait longtemps dans une campagne isolée au milieu des bois... J'avais nourri mon esprit de croyances bizarres, de légendes et de vieilles chansons. Il y avait là de quoi faire un poète, et je ne suis qu'un rêveur en prose. »

Ainsi, en 1854, contemplant la trame froissée de sa vie, Gérard de Nerval retrouve les accents du vicomte de Chateaubriand: « Fièvres éteintes de l'âme humaine, pourquoi revenez-vous encore échauffer un cœur qui ne bat plus?... Le monde est désert. Peuplé de fantômes aux voix plaintives, il murmure des chants d'amour sur les débris de mon néant. »

Certaines pages des Promenades et Souvenirs *sont les plus belles de Nerval et les plus déchirantes aussi. On dirait qu'à l'heure voulue par son destin il appelle ses fantômes pour que, comme dans la lithographie de Gustave Doré, ils viennent l'assister dans le drame qui se prépare, impasse de la Vieille Lanterne, et l'accueillir.*

« Tout est dans la fin ».

H. A.-B.

PROMENADES ET SOUVENIRS

I. LA BUTTE MONTMARTRE

Il est véritablement difficile de trouver à se loger dans Paris. — Je n'en ai jamais été si convaincu que depuis deux mois. Arrivé d'Allemagne[1], après un court séjour dans une villa de la banlieue, je me suis cherché un domicile plus assuré que les précédents, dont l'un se trouvait sur la place du Louvre et l'autre dans la rue du Mail[2]. — Je ne remonte qu'à six années. Évincé du premier avec vingt francs de dédommagement, que j'ai négligé, je ne sais pourquoi, d'aller toucher à la Ville, j'avais trouvé dans le second ce qu'on ne trouve plus guère au centre de Paris : une vue sur deux ou trois arbres occupant un certain espace, qui permet à la fois de respirer et de se délasser l'esprit en regardant autre chose qu'un échiquier de fenêtres noires, où de jolies figures n'apparaissent que par exception. — Je respecte la vie intime de mes voisins, et ne suis pas de ceux qui examinent avec des longues-vues le galbe d'une femme qui se couche, ou surprennent à l'œil nu les silhouettes particulières aux incidents et accidents de la vie conjugale. — J'aime mieux tel horizon « à souhait pour le plaisir des yeux », comme dirait Fénelon, où l'on peut jouir soit d'un lever, soit d'un coucher de soleil, mais plus particulièrement du lever. Le coucher ne m'embarrasse guère : je suis sûr de le rencontrer partout ailleurs que chez moi. Pour le lever, c'est différent : j'aime à voir le soleil découper des angles sur les murs, à entendre au-dehors des gazouillements d'oiseaux, fût-ce de simples moineaux francs.... Grétry[3] offrait un louis pour une chanterelle[4], je donnerais vingt francs pour un merle ; — les vingt francs que la ville de Paris me doit encore !

J'ai longtemps habité Montmartre [5] ; on y jouit d'un air très pur, de perspectives variées, et l'on y découvre des horizons magnifiques, soit « qu'ayant été vertueux, l'on aime à voir lever l'aurore » qui est très belle du côté de Paris, soit qu'avec des goûts moins simples on préfère ces teintes pourprées du couchant, où les nuages déchiquetés et flottants peignent des tableaux de bataille et de transfiguration au-dessous du grand cimetière, entre l'arc de l'Étoile et les coteaux bleuâtres qui vont d'Argenteuil à Pontoise. — Les maisons nouvelles s'avancent toujours, comme la mer diluvienne qui a baigné les flancs de l'antique montagne, gagnant peu à peu les retraites où s'étaient réfugiés les monstres informes reconstruits depuis par Cuvier [6]. — Attaqué d'un côté par la rue de l'Empereur, de l'autre par le quartier de la mairie, qui sape les âpres montées et abaisse les hauteurs du versant de Paris, le vieux mont de Mars [7] aura bientôt le sort de la butte des Moulins, qui, au siècle dernier, ne montrait guère un front moins superbe. — Cependant il nous reste encore un certain nombre de coteaux ceints d'épaisses haies vertes, que l'épine-vinette décore tour à tour de ses fleurs violettes et de ses baies pourprées.

Il y a là des moulins, des cabarets et des tonnelles, des élysées champêtres et des ruelles silencieuses bordées de chaumières, de granges et de jardins touffus, des plaines vertes coupées de précipices, où les sources filtrent dans la glaise, détachant peu à peu certains îlots de verdure où s'ébattent des chèvres, qui broutent l'acanthe suspendue aux rochers ; des petites filles à l'œil fier, au pied montagnard, les surveillent en jouant entre elles. On rencontre même une vigne, la dernière du cru célèbre de Montmartre, qui luttait, du temps des Romains, avec Argenteuil et Suresnes. Chaque année cet humble coteau perd une rangée de ses ceps rabougris, qui tombent dans une carrière. — Il y a dix ans, j'aurais pu l'acquérir au prix de trois mille francs.... On en demande aujourd'hui trente mille. C'est le plus beau point de vue des environs de Paris.

Ce qui me séduisait dans ce petit espace abrité par les grands arbres du Château des Brouillards [8], c'était d'abord ce reste de vignoble lié au souvenir de saint Denis, qui, au point de vue des philosophes, était peut-être le second Bacchus, Διονύσιος, et qui a eu trois corps, dont l'un a été enterré à Montmartre, le second à Ratisbonne et le troisième à Corinthe. — C'était ensuite le voisinage de l'abreuvoir, qui, le soir s'anime du spectacle de chevaux et de chiens que l'on y baigne, et d'une fontaine construite dans le goût antique, où les laveuses causent et chantent comme dans un des premiers chapitres de *Werther* [9]. Avec un bas-relief consacré à Diane et peut-être deux figures de naïades sculptées en demi-bosse, on obtiendrait, à l'ombre des vieux tilleuls qui se penchent sur le monument, un admirable lieu de retraite, silencieux à ses heures, et qui rappellerait certains points d'étude de la campagne romaine. Au-dessus se dessine et serpente la rue des Brouillards, qui descend vers le chemin des Bœufs, puis le jardin du restaurant Gaucher, avec ses kiosques, ses lanternes et ses statues peintes.... La plaine Saint-Denis a des lignes admirables, bornées par les coteaux de Saint-Ouen et de Montmorency, avec des reflets de soleil ou de nuages qui varient à chaque heure du jour. A droite est une rangée de maisons, la plupart fermées pour cause de craquements dans les murs. C'est ce qui assure la solitude relative de ce site : car les chevaux et les bœufs qui passent, et même les laveuses, ne troublent pas les méditations d'un sage, et même s'y associent. — La vie bourgeoise, ses intérêts et ses relations vulgaires lui donnent seuls l'idée de s'éloigner le plus possible des grands centres d'activité.

Il y a à gauche de vastes terrains, recouvrant l'emplacement d'une carrière éboulée, que la commune a concédés à des hommes industrieux qui en ont transformé l'aspect. Ils ont planté des arbres, créé des champs où verdissent la pomme de terre et la betterave, où l'asperge montée étalait naguère ses panaches verts décorés de perles rouges.

On descend le chemin et l'on tourne à gauche. Là sont encore deux ou trois collines vertes, entaillées par une route qui plus loin comble des ravins profonds, et qui tend à rejoindre un jour la rue de l'Empereur entre les buttes et le cimetière. On rencontre là un hameau qui sent fortement la campagne, et qui a renoncé depuis trois ans aux travaux malsains d'un atelier de *poudrette* [10]. — Aujourd'hui, l'on y travaille les résidus des fabriques de bougies stéariques. — Que d'artistes repoussés du prix de Rome sont venus sur ce point étudier la campagne romaine et l'aspect des marais Pontins [11] ! Il y reste même un marais animé par des canards, des oisons et des poules.

Il n'est pas rare aussi d'y trouver des haillons pittoresques sur les épaules des travailleurs. Les collines, fendues çà et là, accusent le tassement du terrain sur d'anciennes carrières ;

mais rien n'est plus beau que l'aspect de la grande butte, quand le soleil éclaire ses terrains d'ocre rouge veinés de plâtre et de glaise, ses roches dénudées et quelques bouquets d'arbres encore assez touffus, où serpentent des ravines et des sentiers.

La plupart des terrains et des maisons éparses de cette petite vallée appartiennent à de vieux propriétaires, qui ont calculé sur l'embarras des Parisiens à se créer de nouvelles demeures et sur la tendance qu'ont les maisons du quartier Montmartre à envahir, dans un temps donné, la plaine Saint-Denis. C'est une écluse qui arrête le torrent; quand elle s'ouvrira, le terrain vaudra cher. — Je regrette d'autant plus d'avoir hésité, il y a dix ans, à donner trois mille francs du dernier vignoble de Montmartre.

Il n'y faut plus penser. Je ne serai jamais propriétaire ; et pourtant que de fois, au 8 ou au 15 de chaque trimestre (près de Paris, du moins), j'ai chanté le refrain de M. Vautour [12] :

> Quand on n'a pas de quoi payer son terme,
> Il faut avoir une maison à soi !

J'aurais fait faire dans cette vigne une construction si légère !... Une petite villa dans le goût de Pompéi [13], avec un impluvium et une cella, quelque chose comme la maison du poète tragique. Le pauvre Laviron, mort depuis sur les murs de Rome, m'en avait dessiné le plan. — A dire le vrai pourtant, il n'y a pas de propriétaires aux buttes Montmartre. On ne peut asseoir légalement une propriété sur des terrains minés par des cavités peuplées dans leurs parois de mammouths et de mastodontes. La commune concède un droit de possession qui s'éteint au bout de cent ans.... On est campé comme les Turcs ; et les doctrines les plus avancées auraient peine à contester un droit si fugitif où l'hérédité ne peut longuement s'établir [14].

II. LE CHATEAU DE SAINT-GERMAIN [1]

J'ai parcouru les quartiers de Paris qui correspondent à mes relations et n'ai rien trouvé qu'à des prix impossibles, augmentés par les conditions que formulent les concierges. Ayant rencontré un seul logement au-dessous de trois cents francs, on m'a demandé si j'avais un état pour lequel il fallût du jour. — J'ai répondu, je crois, qu'il m'en fallait pour l'état de ma santé.

« C'est, m'a dit le concierge, que la fenêtre de la chambre s'ouvre sur un corridor qui n'est pas bien clair. »

Je n'ai pas voulu en savoir davantage, et j'ai même négligé de visiter une cave à louer, me souvenant d'avoir vu à Londres cette même inscription suivie de ces mots : « Pour un gentleman seul. »

Je me suis dit :

« Pourquoi ne pas aller demeurer à Versailles ou à Saint-Germain ? La banlieue est encore plus chère que Paris ; mais, en prenant un abonnement du chemin de fer, on peut sans doute trouver des logements dans la plus déserte ou dans la plus abandonnée de ces deux villes. En réalité, qu'est-ce qu'une demi-heure de chemin de fer, le matin et le soir ? On a là les ressources d'une cité, et l'on est presque à la campagne. Vous vous trouvez logé par le fait rue Saint-Lazare, n° 130. Le trajet n'offre que de l'agrément, et n'équivaut jamais, comme ennui ou comme fatigue, à une course d'omnibus. »

Je me suis trouvé très heureux de cette idée, et j'ai choisi Saint-Germain, qui est pour moi une ville de souvenirs. Quel voyage charmant ! Asnières, Chatou, Nanterre et Le Pecq ; la Seine trois fois repliée, des points de vue d'îles vertes, de plaines, de bois, de chalets et de villas ; à droite, les coteaux de Colombes, d'Argenteuil et de Carrières ; à gauche, le mont Valérien, Bougival, Lucienne [2] et Marly ; puis la plus belle perspective du monde : la terrasse et les vieilles galeries du château de Henri IV [3], couronnées par le profil sévère du château de François Ier. J'ai toujours aimé ce château bizarre, qui, sur le plan, a la forme d'un D gothique, en l'honneur, dit-on, du nom de la belle Diane [4]. — Je regrette seulement de n'y pas voir ces grands toits écaillés d'ardoises, ces clochetons à jour où se déroulaient des escaliers en spirale, ces hautes fenêtres sculptées s'élançant d'un fouillis de toits anguleux qui caractérisent l'architecture valoise. Des maçons ont défiguré, sous Louis XVIII, la face qui regarde le parterre. Depuis, l'on a transformé ce monument en pénitencier, et l'on a déshonoré l'aspect des fossés et des ponts antiques par une enceinte de murailles couvertes d'affiches. Les hautes fenêtres et les balcons dorés, les terrasses, où ont paru tour à tour les beautés blondes de la cour des Valois et de la cour des Stuarts [5], les galants chevaliers des Médicis et les Écossais fidèles de Marie Stuart et du roi Jacques, n'ont jamais été restaurés ; il n'en reste rien que le noble dessin des baies, des tours et des façades, que cet étrange contraste de la brique et de l'ardoise, s'éclairant des feux du soir ou des reflets argentés de la nuit, et cet aspect moitié galant, moitié guerrier, d'un château fort qui, en dedans, contenait un palais splendide, dressé sur une montagne, entre une vallée boisée où serpente un fleuve et un parterre qui se dessine sur la lisière d'une vaste forêt.

Je revenais là, comme Ravenswood [6] au château de ses pères ; j'avais eu des parents parmi les hôtes de ce château, — il y a vingt ans déjà ; — d'autres, habitants de la ville ; en tout, quatre tombeaux.... Il se mêlait encore à ces impressions des souvenirs d'amour et de fêtes remontant à l'époque des Bourbons ; — de sorte que je fus tour à tour heureux et triste tout un soir !

Un incident vulgaire vint m'arracher à la poésie de ces rêves de jeunesse. La nuit était venue, après avoir parcouru les rues et les places, et salué des demeures aimées jadis, donné un dernier coup d'œil aux côtes de l'étang de Mareil et de Chambourcy, je m'étais enfin reposé dans un café qui donne sur la place du marché. On me servit une chope de bière. Il y avait au fond trois cloportes ; — un homme qui a vécu en Orient [7] est incapable de s'affecter d'un pareil détail. « Garçon ! dis-je, il est possible que j'aime les cloportes [8] ; mais, une autre fois, si j'en demande, je désirerais qu'on me les servît à part. » Le mot n'était pas neuf, s'étant déjà appliqué à des cheveux servis sur une omelette ; mais il pouvait encore être goûté à Saint-Germain. Les habitués, bouchers ou conducteurs de bestiaux, le trouvèrent agréable.

Le garçon me répondit imperturbablement : « Monsieur, cela ne doit pas vous étonner ; on fait en ce moment des réparations au château, et ces insectes se réfugient dans les maisons de la ville. Ils aiment beaucoup la bière et y trouvent leur tombeau.

— Garçon, lui dis-je, vous êtes plus beau que nature, et votre conversation me séduit.... Mais est-il vrai que l'on fasse des réparations au château ?

— Monsieur vient d'en être convaincu.

— Convaincu, grâce à votre raisonnement ; mais êtes-vous sûr du fait en lui-même ?

— Les journaux en ont parlé. »

Absent de France pendant longtemps, je ne pouvais contester ce témoignage. Le lendemain, je me rendis au château pour voir où en était la restauration. Le sergent-concierge me dit, avec un sourire qui n'appartient qu'à un militaire de ce grade :

« Monsieur, seulement pour raffermir les fondations du château, il faudrait neuf millions ; les apportez-vous ? »

Je suis habitué à ne m'étonner de rien.

« Je ne les ai pas sur moi, observai-je ; mais cela pourrait encore se trouver !

— Eh bien, dit-il, quand vous les apporterez, nous vous ferons voir le château. »

J'étais piqué ; ce qui me fit retourner à Saint-Germain deux jours après. J'avais trouvé l'idée.

« Pourquoi, me disais-je, ne pas faire une souscription ? La France est pauvre ; mais il viendra beaucoup d'Anglais l'année prochaine pour l'Exposition des Champs-Élysées [9]. Il est impossible qu'ils ne nous aident pas à sauver de la destruction un château qui a hébergé plusieurs générations de leurs reines et de leurs rois. Toutes les familles jacobites [10] y ont passé. — La ville encore est à moitié pleine d'Anglais ; j'ai chanté tout enfant les chansons du roi Jacques et pleuré Marie Stuart [11] en déclamant les vers de Ronsard et de Dubellay.... La race des *King-Charles* [12] emplit les rues comme une preuve vivante encore des affections de tant de races disparues.... Non ! me dis-je, les Anglais ne refuseront pas de s'associer à une souscription doublement nationale. Si nous contribuons par des monacos [13], ils trouveront bien des couronnes et des guinées ! »

Fort de cette combinaison, je suis allé la soumettre aux habitués du café du marché. Ils l'ont accueillie avec enthousiasme, et, quand j'ai demandé une chope de bière sans cloportes, le garçon m'a dit :

« Oh ! non, monsieur, plus aujourd'hui ! »

Au château, je me suis présenté la tête haute. Le sergent m'a introduit au corps de garde, où j'ai développé mon idée avec succès, et le commandant, qu'on a averti, a bien voulu permettre que l'on me fît voir la chapelle et les appartements des Stuarts, fermés aux simples curieux. Ces derniers sont dans un triste état, et, quant aux galeries, aux salles antiques et aux chambres des Médicis, il est impossible de les reconnaître depuis des siècles, grâce aux clôtures, aux maçonneries et aux faux plafonds qui ont approprié ce château aux convenances militaires.

Que la cour est belle, pourtant ! ces profils sculptés, ces arceaux, ces galeries chevaleresques, l'irrégularité même du plan, la teinte rouge des façades, tout cela fait rêver aux châteaux d'Écosse et d'Irlande, à Walter Scott et à Byron. On a tant fait pour Versailles et tant pour Fontainebleau.... Pourquoi donc ne pas relever ce débris précieux de notre histoire ? La malédiction de Catherine de Médicis, jalouse du monument construit en l'honneur de Diane, s'est continuée sous les Bourbons. Louis XIV craignait de voir la flèche de Saint-Denis [14] ; ses successeurs ont tout fait pour Saint-Cloud [15] et Versailles. Aujourd'hui Saint-Germain attend encore le résultat d'une promesse que la guerre a peut-être empêché de réaliser.

III. UNE SOCIÉTÉ CHANTANTE

Ce que le concierge m'a fait voir avec le plus d'amour, c'est une série de petites loges qu'on appelle les *cellules*, où couchent quelques militaires du pénitencier. Ce sont de véritables boudoirs ornés de peinture à fresque représentant des paysages. Le lit se compose d'un matelas de crin soutenu par des élastiques ; le tout très propre et très coquet, comme une cabine d'officier de vaisseau.

Seulement, le jour y manque, comme dans la chambre qu'on m'offrait à Paris, et l'on ne pourrait pas y demeurer, *ayant un état* pour lequel il faudrait du jour. « J'aimerais, dis-je au sergent, une chambre moins bien décorée et plus près des fenêtres. — Quand on se lève avant le jour, c'est bien indifférent ! » me répondit-il. Je trouvai cette observation de la plus grande justesse.

En repassant par le corps de garde, je n'eus qu'à remercier le commandant de sa politesse, et le sergent ne voulut accepter aucune *buona mano* [1].

Mon idée de souscription anglaise me trottait dans la tête, et j'étais bien aise d'en essayer l'effet sur des habitants de la ville ; de sorte qu'allant dîner au pavillon de Henri IV, d'où l'on jouit de la plus admirable vue qui soit en France, dans un kiosque ouvert sur un panorama de dix lieues, j'en fis part à trois Anglais et à une Anglaise qui en furent émerveillés et trouvèrent ce plan très conforme à leurs idées nationales. — Saint-Germain a cela de particulier, que tout le monde s'y connaît, qu'on y parle haut dans les établissements publics, et que l'on peut même s'y entretenir avec des dames anglaises sans leur être présenté. On s'ennuierait tellement sans cela ! Puis, c'est une population à part, classée, il est vrai, selon les conditions, mais entièrement locale.

Il est très rare qu'un habitant de Saint-Germain vienne à Paris ; certains d'entre eux ne font pas ce voyage une fois en dix ans. Les familles étrangères vivent aussi là entre elles avec la familiarité qui existe dans les villes d'eaux. Et ce n'est pas l'eau, c'est l'air pur que l'on vient chercher à Saint-Germain. Il y a des maisons de santé charmantes, habitées par des gens très bien portants, mais fatigués du bourdonnement et du mouvement insensés de la capitale. La garnison, qui était autrefois de gardes du corps, et qui est aujourd'hui de cuirassiers de la garde, n'est pas étrangère peut-être à la résidence de quelques jeunes beautés, filles ou veuves, qu'on rencontre à cheval ou à âne sur la route des Loges ou du château du Val. — Le soir, les boutiques s'éclairent rue de Paris et rue au Pain ; on cause d'abord sur la porte, on rit, on chante même. — L'accent des voix est fort distinct de celui de Paris ; les jeunes filles ont la voix pure et bien timbrée, comme dans les pays de montagnes. En passant dans la rue de l'Église, j'entendis chanter au fond d'un petit café. J'y voyais entrer beaucoup de monde et surtout des femmes. En traversant la boutique, je me trouvai dans une grande salle toute pavoisée de drapeaux et de guirlandes avec les insignes maçonniques et les inscriptions d'usage. — J'ai fait partie autrefois des *Joyeux* et des *Bergers de Syracuse* [2] ; je n'étais donc pas embarrassé de me présenter.

Le bureau était majestueusement établi sous un dais orné de draperies tricolores, et le président me fit le salut cordial qui se doit à un *visiteur*. — Je me rappellerai toujours qu'aux *Bergers de Syracuse* on ouvrait généralement la séance par ce toast : « Aux Polonais !... et à ces dames ! » Aujourd'hui, les Polonais sont un peu oubliés. — Du reste, j'ai entendu de fort jolies chansons dans cette réunion, mais surtout des voix de femmes ravissantes. Le Conservatoire n'a pas terni l'éclat de ces intonations pures et naturelles, de ces trilles empruntés au chant du rossignol ou du merle, ou n'a pas faussé avec les leçons du solfège ces gosiers si frais et si riches en mélodie. Comment se fait-il que ces femmes chantent si juste ? Et pourtant, tout musicien de profession pourrait dire à chacune d'elles : « Vous ne savez pas chanter. » Rien n'est amusant comme les chansons que les jeunes filles composent elles-mêmes, et qui font, en général, allusion aux trahisons des amoureux ou aux caprices de l'autre sexe. Quelquefois, il y a des traits de raillerie locale qui échappent au visiteur étranger. Souvent un jeune homme et une jeune fille se répondent comme Daphnis et Chloé, comme Myrtil et Sylvie. En m'attachant à cette pensée, je me suis trouvé tout ému, tout attendri, comme à un souvenir de la jeunesse.... C'est qu'il y a un âge, — âge critique, comme on le dit pour les femmes, — où les souvenirs renaissent si vivement, où certains dessins oubliés reparaissent sous la trame froissée de la vie ! On n'est pas assez vieux pour ne plus songer à l'amour, on n'est plus assez jeune pour penser toujours à plaire. — Cette phrase, je l'avoue, est un peu Directoire. Ce qui l'amène sous ma plume, c'est que j'ai entendu un ancien jeune homme qui, ayant décroché du mur une guitare, exécuta admirablement la vieille romance de Garat [3] :

Plaisir d'amour ne dure qu'un instant....
Chagrin d'amour dure toute la vie !

Il avait les cheveux frisés à l'incroyable, une cravate blanche, une épingle de diamant sur son jabot, et des bagues à lacs d'amour. Ses mains étaient blanches et fines comme celles d'une jolie femme. Et, si j'avais été femme, je l'aurais aimé, malgré son âge ; car sa voix allait au cœur.

Ce brave homme m'a rappelé mon père, qui, jeune encore, chantait avec goût des airs italiens à son retour de Pologne. Il y avait perdu sa femme et ne pouvait s'empêcher de pleurer, en s'accompagnant de la guitare, aux paroles d'une romance qu'elle avait aimée, et dont j'ai toujours retenu ce passage :

Mamma mia, medicate
Questa piaga, per pietà !
Melicerto fu l'arciero
Perchè pace in cor non ho [4]*...*

Malheureusement, la guitare est aujourd'hui vaincue par le piano, ainsi que la harpe ; ce sont là des galanteries et des grâces d'un autre temps. Il faut aller à Saint-Germain pour retrouver, dans le petit monde paisible encore, les charmes effacés de la société d'autrefois.

Je suis sorti par un beau clair de lune, m'imaginant vivre en 1827, époque où j'ai quelque temps habité Saint-Germain. Parmi les jeunes filles présentes à cette petite fête, j'avais reconnu des yeux accentués, des traits réguliers, et, pour ainsi dire, classiques, des intonations particulières au pays, qui me faisaient rêver à des cousines, à des amies de cette époque, comme si dans un autre monde j'avais retrouvé mes premières amours. Je parcourais au clair de lune ces rues et ces promenades endormies. J'admirais les profils majestueux du château, j'allais respirer l'odeur des arbres presque effeuillés à la lisière de la forêt, je goûtais mieux, à cette heure, l'architecture de l'église, où repose l'épouse de Jacques II, et qui semble un temple romain [5].

Vers minuit, j'allai frapper à la porte d'un hôtel où je couchais souvent, il y a quelques années. Impossible d'éveiller personne. Des bœufs passaient silencieusement, et leurs conducteurs ne purent me renseigner sur les moyens de passer la nuit. En revenant sur la place du marché, je demandai au factionnaire s'il connaissait un hôtel où l'on pût recevoir un Parisien relativement attardé. « Entrez au poste, on vous dira cela », me répondit-il.

Dans le poste, je rencontrai de jeunes militaires qui me dirent : « C'est bien difficile ! On se couche ici à dix heures ; mais chauffez-vous un instant. » On jeta du bois dans le poêle ; je me mis à causer de l'Afrique et de l'Asie. Cela les intéressait tellement que l'on réveillait pour m'écouter ceux qui s'étaient endormis. Je me vis conduit à chanter des chansons arabes et grecques ; car la société chantante m'avait mis dans cette disposition. Vers deux heures, un des soldats me dit : « Vous avez bien couché sous la tente.... Si vous voulez, prenez place sur le lit de camp. » On me fit un traversin avec un sac de munition, je m'enveloppai de mon manteau et je m'apprêtais à dormir quand le sergent rentra et dit : « Où est-ce qu'ils ont encore ramassé cet homme-là ?

— C'est un homme qui parle assez bien, dit un des fusiliers ; il a été en Afrique.

— S'il a été en Afrique, c'est différent, dit le sergent ; mais on admet quelquefois ici des individus qu'on ne connaît pas ; c'est imprudent.... Ils pourraient enlever quelque chose !

— Ce ne serait pas les matelas, toujours ! murmurai-je.

— Ne faites pas attention, me dit l'un des soldats : c'est son caractère ; et puis il vient de recevoir une *politesse*... ça le rend grognon. »

J'ai dormi fort bien jusqu'au point du jour ; et, remerciant ces braves soldats ainsi que le sergent, tout à fait radouci, je m'en allai faire un tour vers les coteaux de Mareil, pour admirer les splendeurs du soleil levant.

Je le disais tout à l'heure : — mes jeunes années me reviennent, — et l'aspect des lieux aimés rappelle en moi le sentiment des choses passées. Saint-Germain, Senlis et Dammartin sont les trois villes qui, non loin de Paris, correspondent à mes souvenirs les plus chers. La mémoire de vieux parents morts se rattache mélancoliquement à la pensée de plusieurs jeunes filles dont l'amour m'a fait poète, ou dont les dédains m'ont fait parfois ironique et songeur. J'ai appris le style en écrivant des lettres de tendresse ou d'amitié, et quand je relis celles qui ont été conservées j'y retrouve fortement tracée l'empreinte de mes lectures d'alors, surtout de Diderot, de Rousseau et de Sénancourt [6]. Ce que je viens de dire expliquera le sentiment dans lequel ont été écrites les pages suivantes. Je m'étais repris à aimer Saint-Germain par ces derniers beaux jours d'automne. Je m'établis à l'Ange-Gardien, et, dans les intervalles de mes promenades, j'ai tracé quelques souvenirs que je n'ose intituler *Mémoires*, et qui seraient plutôt conçus selon le plan des promenades solitaires de Jean-Jacques. Je les terminerai dans le pays même où j'ai été élevé, et où il est mort [7].

IV. JUVENILIA

Le hasard a joué un si grand rôle dans ma vie que je ne m'étonne pas en songeant à la façon singulière dont il a présidé à ma naissance. C'est, dira-t-on, l'histoire de tout le monde. Mais tout le monde n'a pas occasion de raconter son histoire.

Et, si chacun le faisait, il n'y aurait pas grand mal : l'expérience de chacun est le trésor de tous.

Un jour, un cheval s'échappa d'une pelouse verte qui bordait l'Aisne et disparut bientôt entre les halliers ; il gagna la région sombre des arbres et se perdit dans la forêt de Compiègne. Cela se passait vers 1770.

Ce n'est pas un accident rare qu'un cheval échappé à travers une forêt. Et cependant, je n'ai guère d'autre titre à l'existence. Cela est probable du moins, si l'on croit à ce que Hoffmann [1] appelait l'*enchaînement des choses*.

Mon grand-père était jeune alors. Il avait pris le cheval dans l'écurie de son père, puis il s'était assis sur le bord de la rivière, rêvant à je ne sais quoi, pendant que le soleil se couchait dans les nuages empourprés du Valois [2] et du Beauvaisis.

L'eau verdissait et chatoyait de reflets sombres, des bandes violettes striaient les rougeurs du couchant. Mon grand-père, en se retournant pour partir, ne trouva plus le cheval qui l'avait amené. En vain il le chercha, l'appela jusqu'à la nuit. Il lui fallut revenir à la ferme.

Il était d'un naturel silencieux; il évita les rencontres, monta à sa chambre et s'endormit, comptant sur la Providence et sur l'instinct de l'animal, qui pouvait bien lui faire retrouver la maison.

C'est ce qui n'arriva pas. Le lendemain matin, mon grand-père descendit de sa chambre et rencontra dans la cour son père, qui se promenait à grands pas. Il s'était aperçu déjà qu'il manquait un cheval à l'écurie. Silencieux comme son fils, il n'avait pas demandé quel était le coupable : il le reconnut en le voyant devant lui.

Je ne sais ce qui se passa. Un reproche trop vif fut cause sans doute de la résolution que prit mon grand-père. Il monta à sa chambre, fit un paquet de quelques habits, et, à travers la forêt de Compiègne, il gagna un petit pays situé entre Ermenonville [3] et Senlis [4], près des étangs de Châalis [5], vieille résidence carlovingienne. Là, vivait un de ses oncles, qui descendait, dit-on, d'un peintre flamand du XVIIe siècle. Il habitait un ancien pavillon de chasse aujourd'hui ruiné, qui avait fait partie des apanages de Marguerite de Valois [6]. Le champ voisin, entouré de halliers, qu'on appelle les *bosquets*, était situé sur l'emplacement d'un ancien camp romain et a conservé le nom du dixième des Césars [7]. On y récolte du seigle dans les parties qui ne sont pas couvertes de granits et de bruyères. Quelquefois on y a rencontré, en *traçant* [8], des pots étrusques, des médailles, des épées rouillées ou des images informes de dieux celtiques.

Mon grand-père aida le vieillard à cultiver ce champ, et

fut récompensé partriarcalement en épousant sa cousine. Je ne sais pas au juste l'époque de leur mariage, mais, comme il se maria avec l'épée, comme aussi ma mère reçut le nom de Marie-Antoinette avec celui de Laurence, il est probable qu'ils furent mariés un peu avant la Révolution. Aujourd'hui, mon grand-père repose avec sa femme et sa plus jeune fille au milieu de ce champ qu'il cultivait jadis. Sa fille aînée est ensevelie bien loin de là, dans la froide Silésie [9], au cimetière catholique polonais de Gross-Glogaw. Elle est morte à vingt-cinq ans des fatigues de la guerre, d'une fièvre qu'elle gagna en traversant un pont chargé de cadavres, où sa voiture manqua d'être renversée. Mon père, forcé de rejoindre l'armée à Moscou, perdit plus tard ses lettres et ses bijoux dans les flots de la Bérésina [10].

Je n'ai jamais vu ma mère, ses portraits ont été perdus ou volés, je sais seulement qu'elle ressemblait à une gravure du temps, d'après Prud'hon ou Fragonard, qu'on appelait *La Modestie*. La fièvre dont elle est morte m'a saisi trois fois, à des époques qui forment, dans ma vie, des divisions régulières, périodiques. Toujours, à ces époques, je me suis senti l'esprit frappé des images de deuil et de désolation qui ont entouré mon berceau. Les lettres qu'écrivait ma mère des bords de la Baltique, ou des rives de la Sprée ou du Danube, m'avaient été lues tant de fois ! Le sentiment du merveilleux, le goût des voyages lointains ont été sans doute pour moi le résultat de ces impressions premières, ainsi que du séjour que j'ai fait longtemps dans une campagne isolée au milieu des bois. Livré souvent aux soins des domestiques et des paysans, j'avais nourri mon esprit de croyances bizarres, de légendes et de vieilles chansons. Il y avait là de quoi faire un poète, et je ne suis qu'un rêveur en prose.

J'avais sept ans, et je jouais, insoucieux, sur la porte de mon oncle, quand trois officiers parurent devant la maison ; l'or noirci de leurs uniformes brillait à peine sous leurs capotes de soldat. Le premier m'embrassa avec une telle effusion que je m'écriai :

« Mon père !... tu me fais mal ! »

De ce jour, mon destin changea.

Tous trois revenaient du siège de Strasbourg. Le plus âgé, sauvé des flots de la Bérésina glacée, me prit avec lui pour m'apprendre ce qu'on appelait mes devoirs. J'étais faible encore, et la gaieté de son plus jeune frère me charmait pendant mon travail. Un soldat qui les servait eut l'idée de me consacrer une partie de ses nuits. Il me réveillait avant l'aube et me promenait sur les collines voisines de Paris, me faisant déjeuner de pain et de crème dans les fermes ou dans les laiteries.

V. PREMIÈRES ANNÉES

Une heure fatale sonna pour la France ; son héros [1], captif lui-même au sein d'un vaste empire, voulut réunir dans le champ de Mai l'élite de ses héros fidèles. Je vis ce spectacle sublime dans la loge des généraux. On distribuait aux régiments des étendards ornés d'aigles d'or, confiés désormais à la fidélité de tous.

Un soir, je vis se dérouler sur la plus grande place de la ville une immense décoration qui représentait un vaisseau en mer. La nef se mouvait sur une onde agitée, et semblait voguer vers une tour qui marquait le rivage. Une rafale violente détruisit l'effet de cette représentation. Sinistre augure, qui prédisait à la patrie le retour des étrangers.

Nous revîmes les fils du Nord [2], et les cavales de l'Ukraine rongèrent encore une fois l'écorce des arbres de nos jardins. Mes sœurs du hameau revinrent à tire-d'aile, comme des colombes plaintives, et m'apportèrent dans leurs bras une tourterelle aux pieds roses, que j'aimais comme une autre sœur.

Un jour, une des belles dames qui visitaient mon père me demanda un léger service : j'eus le malheur de lui répondre avec impatience. Quand je retournai sur la terrasse, la tourterelle s'était envolée.

J'en conçus un tel chagrin, que je faillis mourir d'une fièvre purpurine, qui fit porter à l'épiderme tout le sang de mon cœur. On crut me consoler en me donnant pour compagnon un jeune sapajou [3] rapporté d'Amérique par un capitaine, ami de mon père. Cette jolie bête devint la compagne de mes jeux et de mes travaux.

J'étudiais à la fois l'italien, le grec et le latin, l'allemand, l'arabe et le persan. Le *Pastor fido* [4], *Faust*, Ovide [5] et Anacréon étaient mes poèmes et mes poètes favoris. Mon écriture, cultivée avec soin, rivalisait parfois de grâce et de correction avec les manuscrits les plus célèbres de l'Iram [6]. Il fallait encore que le trait de l'amour perçât mon cœur d'une de ses flèches les plus brûlantes ! Celle-là partit de l'arc délié du sourcil noir d'une vierge à l'œil d'ébène, qui s'appelait Héloïse. — J'y reviendrai plus tard.

J'étais toujours entouré de jeunes filles ; — l'une d'elles était ma tante ; deux femmes de la maison, Jeannette et Fanchette, me comblaient aussi de leurs soins. Mon sourire enfantin rappelait celui de ma mère, et mes cheveux blonds, mollement ondulés, couvraient avec caprice la grandeur précoce de mon front. Je devins épris de Fanchette et je conçus l'idée singulière de la prendre pour épouse selon les rites des aïeux. Je célébrai moi-même le mariage, en figurant la cérémonie au moyen d'une vieille robe de ma grand-mère que j'avais jetée sur mes épaules. Un ruban pailleté d'argent ceignait mon front, et j'avais relevé la pâleur ordinaire de mes joues d'une légère couche de fard. Je pris à témoin le Dieu de nos pères et la Vierge sainte, dont je possédais une image, et chacun se prêta avec complaisance à ce jeu naïf d'un enfant.

Cependant, j'avais grandi ; un sang vermeil colorait mes jours ; j'aimais à respirer l'air des forêts profondes. Les ombrages d'Ermenonville, les solitudes de Morfontaine[7] n'avaient plus de secrets pour moi. Deux de mes cousines habitaient par là. J'étais fier de les accompagner dans ces vieilles forêts, qui semblaient leur domaine.

Le soir, pour divertir de vieux parents, nous représentions les chefs-d'œuvre des poètes, et un public bienveillant nous comblait d'éloges et de couronnes. Une jeune fille vive et spirituelle, nommée Louise, partageait nos triomphes ; on l'aimait dans cette famille, où elle représentait la gloire des arts.

Je m'étais rendu très fort sur la danse. Un mulâtre, nommé Major, m'enseignait à la fois les premiers éléments de cet art et ceux de la musique, pendant qu'un peintre de portraits, nommé Mignard, me donnait des leçons de dessin. Mademoiselle Nouvelle était l'*étoile* de notre salle de danse. Je rencontrai un rival dans un joli garçon nommé Provost. Ce fut lui qui m'enseigna l'art dramatique : nous représentions ensemble de petites comédies qu'il improvisait avec esprit. Mademoiselle Nouvelle était naturellement notre actrice principale et tenait une balance si exacte entre nous deux, que nous soupirions sans espoir.... Le pauvre Provost s'est fait depuis acteur, sous le nom de Raymond ; il se souvint de ses premières tentatives, et se mit à composer des féeries dans lesquelles il eut pour collaborateurs les frères Cogniard. — Il a fini bien tristement en se prenant de querelle avec un régisseur de la Gaieté [8], auquel il donna un soufflet. Rentré chez lui, il réfléchit amèrement aux suites de son imprudence, et, la nuit suivante, se perça le cœur d'un coup de poignard.

VI. HÉLOÏSE

La pension que j'habitais avait un voisinage de jeunes brodeuses. L'une d'elles, qu'on appelait la Créole, fut l'objet de mes premiers vers d'amour ; son œil sévère, la sereine placidité de son profil grec me réconciliaient avec la froide dignité des études ; c'est pour elle que je composai des traductions versifiées de l'ode d'Horace, *A Tyndaris*, et d'une mélodie de Byron [1], dont je traduisais ainsi le refrain :

> Dis-moi, jeune fille d'Athènes,
> Pourquoi m'as-tu ravi mon cœur ?

Quelquefois je me levais dès le point du jour et je prenais la route de ***, courant et déclamant mes vers au milieu d'une pluie battante. La cruelle se riait de mes amours errantes et de mes soupirs ! C'est pour elle que je composai la pièce suivante, imitée d'une mélodie de Thomas Moore [2] :

> Quand le plaisir brille en tes yeux
> Pleins de douceur et d'espérance....

J'échappe à ces amours volages pour raconter mes premières peines. Jamais un mot blessant, un soupir impur n'avaient souillé l'hommage que je rendais à mes cousines. Héloïse, la première, me fit connaître la douleur. Elle avait pour gouvernante une bonne vieille Italienne, qui fut instruite de mon amour. Celle-ci s'entendit avec la servante de mon père pour nous procurer une entrevue. On me fit descendre en secret dans une chambre où la figure d'Héloïse était représentée par un vaste tableau. Une épingle d'argent perçait le nœud touffu de ses cheveux d'ébène, et son buste étincelait comme celui d'une reine, pailleté de tresses d'or sur un fond de soie et de velours. Éperdu, fou d'ivresse, je m'étais jeté à genoux devant l'image ; une porte s'ouvrit, Héloïse vint à ma rencontre et me regarda d'un œil souriant.

« Pardon, reine, m'écriai-je, je me croyais le Tasse [3] aux pieds d'Éléonore, ou le tendre Ovide aux pieds de Julie !... . »

Elle ne put rien me répondre, et nous restâmes tous deux muets dans une demi-obscurité. Je n'osai lui baiser la main, car mon cœur se serait brisé. — O douleurs et regrets de mes jeunes amours perdues ! Que vos souvenirs sont cruels !

« Fièvres éteintes de l'âme humaine, pourquoi revenez-vous encore échauffer un cœur qui ne bat plus ! » Héloïse est mariée aujourd'hui ; Fanchette, Sylvie [4] et Adrienne sont à jamais perdues pour moi : — le monde est désert. Peuplé de fantômes aux voix plaintives, il murmure des chants d'amour sur les débris de mon néant [5] ! Revenez pourtant, douces images ; j'ai tant aimé ! J'ai tant souffert ! « Un oiseau qui vole dans l'air a dit son secret au bocage, qui l'a redit au vent qui passe, — et les eaux plaintives ont répété le mot suprême : — Amour ! Amour ! »

VII. VOYAGE AU NORD

Que le vent enlève ces pages écrites dans des instants de fièvre ou de mélancolie — peu importe : il en a déjà dispersé quelques-unes, et je n'ai pas le courage de les récrire. En fait de mémoires, on ne sait jamais si le public s'en soucie, — et cependant je suis du nombre des écrivains dont la vie tient intimement aux ouvrages qui les ont fait connaître. N'est-on pas aussi, sans le vouloir, le sujet de biographies directes ou déguisées ? Est-il plus modeste de se peindre dans un roman sous le nom de Lélio, d'Octave ou d'Arthur [1], ou de trahir ses plus intimes émotions dans un volume de poésies ? Qu'on nous pardonne ces élans de personnalité, à nous qui vivons sous le regard de tous, et qui, glorieux ou perdus, ne pouvons plus atteindre au bénéfice de l'obscurité !

Si je pouvais faire un peu de bien en passant, j'essaierais d'appeler quelque attention sur ces pauvres villes délaissées dont les chemins de fer ont détourné la circulation et la vie. Elles s'asseyent tristement sur les débris de leur fortune passée et se concentrent en elles-mêmes, jetant un regard désenchanté sur les merveilles d'une civilisation qui les condamne ou les oublie. Saint-Germain m'a fait penser à Senlis, et, comme c'était un mardi, j'ai pris l'omnibus de Pontoise, qui ne circule plus que les jours de marché. J'aime à contrarier les chemins de fer, et Alexandre Dumas[2], que j'accuse d'avoir un peu brodé dernièrement sur mes folies de jeunesse, a dit avec vérité que j'avais dépensé deux cents francs et mis huit jours pour l'aller voir à Bruxelles, par l'ancienne route de Flandre, — et en dépit du chemin de fer du Nord.

Non, je n'admettrai jamais, quelles que soient les difficultés des terrains, que l'on fasse huit lieues, ou, si vous voulez, trente-deux kilomètres, pour aller à Poissy en évitant Saint-Germain, et trente lieues pour aller à Compiègne en évitant Senlis. Ce n'est qu'en France que l'on peut rencontrer des chemins si contrefaits. Quand le chemin belge perçait douze montagnes pour arriver à Spa, nous étions en admiration devant ces faciles contours de notre principale artère, qui suivent tour à tour les lits capricieux de la Seine et de l'Oise, pour éviter une ou deux pentes de l'ancienne route du Nord.

Pontoise[3] est encore une de ces villes, situées sur des hauteurs, qui me plaisent par leur aspect patriarcal, leurs promenades, leurs points de vue, et la conservation de certaines mœurs, qu'on ne rencontre plus ailleurs. On y joue encore dans les rues, on cause, on chante le soir sur le devant des portes ; les restaurateurs sont des pâtissiers ; on trouve chez eux quelque chose de la vie de famille ; les rues, en escaliers, sont amusantes à parcourir ; la promenade, tracée sur les anciennes tours, domine la magnifique vallée où coule l'Oise. De jolies femmes et de beaux enfants s'y promènent. On surprend en passant, on envie tout ce petit monde paisible qui vit à part dans ses vieilles maisons, sous ses beaux arbres, au milieu de ces beaux aspects et de cet air pur. L'église est belle et d'une conservation parfaite. Un magasin de nouveautés parisiennes s'éclaire auprès, et ses demoiselles sont vives et rieuses comme dans *La Fiancée* de M. Scribe [4].... Ce qui fait le charme, pour moi, des petites villes un peu abandonnées, c'est que j'y retrouve quelque chose du Paris de ma jeunesse. L'aspect des maisons, la forme des boutiques, certains usages, quelques costumes.... A ce point de vue, si Saint-Germain rappelle 1830, Pontoise rappelle 1820 ; — je vais plus loin encore retrouver mon enfance et le souvenir de mes parents.

Cette fois je bénis le chemin de fer, — une heure au plus me sépare de Saint-Leu : — le cours de l'Oise, si calme et si verte, découpant au clair de lune ses îlots de peupliers, l'horizon festonné de collines et de forêts, les villages aux noms connus qu'on appelle à chaque station, l'accent déjà sensible des paysans qui montent d'une distance à l'autre, les jeunes filles coiffées de madras, selon l'usage de cette province, tout cela m'attendrit et me charme : il me semble que je respire un autre air ; et, en mettant le pied sur le sol, j'éprouve un sentiment plus vif encore que celui qui m'animait naguère en repassant le Rhin : la terre paternelle, c'est deux fois la patrie.

J'aime beaucoup Paris, où le hasard m'a fait naître, — mais j'aurais pu naître aussi bien sur un vaisseau, — et Paris, qui porte dans ses armes la *bari*, ou nef mystique des Égyptiens, n'a pas dans ses murs cent mille Parisiens véritables. Un homme du Midi, s'unissant là par hasard à une femme du Nord, ne peut produire un enfant de nature lutécienne. On dira à cela : « Qu'importe ! » Mais demandez un peu aux gens de province s'il importe d'être de tel ou tel pays.

Je ne sais si ces observations ne semblent pas bizarres ; cherchant à étudier les autres dans moi-même, je me dis qu'il y a dans l'attachement à la terre beaucoup de l'amour de la famille. Cette piété qui s'attache aux lieux est aussi une portion du noble sentiment qui nous unit à la patrie. En revanche, les cités et les villages se parent avec fierté des illustrations qui proviennent de leur sol. Il n'y a plus là division ou jalousie locale, tout se rapporte au centre national, et Paris est le foyer de toutes ces gloires. Me direz-vous pourquoi j'aime tout le monde dans ce pays, où je retrouve des intonations connues autrefois, où les vieilles ont les traits de celles qui m'ont bercé, où les jeunes gens et les jeunes filles me rappellent les compagnons de ma première jeunesse ? Un vieillard passe : il m'a semblé voir mon grand-père ; il parle, c'est presque sa voix ; — cette jeune personne a les traits de ma tante, morte à vingt-cinq ans ; une plus jeune me rappelle une petite paysanne qui m'a aimé et qui m'appelait son petit mari, — qui dansait et chantait toujours, et qui, le dimanche, au printemps, se faisait des couronnes de marguerites. Qu'est-elle devenue, la pauvre Célénie, avec qui je courais dans la forêt de Chantilly, et qui avait si peur des gardes-chasse et des loups !

VIII. CHANTILLY

Voici les deux tours de Saint-Leu[1], le village sur la hauteur, séparé par le chemin de fer de la partie qui borde l'Oise. On monte vers Chantilly[2] en côtoyant de hautes collines de grès d'un aspect solennel, puis c'est un bout de la forêt ; la Nonette brille dans les prés bordant les dernières maisons de la ville. — La Nonette ! une des chères petites rivières où j'ai pêché des écrevisses ; — de l'autre côté de la forêt coule sa sœur la Thève, où je me suis presque noyé pour n'avoir pas voulu paraître poltron devant la petite Célénie !

Célénie m'apparaît souvent dans mes rêves comme une nymphe des eaux, tentatrice naïve, follement enivrée de l'odeur des prés, couronnée d'ache et de nénufar, découvrant, dans son rire enfantin, entre ses joues à fossettes, les dents de perle de la nixe germanique. Et, certes, l'ourlet de sa robe était très souvent mouillé, comme il convient à ses pareilles.... Il fallait lui cueillir des fleurs aux bords marneux des étangs de Commelle, ou parmi les joncs et les oseraies qui bordent les métairies de Coye. Elle aimait les grottes perdues dans les bois, les ruines des vieux châteaux, les temples écroulés aux colonnes festonnées de lierre, le foyer des bûcherons, où elle chantait et racontait les vieilles légendes du pays : — madame de Montfort, prisonnière dans sa tour, qui tantôt s'envolait en cygne, et tantôt frétillait en beau poisson d'or dans les fossés de son château ; — la fille du pâtissier, qui portait des gâteaux au comte d'Orry[3], et qui, forcée à passer la nuit chez son seigneur, lui demanda son poignard pour ouvrir le nœud d'un lacet et s'en perça le cœur ; — les moines rouges, qui enlevaient les femmes et les plongeaient dans des souterrains ; — la fille du sire de Pontarmé, éprise du beau Lautrec, et enfermée sept ans par son père, après quoi elle meurt ; et le chevalier, revenant de la croisade, fait découdre avec un couteau d'or fin son linceul de fine toile ; elle ressuscite, mais ce n'est plus qu'une goule affamée de sang.... Henri IV et Gabrielle, Biron[4] et Marie de Loches, et que sais-je encore de tant de récits dont sa mémoire était peuplée ! Saint Rieul parlant aux grenouilles, saint Nicolas ressuscitant les trois petits enfants hachés comme chair à pâté par un boucher de

Clermont-sur-Oise. Saint Léonard, saint Loup et saint Guy ont laissé dans ces cantons mille témoignages de leur sainteté et de leurs miracles. Célénie montait sur les roches ou sur les dolmens druidiques, et les racontait aux jeunes bergers. Cette petite Velléda [5] du vieux pays des Sylvanectes m'a laissé des souvenirs que le temps ravive. Qu'est-elle devenue ? Je m'en informerai du côté de La Chapelle-en-Serval ou de Charlepont, ou de Montméliant.... Elle avait des tantes partout, des cousines sans nombre ; que de morts dans tout cela ! que de malheureux sans doute dans un pays si heureux autrefois !

Au moins Chantilly porte noblement sa misère ; comme ces vieux gentilshommes au linge blanc, à la tenue irréprochable, il a cette fière attitude qui dissimule le chapeau déteint ou les habits râpés.... Tout est propre, rangé, circonspect ; les voix résonnent harmonieusement dans les salles sonores. On sent partout l'habitude du respect, et la cérémonie qui régnait jadis au château règle un peu les rapports des placides habitants. C'est plein d'anciens domestiques retraités, conduisant des chiens invalides ; — quelques-uns sont devenus des maîtres et ont pris l'aspect vénérable des vieux seigneurs qu'ils ont servis.

Chantilly est comme une longue rue de Versailles. Il faut voir cela l'été, par un splendide soleil, en passant à grand bruit sur ce beau pavé qui résonne. Tout est préparé là pour les splendeurs princières et pour la foule privilégiée des chasses et des courses. Rien n'est étrange comme cette grande porte qui s'ouvre sur la pelouse du château et qui semble un arc de triomphe, comme le monument voisin, qui paraît une basilique et qui n'est qu'une écurie. Il y a là quelque chose encore de la lutte des Condé [6] contre la branche aînée des Bourbons. — C'est la chasse qui triomphe, à défaut de la guerre, et où cette famille trouva encore une gloire, après que Clio eut déchiré les pages de la jeunesse guerrière du Grand Condé [7], comme l'exprime le mélancolique tableau qu'il a fait peindre lui-même.

A quoi bon maintenant revoir ce château démeublé qui n'a plus à lui que le cabinet satirique de Watteau et l'ombre tragique du cuisinier Vatel [8] se perçant le cœur dans un fruitier ? J'ai mieux aimé entendre les regrets sincères de mon hôtesse touchant le bon prince de Condé, qui est encore le sujet des conversations locales. Il y a, dans ces sortes de villes, quelque chose de pareil à ces cercles du purgatoire de

Dante immobilisés dans un seul souvenir, et où se refont dans un centre plus étroit les actes de la vie passée.

« Et qu'est devenue votre fille, qui était si blonde et gaie ? lui ai-je dit ; elle s'est sans doute mariée ?

— Mon Dieu oui, et depuis elle est morte de la poitrine.... »

J'ose à peine dire que cela me frappa plus vivement que les souvenirs du prince de Condé. Je l'avais vue toute jeune, et certes je l'aurais aimée, si à cette époque je n'avais eu le cœur occupé d'une autre.... Et maintenant, voilà que je pense à la ballade allemande : *La Fille de l'Hôtesse*, et aux trois compagnons, dont l'un disait : « Oh ! si je l'avais connue, comme je l'aurais aimée ! » — et le second : « Je t'ai connue, et je t'ai tendrement aimée ! » — et le troisième : « Je ne t'ai pas connue... mais je t'aime et t'aimerai pendant l'éternité ! »

Encore une figure blonde qui pâlit, se détache et tombe glacée à l'horizon de ces bois baignés de vapeurs grises.... J'ai pris la voiture de Senlis, qui suit le cours de la Nonette en passant par Saint-Firmin et par Courteuil ; nous laissons à gauche Saint-Léonard et sa vieille chapelle, et nous apercevons déjà le haut clocher de la cathédrale. A gauche est le champ des *Raines*, où saint Rieul, interrompu par les grenouilles dans une de ses prédications, leur imposa silence, et, quand il eut fini, permit à une seule de se faire entendre à l'avenir. Il y a quelque chose d'oriental dans cette naïve légende et dans cette bonté du saint, qui permet du moins à une grenouille d'exprimer les plaintes des autres.

J'ai trouvé un bonheur indicible à parcourir les rues et les ruelles de la vieille cité romaine, si célèbre encore depuis par ses sièges et ses combats. « O pauvre ville ! que tu es enviée ! » disait Henri IV. — Aujourd'hui personne n'y pense, et ses habitants paraissent peu se soucier du reste de l'univers. Ils vivent plus à part encore que ceux de Saint-Germain. Cette colline aux antiques constructions domine fièrement son horizon de prés verts bordés de quatre forêts : Halatte, Apremont, Pontarmé, Ermenonville dessinent au loin leurs masses ombreuses où pointent çà et là les ruines des abbayes et des châteaux.

En passant devant la porte de Reims, j'ai rencontré une de ces énormes voitures de saltimbanques qui promènent de foire en foire toute une famille artistique, son matériel et son ménage. Il s'était mis à pleuvoir, et l'on m'offrit cordialement un abri. Le local était vaste, chauffé par un poêle, éclairé par huit fenêtres, et six personnes paraissaient y vivre assez commodément. Deux jolies filles s'occupaient de repriser leurs ajustements pailletés, une femme encore belle faisait la cuisine, et le chef de la famille donnait des leçons de maintien à un jeune homme de bonne mine qu'il dressait à jouer les amoureux. C'est que ces gens ne se bornaient pas aux exercices d'agilité, et jouaient aussi la comédie. On les invitait souvent dans les châteaux de la province, et ils me montrèrent plusieurs attestations de leurs talents, signées de noms illustres. Une des jeunes filles se mit à déclamer des vers d'une vieille comédie du temps au moins de Montfleury [9], car le nouveau répertoire leur est défendu. Ils jouent aussi des pièces à l'impromptu sur des canevas à l'italienne, avec une grande facilité d'invention et de répliques. En regardant les deux jeunes filles, l'une vive et brune, l'autre blonde et rieuse, je me mis à penser à Mignon et Philine dans *Wilhelm Meister* [10], et voilà un rêve germanique qui me revient entre la perspective des bois et l'antique profil de Senlis. Pourquoi ne pas rester dans cette maison errante à défaut d'un domicile parisien ? Mais il n'est plus temps d'obéir à ces fantaisies de la verte bohème ; et j'ai pris congé de mes hôtes, car la pluie avait cessé.

LES FILLES DU FEU

•

LES FILLES DU FEU, *nouvelles, par Gérard de Nerval, parurent en 1854 chez l'éditeur D. Giraud. Le recueil comprenait sept textes :* Angélique ; Sylvie, Souvenirs du Valois ; Jemmy ; Octavie ; Isis, Corilla *et* Émily. *Gérard avait désiré y introduire aussi* La Pandora, *puis y avait renoncé.*

En rassemblant en un seul livre des textes déjà publiés, il a voulu reprendre sa place dans le Paris littéraire ; il a travaillé fébrilement à ce regroupement dans l'automne de 1853 comme s'il savait qu'il aurait, bientôt, épuisé le compte de ses jours.

Il est à Passy dans le château du duc de Penthièvre, devenu la maison de santé du Dr Émile Blanche. Depuis sa chute du 25 septembre 1851, notre poète passe de Passy à la maison de santé municipale et de la Charité à Passy. Entre-temps, il voyage en Hollande et en Belgique : il va revoir les lieux de son enfance et de sa jeunesse à Mortefontaine et à Saint-Germain. Il a composé Sylvie *et modifié en vue de les incorporer dans ses* Filles du Feu *des textes déjà publiés dans des revues : Les Faux Saulniers deviennent* Angélique *: il reprend Octavie (1842), Corilla (1839) ; l'ancien* Temple d'Isis, souvenirs de Pompéi *(1845) devient* Isis *;* Les Filles du Feu *contenaient aussi les sonnets des* Chimères, *que nous avons donnés plus haut à leur vraie place, dans les* Poésies.

La plus célèbre des Filles du Feu, *c'est* Sylvie, *qui a rendu universellement célèbre le nom de Nerval. Il l'a écrite en 1852, l'année même où meurt celle qui fut probablement le principal modèle de Sylvie, Reine Sylvie Tremblay ; la nouvelle a paru dans la* Revue des Deux Mondes *en 1853. C'est le poème du bonheur perdu et que Nerval veut revivre une fois encore : « Nous ne vivons, écrit-il à un ami, qu'en avant ou en arrière ».* Les Chansons et Légendes du Valois, *qui suivent Sylvie, mirent à la mode les recherches du folklore et des récits mythologiques français.*

Octavie, ou l'Illusion, *c'est le récit d'un séjour à Naples, mais où Nerval place des souvenirs de l'aventure de Vienne avec Marie Pleyel : une rencontre à Marseille, la tentation de l'amour repoussée par une apparition qui réveille un ancien amour, une tentative de suicide, la visite d'Herculanum et de Pompéi, l'initiation aux mystères d'Isis ; la nouvelle tourne court ; ce récit préfigure* Aurélia.

*Nerval a fait d'*Isis *comme un récit documentaire pour compléter* Octavie *: ses propres souvenirs sont alourdis par des textes empruntés à un érudit allemand.*

Corilla ou les Deux Rendez-vous *n'est qu'un intermède écrit autrefois pour Jenny Colon : sous la grâce d'un proverbe de Musset, c'est, nervalien par excellence, le thème des ressemblances qui s'y développe.*

Une longue dédicace à Alexandre Dumas ouvrait le recueil des Filles du feu *; Nerval s'y justifiait devant ses contemporains de la folie qu'on lui prêtait ; il expliquait les personnages divers qui étaient en lui, à certaines périodes, par l'identification qui se fait entre l'écrivain et ses héros.*

C'est dans cette Introduction *que Nerval dévoile qu'il s'est mis à traduire tous ses rêves, toutes ses émotions et qu'il s'est attendri à cet amour pour une étoile fugitive qui l'abandonna seul dans la nuit de sa destinée. « J'ai pleuré, j'ai frémi des vaines apparitions de mon sommeil. Puis un rayon de soleil a lui dans mon enfer. Entouré de monstres contre lesquels je luttais désespérément, j'ai saisi le fil d'Ariane et dès lors toutes mes visions son devenues célestes. Quelque jour, j'écrirai l'histoire de cette descente aux enfers ».*

Il annonçait ainsi qu'il écrirait Aurélia, *la longue et tragique histoire de l'actrice qui apparaît au début de* Sylvie *et du soupirant qui, chaque soir, s'assied aux avant-scènes du théâtre pour l'entendre chanter, « belle comme le jour, pâle comme la nuit ».*

H. A.-B.

SYLVIE
SOUVENIRS DU VALOIS

I

NUIT PERDUE

Je sortais d'un théâtre où tous les soirs je paraissais aux avant-scènes en grande tenue de soupirant. Quelquefois, tout était plein ; quelquefois, tout était vide. Peu m'importait d'arrêter mes regards sur un parterre peuplé seulement d'une trentaine d'amateurs forcés, sur des loges garnies de bonnets ou de toilettes surannées, — ou bien de faire partie d'une salle animée et frémissante, couronnée à tous ses étages de toilettes fleuries, de bijoux étincelants et de visages radieux. Indifférent au spectacle de la salle, celui du théâtre ne m'arrêtait guère, — excepté lorsqu'à la seconde ou à la troisième scène d'un maussade chef-d'œuvre d'alors, une apparition bien connue illuminait l'espace vide, rendant la vie d'un souffle et d'un mot à ces vaines figures qui m'entouraient.

Je me sentais vivre en elle, et elle vivait pour moi seul. Son sourire me remplissait d'une béatitude infinie ; la vibration de sa voix si douce et cependant fortement timbrée me faisait tressaillir de joie et d'amour. Elle avait pour moi toutes les perfections, elle répondait à tous mes enthousiasmes, à tous mes caprices, — belle comme le jour aux feux de la rampe qui l'éclairait d'en bas, pâle comme la nuit, quand la rampe baissée la laissait éclairée d'en haut sous les rayons du lustre et la montrait plus naturelle, brillant dans l'ombre de sa seule beauté, comme les Heures divines [1] qui se découpent, avec une étoile au front, sur les fonds bruns des fresques d'Herculanum !

Depuis un an, je n'avais pas encore songé à m'informer de ce qu'elle pouvait être d'ailleurs ; je craignais de troubler le miroir magique qui me renvoyait son image, — et tout au plus avais-je prêté l'oreille à quelques propos concernant non plus l'actrice, mais la femme. Je m'en informais aussi peu que des bruits qui ont pu courir sur la princesse d'Élide [2] ou sur la reine de Trébizonde [3], — un de mes oncles, qui avait vécu dans les avant-dernières années du XVIIIe siècle comme il fallait y vivre pour le bien connaître, m'ayant prévenu de bonne heure que les actrices n'étaient pas des femmes, et que la nature avait oublié de leur faire un cœur. Il parlait de celles de ce temps-là sans doute ; mais il m'avait raconté tant d'histoires de ses illusions, de ses déceptions, et montré tant de portraits sur ivoire, médaillons charmants qu'il utilisait depuis à parer des tabatières, tant de billets jaunis, tant de faveurs fanées, en m'en faisant l'histoire et le compte définitif, que je m'étais habitué à penser mal de toutes, sans tenir compte de l'ordre des temps.

Nous vivions alors dans une époque étrange, comme celles qui d'ordinaire succèdent aux révolutions ou aux abaissements des grands règnes. Ce n'était plus la galanterie héroïque comme sous la Fronde, le vice élégant et paré comme sous la Régence, le scepticisme et les folles orgies du Directoire ; c'était un mélange d'activité, d'hésitation et de paresse, d'utopies brillantes, d'aspirations philosophiques ou religieuses, d'enthousiasmes vagues, mêlés de certains instincts de renaissance ; d'ennui des discordes passées, d'espoirs incertains, — quelque chose comme l'époque de Pérégrinus [4] et d'Apulée [5]. L'homme matériel aspirait au bouquet de rose qui devait le régénérer par les mains de la belle Isis [6] ; la déesse éternellement jeune et pure nous apparaissait dans les nuits, et nous faisait honte de nos heures de jour perdues. L'ambition n'était cependant pas de notre âge, et l'avide curée qui se faisait alors des positions et des honneurs nous éloignait des sphères d'activité possibles. Il ne nous restait pour asile que cette tour d'ivoire des poètes, où nous montions toujours plus haut pour nous isoler de la foule. A ces points élevés où nous guidaient nos maîtres, nous respirions enfin l'air pur des solitudes, nous buvions l'oubli dans la coupe d'or des légendes, nous étions ivres de poésie et d'amour. Amour, hélas ! des formes vagues, des teintes roses et bleues, des fantômes métaphysiques ! Vue de près, la femme réelle révoltait notre ingénuité ; il fallait qu'elle apparût reine ou déesse, et surtout n'en pas approcher.

Quelques-uns d'entre nous néanmoins prisaient peu ces paradoxes platoniques, et à travers nos rêves renouvelés d'Alexandrie [7] agitaient parfois la torche des dieux souterrains, qui éclaire l'ombre un instant de ses traînées d'étincelles. — C'est ainsi que, sortant du théâtre avec l'amère tristesse que laisse un songe évanoui, j'allais volontiers me joindre à la société d'un cercle où l'on soupait en grand nombre, et où toute mélancolie cédait devant la verve intarissable de quelques esprits éclatants, vifs, orageux, sublimes parfois, — tels qu'il s'en est trouvé toujours dans les époques de rénovation ou de décadence, et dont les discussions se haussaient à ce point, que les plus timides d'entre nous allaient voir parfois aux fenêtres si les Huns, les Turcomans ou les Cosaques n'arrivaient pas enfin pour couper court à ces arguments de rhéteurs et de sophistes.

« Buvons, aimons, c'est la sagesse ! » Telle était la seule opinion des plus jeunes. Un de ceux-là me dit : « Voici bien longtemps que je te rencontre dans le même théâtre, et chaque fois que j'y vais. Pour *laquelle* y viens-tu ? » Pour laquelle ?... Il ne me semblait pas que l'on pût aller là pour une *autre*. Cependant, j'avouai un nom. « Eh bien ! dit mon ami avec indulgence, tu vois là-bas l'homme heureux qui vient de la reconduire, et qui, fidèle aux lois de notre cercle, n'ira la retrouver peut-être qu'après la nuit. »

Sans trop d'émotion, je tournai les yeux vers le personnage indiqué. C'était un jeune homme correctement vêtu, d'une figure pâle et nerveuse, ayant des manières convenables et des yeux empreints de mélancolie et de douceur. Il jetait de l'or sur une table de whist [8] et le perdait avec indifférence. « Que m'importe, dis-je, lui ou tout autre ? Il fallait qu'il y en eût un, et celui-là me paraît digne d'avoir été choisi. — Et toi ? — Moi ? C'est une image que je poursuis ; rien de plus. »

En sortant, je passai par la salle de lecture, et machinalement je regardai un journal. C'était, je crois, pour y voir le cours de la Bourse. Dans les débris de mon opulence [9] se trouvait une somme assez forte en titres étrangers. Le bruit avait couru que, négligés longtemps, ils allaient être reconnus ; — ce qui venait d'avoir lieu à la suite d'un changement de ministère. Les fonds se trouvaient déjà cotés très haut ; je redevenais riche.

Une seule pensée résulta de ce changement de situation, celle que la femme aimée si longtemps était à moi si je voulais. — Je touchais du doigt mon idéal. N'était-ce pas une illusion encore, une faute d'impression railleuse ? Mais les autres feuilles parlaient de même. — La somme gagnée se dressa devant moi comme la statue d'or de Moloch[10]. « Que dirait maintenant, pensais-je, le jeune homme de tout à l'heure, si j'allais prendre sa place près de la femme qu'il a laissée seule ?... » Je frémis de cette pensée, et mon orgueil se révolta.

Non ! ce n'est pas ainsi, ce n'est pas à mon âge que l'on tue l'amour avec de l'or : je ne serai pas un corrupteur. D'ailleurs ceci est une idée d'un autre temps, Qui me dit aussi que cette femme soit vénale ? — Mon regard parcourait vaguement le journal que je tenais encore, et j'y lus ces deux lignes : « *Fête du Bouquet provincial.* — Demain, les archers[11] de Senlis doivent rendre le bouquet à ceux de Loisy. » Ces mots, fort simples, réveillèrent en moi toute une nouvelle série d'impressions ; c'était un souvenir de la province depuis longtemps oubliée, un écho lointain des fêtes naïves de la jeunesse. — Le cor et le tambour résonnaient au loin dans les hameaux et dans les bois ; les jeunes filles tressaient des guirlandes et assortissaient, en chantant, des bouquets ornés de rubans. Un lourd chariot, traîné par des bœufs, recevait ces présents sur son passage, et nous, enfants de ces contrées, nous formions le cortège avec nos arcs et nos flèches, nous décorant du titre de chevaliers, — sans savoir alors que nous ne faisions que répéter d'âge en âge une fête druidique, survivant aux monarchies et aux religions nouvelles.

II

ADRIENNE

Je regagnai mon lit et je ne pus y trouver le repos. Plongé dans une demi-somnolence, toute ma jeunesse repassait en mes souvenirs. Cet état, où l'esprit résiste encore aux bizarres combinaisons du songe, permet souvent de voir se presser en quelques minutes les tableaux les plus saillants d'une longue période de la vie.

Je me représentais un château du temps de Henri IV, avec ses toits pointus couverts d'ardoises et sa face rougeâtre aux encoignures dentelées de pierres jaunies, une grande place verte encadrée d'ormes et de tilleuls, dont le soleil couchant perçait le feuillage de ses traits enflammés. Des jeunes filles dansaient en rond sur la pelouse en chantant de vieux airs transmis par leurs mères et d'un français si naturellement pur, que l'on se sentait bien exister dans ce vieux pays du Valois [1], où, pendant plus de mille ans, a battu le cœur de la France.

J'étais le seul garçon dans cette ronde, où j'avais amené ma compagne toute jeune encore, Sylvie [2], une petite fille du hameau voisin, si vive et si fraîche, avec ses yeux noirs, son profil régulier et sa peau légèrement hâlée !... Je n'aimais qu'elle, je ne voyais qu'elle, — jusque-là ! A peine avais-je remarqué, dans la ronde où nous dansions, une blonde, grande et belle, qu'on appelait Adrienne [3]. Tout d'un coup, suivant les règles de la danse, Adrienne se trouva placée seule avec moi au milieu du cercle. Nos tailles étaient pareilles. On nous dit de nous embrasser, et la danse et le chœur tournaient plus vivement que jamais. En lui donnant ce baiser, je ne pus m'empêcher de lui presser la main. Les longs anneaux roulés de ses cheveux d'or effleuraient mes joues. De ce moment, un trouble inconnu s'empara de moi. — La belle devait chanter pour avoir le droit de rentrer dans la danse. On s'assit autour d'elle, et aussitôt, d'une voix fraîche et pénétrante, légèrement voilée, comme celle des filles de ce pays brumeux, elle chanta une de ces anciennes romances pleines de mélancolie et d'amour, qui racontent toujours les malheurs d'une princesse enfermée dans sa tour par la volonté d'un père qui la punit d'avoir aimé. La mélodie se terminait à chaque stance par ces trilles chevrotants que font valoir si bien les voix jeunes, quand elles imitent par un frisson modulé la voix tremblante des aïeules.

A mesure qu'elle chantait, l'ombre descendait des grands arbres, et le clair de lune naissant tombait sur elle seule, isolée de notre cercle attentif. — Elle se tut, et personne n'osa rompre le silence. La pelouse était couverte de faibles vapeurs condensées, qui déroulaient leurs blancs flocons sur les pointes des herbes. Nous pensions être en paradis. — Je me levai enfin, courant au parterre du château, où se trouvaient des lauriers, plantés dans de grands vases de faïence peints en camaïeu. Je rapportai deux branches, qui furent tressées en couronne et nouées d'un ruban. Je posai sur la tête d'Adrienne cet ornement, dont les feuilles lustrées éclataient sur ses cheveux blonds, aux rayons pâles de la lune. Elle ressemblait à la Béatrice [4] de Dante, qui sourit au poète errant sur la lisière des saintes demeures.

Adrienne se leva. Développant sa taille élancée, elle nous fit un salut gracieux, et rentra en courant dans le château. — C'était, nous dit-on, la petite-fille de l'un des descendants d'une famille alliée aux anciens rois de France ; le sang des Valois coulait dans ses veines. Pour ce jour de fête, on lui avait permis de se mêler à nos jeux ; nous ne devions plus la revoir, car, le lendemain, elle repartit pour un couvent où elle était pensionnaire.

Quand je revins près de Sylvie, je m'aperçus qu'elle pleurait. La couronne donnée par mes mains à la belle chanteuse était le sujet de ses larmes. Je lui offris d'en aller cueillir une autre, mais elle dit qu'elle n'y tenait nullement, ne la méritant pas. Je voulus en vain me défendre, elle ne me dit plus un seul mot pendant que je la reconduisais chez ses parents.

Rappelé moi-même à Paris pour y reprendre mes études, j'emportai cette double image d'une amitié tendre tristement rompue, — puis d'un amour impossible et vague, source de pensées douloureuses que la philosophie de collège était impuissante à calmer.

La figure d'Adrienne resta seule triomphante, — mirage de la gloire et de la beauté, adoucissant ou partageant les heures des sévères études. Aux vacances de l'année suivante, j'appris que cette belle à peine entrevue était consacrée par sa famille à la vie religieuse.

III

RÉSOLUTION

TOUT m'était expliqué par ce souvenir à demi rêvé. Cet amour vague et sans espoir, conçu pour une femme de théâtre, qui tous les soirs me prenait à l'heure du spectacle, pour ne me quitter qu'à l'heure du sommeil, avait son germe dans le souvenir d'Adrienne, fleur de la nuit éclose à la pâle clarté de la lune, fantôme rose et blond glissant sur l'herbe verte à demi baignée de blanches vapeurs. — La ressemblance d'une figure oubliée depuis des années se dessinait désormais avec une netteté singulière ; c'était un crayon estompé par le temps, qui se faisait peinture, comme ces vieux croquis de maître admirés dans un musée, dont on retrouve ailleurs l'original éblouissant.

Aimer une religieuse sous la forme d'une actrice[1] !... et si c'était la même ! — Il y a de quoi devenir fou ! c'est un entraînement fatal où l'inconnu vous attire comme le feu follet fuyant sur les joncs d'une eau morte.... Reprenons pied sur le réel.

Et Sylvie, que j'aimais tant, pourquoi l'ai-je oubliée depuis trois ans ?... C'était une bien jolie fille, et la plus belle de Loisy.

Elle existe, elle, bonne et pure de cœur sans doute. Je revois sa fenêtre où le pampre s'enlace au rosier, la cage de fauvettes suspendue à gauche ; j'entends le bruit de ses fuseaux sonores et sa chanson favorite :

> La belle était assise
> Près du ruisseau coulant....

Elle m'attend encore.... Qui l'aurait épousée ? Elle est si pauvre !

Dans son village et dans ceux qui l'entourent, de bons paysans en blouse, aux mains rudes, à la face amaigrie, au teint hâlé ! Elle m'aimait seul, moi, le petit Parisien, quand j'allais voir près de Loisy mon pauvre oncle, mort aujourd'hui. Depuis trois ans, je dissipe en seigneur le bien modeste qu'il m'a laissé et qui pouvait suffire à ma vie. Avec Sylvie, je l'aurais conservé. Le hasard m'en rend une partie. Il est temps encore.

A cette heure, que fait-elle ? Elle dort.... Non, elle ne dort pas ; c'est aujourd'hui la fête de l'arc, la seule de l'année où l'on danse toute la nuit. — Elle est à la fête....

Quelle heure est-il ?

Je n'avais pas de montre.

Au milieu de toutes les splendeurs de bric-à-brac qu'il était d'usage de réunir à cette époque pour restaurer dans sa couleur locale un appartement d'autrefois, brillait d'un éclat rafraîchi une de ces pendules d'écaille de la Renaissance, dont le dôme doré surmonté de la figure du Temps est supporté par des cariatides du style Médicis, reposant à leur tour sur des chevaux à demi cabrés. La Diane historique, accoudée sur son cerf, est en bas-relief sous le cadran, où s'étalent, sur un fond niellé, les chiffres émaillés des heures. Le mouvement, excellent sans doute, n'avait pas été remonté depuis deux siècles. — Ce n'était pas pour savoir l'heure que j'avais acheté cette pendule en Touraine.

Je descendis chez le concierge. Son coucou marquait une

heure du matin. « En quatre heures, me dis-je, je puis arriver au bal de Loisy. »

Il y avait encore sur la place du Palais-Royal cinq ou six fiacres stationnant pour les habitués des cercles et des maisons de jeu. « A Loisy ! dis-je au plus apparent. — Où cela est-il ? — Près de Senlis, à huit lieues. — Je vais vous conduire à la poste », dit le cocher, moins préoccupé que moi.

Quelle triste route, la nuit, que cette route de Flandre, qui ne devient belle qu'en atteignant la zone des forêts ! Toujours ces deux files d'arbres monotones qui grimacent des formes vagues : au-delà, des carrés de verdure et de terres remuées, bornés à gauche par les collines bleuâtres de Montmorency, d'Écouen, de Luzarches. Voici Gonesse [2], le bourg vulgaire plein des souvenirs de la Ligue et de la Fronde....

Plus loin que Louvres est un chemin bordé de pommiers dont j'ai vu bien des fois les fleurs éclater dans la nuit, comme des étoiles de la terre : c'était le plus court pour gagner les hameaux. — Pendant que la voiture monte les côtes, recomposons les souvenirs du temps où j'y venais si souvent.

IV

UN VOYAGE A CYTHÈRE [1]

QUELQUES années s'étaient écoulées : l'époque où j'avais rencontré Adrienne devant le château n'était déjà plus qu'un souvenir d'enfance. Je me retrouvai à Loisy au moment de la fête patronale. J'allai de nouveau me joindre aux chevaliers de l'arc, prenant place dans la compagnie dont j'avais fait partie déjà. Des jeunes gens appartenant aux vieilles familles qui possèdent encore là plusieurs de ces châteaux perdus dans les forêts, qui ont plus souffert du temps que des révolutions, avaient organisé la fête. De Chantilly, de Compiègne et de Senlis accouraient de joyeuses cavalcades qui prenaient place dans le cortège rustique des compagnies de l'arc. Après la longue promenade à travers les villages et les bourgs, après la messe à l'église, les luttes d'adresse et la distribution des prix, les vainqueurs avaient été conviés à un repas qui se donnait dans une île ombragée de peupliers et de tilleuls, au milieu de l'un des étangs alimentés par la

Nonette et la Thève. Des barques pavoisées nous conduisirent à l'île, — dont le choix avait été déterminé par l'existence d'un temple ovale à colonnes qui devait servir de salle pour le festin. Là, comme à Ermenonville, le pays est semé de ces édifices légers[2], de la fin du XVIIIe siècle, où des millionnaires philosophes se sont inspirés dans leurs plans du goût dominant d'alors. Je crois bien que ce temple avait dû être primitivement dédié à Uranie[3]. Trois colonnes avaient succombé, emportant dans leur chute une partie de l'architrave; mais on avait déblayé l'intérieur de la salle, suspendu des guirlandes entre les colonnes, on avait rajeuni cette ruine moderne, — qui appartenait au paganisme de Boufflers[4] ou de Chaulieu[5] plutôt qu'à celui d'Horace.

La traversée du lac avait été imaginée peut-être pour rappeler le *Voyage à Cythère* de Watteau. Nos costumes modernes dérangeaient seuls l'illusion. L'immense bouquet de la fête, enlevé du char qui le portait, avait été placé sur une grande barque : le cortège des jeunes filles vêtues de blanc qui l'accompagnent selon l'usage avait pris place sur les bancs, et cette gracieuse *théorie*[6] renouvelée des jours antiques se reflétait dans les eaux calmes de l'étang qui la séparait du bord de l'île si vermeil aux rayons du soir avec ses halliers d'épine, sa colonnade et ses clairs feuillages. Toutes les barques abordèrent en peu de temps. La corbeille portée en cérémonie occupa le centre de la table, et chacun prit place, les plus favorisés auprès des jeunes filles : il suffisait pour cela d'être connu des parents. Ce fut la cause qui fit que je me retrouvai près de Sylvie. Son frère m'avait déjà rejoint dans la fête, il me fit la guerre de n'avoir pas depuis longtemps rendu visite à sa famille. Je m'excusai sur mes études, qui me retenaient à Paris, et l'assurai que j'étais venu dans cette intention. « Non, c'est moi qu'il a oubliée, dit Sylvie. Nous sommes des gens de village, et Paris est si au-dessus ! » Je voulus l'embrasser pour lui fermer la bouche; mais elle me boudait encore, et il fallut que son frère intervînt pour qu'elle m'offrît sa joue d'un air indifférent. Je n'eus aucune joie de ce baiser, dont bien d'autres obtenaient la faveur, car, dans ce pays patriarcal, où l'on salue tout homme qui passe, un baiser n'est autre chose qu'une politesse entre bonnes gens.

Une surprise avait été arrangée par les ordonnateurs de la fête. A la fin du repas, on vit s'envoler du fond de la vaste corbeille un cygne sauvage, jusque-là captif sous les fleurs, qui, de ses fortes ailes, soulevant le lacis de guirlandes et de couronnes, finit par les disperser de tous côtés. Pendant qu'il s'élançait joyeux vers les dernières lueurs du soleil, nous rattrapions au hasard les couronnes dont chacun parait aussitôt le front de sa voisine. J'eus le bonheur de saisir une des plus belles, et Sylvie, souriante, se laissa embrasser cette fois plus tendrement que l'autre. Je compris que j'effaçais ainsi le souvenir d'un autre temps. Je l'admirai cette fois sans partage, elle était devenue si belle ! Ce n'était plus cette petite fille de village que j'avais dédaignée pour une plus grande et plus faite aux grâces du monde. Tout en elle avait gagné ; le charme de ses yeux noirs, si séduisants dès son enfance, était devenu irrésistible : sous l'orbite arquée de ses sourcils, son sourire, éclairant tout à coup des traits réguliers et placides, avait quelque chose d'athénien. J'admirais cette physionomie digne de l'art antique au milieu des minois chiffonnés de ses compagnes. Ses mains délicatement allongées, ses bras qui avaient blanchi en s'arrondissant, sa taille dégagée la faisaient tout autre que je ne l'avais vue. Je ne pus m'empêcher de lui dire combien je la trouvais différente d'elle-même, espérant couvrir ainsi mon ancienne et rapide infidélité.

Tout me favorisait d'ailleurs, l'amitié de son frère, l'impression charmante de cette fête, l'heure du soir et le lieu même où, par une fantaisie pleine de goût, on avait reproduit une image des galantes solennités d'autrefois. Tant que nous pouvions, nous échappions à la danse pour causer de nos souvenirs d'enfance et pour admirer en rêvant à deux les reflets du ciel sur les ombrages et sur les eaux. Il fallut que le frère de Sylvie nous arrachât à cette contemplation en disant qu'il était temps de retourner au village, assez éloigné, qu'habitaient ses parents.

V

LE VILLAGE

C'ÉTAIT à Loisy [1], dans l'ancienne maison du garde. Je les conduisis jusque-là, puis je retournai à Montagny, où je demeurais chez mon oncle. En quittant le chemin pour traverser un petit bois qui sépare Loisy de Saint-S... [2], je ne tardai pas à m'engager dans une *sente* profonde qui

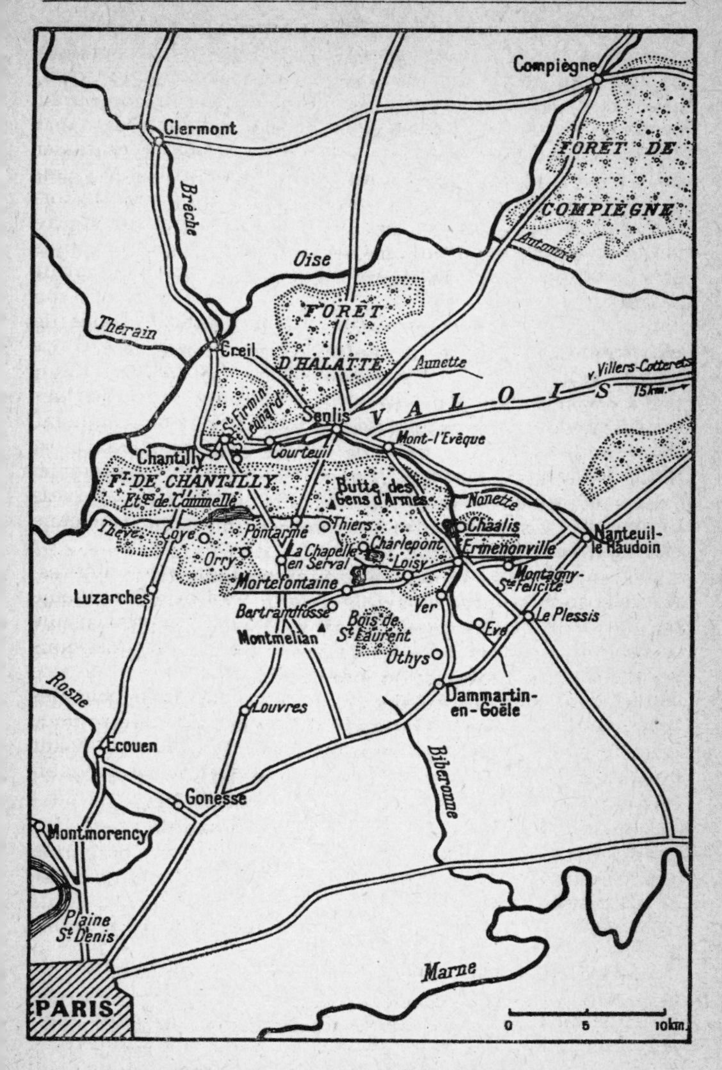

CARTE POUR LA LECTURE DE *SYLVIE*.

longe la forêt d'Ermenonville ; je m'attendais ensuite à rencontrer les murs d'un couvent qu'il fallait suivre pendant un quart de lieue. La lune se cachait de temps à autre sous les nuages, éclairant à peine les roches de grès sombre et les bruyères, qui se multipliaient sous mes pas. A droite et à gauche, des lisières de forêt sans routes tracées, et toujours, devant moi, ces roches druidiques de la contrée, qui gardent le souvenir des fils d'Armen exterminés par les Romains ! Du haut de ces entassements sublimes, je voyais les étangs lointains se découper comme des miroirs sur la plaine brumeuse, sans pouvoir distinguer celui même où s'était passée la fête.

L'air était tiède et embaumé ; je résolus de ne pas aller plus loin et d'attendre le matin, en me couchant sur des touffes de bruyères. — En me réveillant, je reconnus peu à peu les points voisins du lieu où je m'étais égaré dans la nuit. A ma gauche, je vis se dessiner la longue ligne des murs du couvent de Saint-S..., puis, de l'autre côté de la vallée, la butte aux Gens-d'Armes [3], avec les ruines ébréchées de l'antique résidence carlovingienne. Près de là, au-dessus des touffes de bois, les hautes masures de l'abbaye de Thiers découpaient sur l'horizon leurs pans de muraille percés de trèfles et d'ogives. Au-delà, le manoir gothique de Pontarmé, entouré d'eau comme autrefois, refléta bientôt les premiers feux du jour, tandis qu'on voyait se dresser au midi le haut donjon de la Tournelle et les quatre tours de Bertrand-Fosse sur les premiers coteaux de Montméliant [4].

Cette nuit m'avait été douce, je ne songeais qu'à Sylvie : cependant, l'aspect du couvent [5] me donna un instant l'idée que c'était celui peut-être qu'habitait Adrienne. Le tintement de la cloche du matin était encore dans mon oreille, et m'avait sans doute réveillé. J'eus un instant l'idée de jeter un coup d'œil par-dessus les murs en gravissant la plus haute pointe des rochers : mais, en y réfléchissant, je m'en gardai comme d'une profanation. Le jour en grandissant chassa de ma pensée ce vain souvenir et n'y laissa plus que les traits rosés de Sylvie. « Allons la réveiller », me dis-je, et je repris le chemin de Loisy.

Voici le village au bout de la sente qui côtoie la forêt : vingt chaumières, dont la vigne et les roses grimpantes festonnent les murs. Des fileuses matinales, coiffées de mouchoirs rouges, travaillent, réunies devant une ferme. Sylvie n'est point avec elles. C'est presque une demoiselle depuis qu'elle exécute de fines dentelles, tandis que ses parents sont restés de bons villageois. — Je suis monté à sa chambre sans étonner personne ; déjà levée depuis longtemps, elle agitait les fuseaux de sa dentelle, qui claquaient avec un doux bruit sur le carreau vert que soutenaient ses genoux. « Vous voilà, paresseux ! dit-elle avec son sourire divin, je suis sûre que vous sortez seulement de votre lit ! » Je lui racontai ma nuit passée sans sommeil, mes courses égarées à travers les bois et les roches. Elle voulut bien me plaindre un instant. « Si vous n'êtes pas fatigué, je vais vous faire courir encore. Nous irons voir ma grand-tante à Othys. » J'avais à peine répondu, qu'elle se leva joyeusement, arrangea ses cheveux devant un miroir et se coiffa d'un chapeau de paille rustique. L'innocence et la joie éclataient dans ses yeux. Nous partîmes en suivant les bords de la Thève, à travers les prés semés de marguerites et de boutons d'or, puis le long des bois de Saint-Laurent, franchissant parfois les ruisseaux et les halliers pour abréger la route. Les merles sifflaient dans les arbres, et les mésanges s'échappaient joyeusement des buissons frôlés par notre marche.

Parfois nous rencontrions sous nos pas les pervenches si chères à Rousseau [6], ouvrant leurs corolles bleues parmi ces longs rameaux de feuilles accouplées, lianes modestes qui arrêtaient les pieds furtifs de ma compagne. Indifférente aux souvenirs du philosophe genevois, elle cherchait çà et là les fraises parfumées, et, moi, je lui parlais de *La Nouvelle Héloïse*, dont je récitais par cœur quelques passages. « Est-ce que c'est joli ? dit-elle. — C'est sublime. — Est-ce mieux qu'Auguste Lafontaine [7] ? — C'est plus tendre. — Oh ! bien, dit-elle, il faut que je lise cela. Je dirai à mon frère de me l'apporter, la première fois qu'il ira à Senlis. » Et je continuais à réciter des fragments de l'*Héloïse*, pendant que Sylvie cueillait des fraises.

VI

OTHYS

Au sortir du bois, nous rencontrâmes de grandes touffes de digitale pourprée ; elle en fit un énorme bouquet en me disant : « C'est pour ma tante : elle sera si heureuse d'avoir ces belles fleurs dans sa chambre ! » Nous n'avions plus qu'un bout de plaine à traverser pour gagner Othys. Le clocher du village pointait sur les coteaux bleuâtres qui vont de Montméliant à Dammartin. La Thève bruissait de nouveau parmi les grès et les cailloux, s'amincissant au voisinage de sa source, où elle se repose dans les prés, formant un petit lac au milieu des glaïeuls et des iris. Bientôt nous gagnâmes les premières maisons. La tante de Sylvie habitait une petite chaumière bâtie en pierres de grès inégales que revêtaient des treillages de houblon et de vigne vierge : elle vivait seule de quelques carrés de terre que les gens du village cultivaient pour elle depuis la mort de son mari. Sa nièce arrivant, c'était le feu dans la maison. « Bonjour, la tante ! Voici vos enfants ! dit Sylvie ; nous avons bien faim ! » Elle l'embrassa tendrement, lui mit dans les bras la botte de fleurs, puis songea enfin à me présenter, en disant : « C'est mon amoureux ! »

J'embrassai à mon tour la tante qui, dit : « Il est gentil.... C'est donc un blond !... — Il a de jolis cheveux fins, dit Sylvie. — Cela ne dure pas, dit la tante ; mais vous avez du temps devant vous, et, toi qui es brune, cela t'assortit bien. — Il faut le faire déjeuner, la tante », dit Sylvie. Et elle alla cherchant dans les armoires, dans la huche[1], trouvant du lait, du pain bis, du sucre, étalant sans trop de soin sur la table les assiettes et les plats de faïence émaillés de larges fleurs et de coqs au vif plumage. Une jatte en porcelaine de Creil, pleine de lait où nageaient les fraises, devint le centre du service, et, après avoir dépouillé le jardin de quelques poignées de cerises et de groseilles, elle disposa deux vases de fleurs aux deux bouts de la nappe. Mais la tante avait dit ces belles paroles : « Tout cela, ce n'est que du dessert. Il faut me laisser faire à présent. » Et elle avait décroché la poêle et jeté un fagot dans la haute cheminée. « Je ne veux pas que tu touches à cela ! dit-elle à Sylvie, qui voulait l'aider : abîmer tes jolis doigts qui font de la dentelle plus belle qu'à Chantilly[2] ! tu m'en as donné, et je m'y connais. — Ah ! oui, la tante !... Dites donc, si vous en avez des morceaux de l'ancienne, cela me fera des modèles. — Eh bien ! va voir là-haut, dit la tante : il y en a peut-être dans ma commode. — Donnez-moi les clefs, reprit Sylvie. — Bah ! dit la tante, les tiroirs sont ouverts. — Ce n'est pas vrai, il y en a un qui est toujours fermé. »

Et, pendant que la bonne femme nettoyait la poêle après l'avoir passée au feu, Sylvie dénouait des pendants de sa ceinture une petite clef d'un acier ouvragé qu'elle me fit voir avec triomphe.

Je la suivis, montant rapidement l'escalier de bois qui conduisait à la chambre. — O jeunesse, ô vieillesse saintes ! — qui donc eût songé à ternir la pureté d'un premier amour dans ce sanctuaire des souvenirs fidèles ? Le portrait d'un jeune homme du bon vieux temps souriait avec ses yeux noirs et sa bouche rose, dans un ovale au cadre doré, suspendu à la tête du lit rustique. Il portait l'uniforme des gardes-chasse de la maison de Condé ; son attitude à demi martiale, sa figure rose et bienveillante, son front pur sous ses cheveux poudrés relevaient ce pastel, médiocre peut-être, des grâces de la jeunesse et de la simplicité. Quelque artiste modeste invité aux chasses princières [3] s'était appliqué à le pourtraire de son mieux, ainsi que sa jeune épouse, qu'on voyait dans un autre médaillon, attrayante, maligne, élancée dans son corsage ouvert à échelle de rubans, agaçant de sa mine retroussée un oiseau posé sur son doigt. C'était pourtant la même bonne vieille qui cuisinait en ce moment, courbée sur le feu de l'âtre. Cela me fit penser aux fées des Funambules [4] qui cachent, sous leur masque ridé, un visage attrayant, qu'elles révèlent au dénouement, lorsque apparaît le temple de l'Amour et son soleil tournant qui rayonne de feux magiques. « O bonne tante, m'écriai-je, que vous étiez jolie ! — Et moi donc ? » dit Sylvie, qui était parvenue à ouvrir le fameux tiroir. Elle y avait trouvé une grande robe en taffetas flambé, qui criait du froissement de ses plis.

« Je veux essayer si cela m'ira, dit-elle. Ah ! je vais avoir l'air d'une vieille fée ! »

« La fée des légendes [5] éternellement jeune !... » dis-je en moi-même. — Et déjà Sylvie avait dégrafé sa robe d'indienne et la laissait tomber à ses pieds. La robe étoffée de la vieille tante s'ajusta parfaitement sur la taille mince de Sylvie, qui me dit de l'agrafer. « Oh ! les manches plates, que c'est ridicule ! » dit-elle. Et cependant les sabots [6] garnis de dentelles découvraient admirablement ses bras nus, la gorge s'encadrait dans le pur corsage aux tulles jaunis, aux rubans passés, qui n'avait serré que bien peu les charmes évanouis de la tante. « Mais finissez-en ! Vous ne savez donc pas agrafer une robe ? » me disait Sylvie.

Elle avait l'air de l'accordée de village de Greuze [7]. « Il faudrait de la poudre, dis-je. — Nous allons en trouver. » Elle fureta de nouveau dans les tiroirs. Oh ! que de richesses !

que cela sentait bon, comme cela brillait, comme cela chatoyait de vives couleurs et de modeste clinquant ! deux éventails de nacre un peu cassés, des boîtes de pâte à sujets chinois, un collier d'ambre et mille fanfreluches, parmi lesquelles éclataient deux petits souliers de droguet blanc avec des boucles incrustées de diamants d'Irlande !

« Oh ! je veux les mettre, dit Sylvie, si je trouve les bas brodés ! »

Un instant après, nous déroulions des bas de soie rose tendre à coins verts ; mais la voix de la tante, accompagnée du frémissement de la poêle, nous rappela soudain à la réalité. « Descendez vite ! » dit Sylvie, et quoi que je pusse dire, elle ne me permit pas de l'aider à se chausser. Cependant, la tante venait de verser dans un plat le contenu de la poêle, une tranche de lard frite avec des œufs. La voix de Sylvie me rappela bientôt. « Habillez-vous vite ! » dit-elle. Et entièrement vêtue elle-même, elle me montra les habits de noces du garde-chasse réunis sur la commode. En un instant, je me transformai en marié de l'autre siècle. Sylvie m'attendait sur l'escalier, et nous descendîmes tous deux en nous tenant par la main. La tante poussa un cri en se retournant :

« O mes enfants ! » dit-elle.

Et elle se mit à pleurer, puis sourit à travers ses larmes. — C'était l'image de sa jeunesse — cruelle et charmante apparition ! Nous nous assîmes auprès d'elle, attendris et presque graves, puis la gaieté nous revint bientôt, car, le premier moment passé, la bonne vieille ne songea plus qu'à se rappeler les fêtes pompeuses de sa noce. Elle retrouva même dans sa mémoire les chants alternés, d'usage alors, qui se répondaient d'un bout à l'autre de la table nuptiale, et le naïf épithalame qui accompagnait les mariés rentrant après la danse. Nous répétions ces strophes si simplement rythmées, avec le hiatus et les assonances du temps ; amoureuses et fleuries, comme le cantique de l'Ecclésiaste [8] : — nous étions l'époux et l'épouse pour tout un beau matin d'été.

VII

CHAALIS

Il est quatre heures du matin ; la route plonge dans un pli de terrain ; elle remonte. La voiture va passer à Orry, puis à La Chapelle. A gauche, il y a une route qui longe le bois d'Halatte. C'est par là qu'un soir le frère de Sylvie m'a conduit dans sa carriole à une solennité du pays. C'était, je crois, le soir de la Saint-Barthélemy. A travers les bois, par des routes peu frayées, son petit cheval volait comme au sabbat. Nous rattrapâmes le pavé à Mont-l'Évêque, et quelques minutes plus tard nous nous arrêtions à la maison du garde, à l'ancienne abbaye de Châalis. — Châalis, encore un souvenir !

Cette vieille retraite des empereurs n'offre plus à l'admiration que les ruines de son cloître aux arcades byzantines, dont la dernière rangée se découpe encore sur les étangs, — reste oublié des fondations pieuses comprises parmi ces domaines qu'on appelait autrefois les métairies de Charlemagne. La religion, dans ce pays isolé du mouvement des routes et des villes, a conservé des traces particulières du long séjour qu'y ont fait les cardinaux de la maison d'Este [1] à l'époque des Médicis : ses attributs et ses usages ont encore quelque chose de galant et de poétique, et l'on respire un parfum de la Renaissance sous les arcs des chapelles à fines nervures, décorées par les artistes de l'Italie. Les figures des saints et des anges se profilent en rose sur les voûtes peintes d'un bleu tendre, avec des airs d'allégorie païenne qui font songer aux sentimentalités de Pétrarque et au mysticisme fabuleux de Francesco Colonna [2].

Nous étions des intrus, le frère de Sylvie et moi, dans la fête particulière qui avait lieu cette nuit-là. Une personne de très illustre naissance, qui possédait alors ce domaine, avait eu l'idée d'inviter quelques familles du pays à une sorte de représentation allégorique où devaient figurer quelques pensionnaires d'un couvent voisin. Ce n'était pas une réminiscence des tragédies de Saint-Cyr [3], cela remontait aux premiers essais lyriques importés en France du temps des Valois. Ce que je vis jouer était comme un mystère des anciens temps. Les costumes, composés de longues robes, n'étaient variés que par les couleurs de l'azur, de l'hyacinthe ou de l'aurore. La scène se passait entre les anges, sur les débris du monde détruit. Chaque voix chantait une des splendeurs de ce globe éteint, et l'ange de la mort définissait les causes de sa destruction. Un esprit montait de l'abîme, tenant en main l'épée flamboyante, et convoquait les autres à venir admirer la gloire du Christ vainqueur des enfers. Cet esprit, c'était Adrienne, transfigurée par son costume, comme elle l'était déjà par sa vocation. Le nimbe de carton doré qui ceignait sa tête angélique nous paraissait bien naturellement un cercle de lumière ; sa voix avait gagné en force et en étendue, et les fioritures infinies du chant italien brodaient de leurs gazouillements d'oiseau les phrases sévères d'un récitatif pompeux.

En me retraçant ces détails, j'en suis à me demander s'ils sont réels, ou bien si je les ai rêvés. Le frère de Sylvie était un peu gris ce soir-là. Nous nous étions arrêtés quelques instants dans la maison du garde, — où, ce qui m'a frappé beaucoup, il y avait un cygne éployé sur la porte, puis, au-dedans, de hautes armoires en noyer sculpté, une grande horloge dans sa gaine, et des trophées d'arcs et de flèches d'honneur au-dessus d'une carte de tir rouge et verte. Un nain bizarre, coiffé d'un bonnet chinois, tenant d'une main une bouteille et de l'autre une bague, semblait inviter les tireurs à viser juste. Ce nain, je le crois bien, était en tôle découpée. Mais l'apparition d'Adrienne est-elle aussi vraie que ces détails et que l'existence incontestable de l'abbaye de Châalis ? Pourtant c'est bien le fils du garde qui nous avait introduits dans la salle où avait lieu la représentation ; nous étions près de la porte, derrière une nombreuse compagnie assise et gravement émue. C'était le jour de la Saint-Barthélemy, — singulièrement lié au souvenir des Médicis, dont les armes accolées à celles de la maison d'Este décoraient ces vieilles murailles.... Ce souvenir est une obsession, peut-être ! — Heureusement voici la voiture qui s'arrête sur la route du Plessis ; j'échappe au monde des rêveries, et je n'ai plus qu'un quart d'heure de marche pour gagner Loisy par des routes bien peu frayées.

VIII

LE BAL DE LOISY

Je suis entré au bal de Loisy à cette heure mélancolique et douce encore où les lumières pâlissent et tremblent aux approches du jour. Les tilleuls, assombris par en bas, prenaient à leurs cimes une teinte bleuâtre. La flûte champêtre ne luttait plus si vivement avec les trilles du rossignol. Tout le monde était pâle, et dans les groupes dégarnis j'eus peine à rencontrer des figures connues. Enfin j'aperçus la grande Lise, une amie de Sylvie. Elle m'embrassa. « Il y a longtemps qu'on ne t'a vu, Parisien ! dit-elle. — Oh ! oui, longtemps. — Et tu arrives à cette heure-ci ? — Par la poste. — Et pas trop vite ! — Je voulais voir Sylvie ; est-elle encore au bal ? — Elle ne sort qu'au matin ; elle aime tant à danser. »

En un instant, j'étais à ses côtés. Sa figure était fatiguée ; cependant, son œil noir brillait toujours du sourire athénien d'autrefois. Un jeune homme se tenait près d'elle. Elle lui fit signe qu'elle renonçait à la contredanse suivante. Il se retira en saluant.

Le jour commençait à se faire. Nous sortîmes du bal, nous tenant par la main. Les fleurs de la chevelure de Sylvie se penchaient dans ses cheveux dénoués ; le bouquet de son corsage s'effeuillait aussi sur les dentelles fripées, savant ouvrage de sa main. Je lui offris de l'accompagner chez elle. Il faisait grand jour, mais le temps était sombre. La Thève bruissait à notre gauche, laissant à ses coudes des remous d'eau stagnante où s'épanouissaient les nénuphars jaunes et blancs, où éclatait comme des pâquerettes la frêle broderie des étoiles d'eau. Les plaines étaient couvertes de javelles et de meules de foin, dont l'odeur me portait à la tête sans m'enivrer, comme faisait autrefois la fraîche senteur des bois et des halliers d'épines fleuries.

Nous n'eûmes pas l'idée de les traverser de nouveau. « Sylvie, lui dis-je, vous ne m'aimez plus ! » Elle soupira. « Mon ami, me dit-elle, il faut se faire une raison ; les choses ne vont pas comme nous voulons dans la vie. Vous m'avez parlé autrefois de *La Nouvelle Héloïse*[1], je l'ai lue, et j'ai frémi en tombant d'abord sur cette phrase : « Toute jeune

« fille qui lira ce livre est perdue. » Cependant, j'ai passé outre, me fiant sur ma raison. Vous souvenez-vous du jour où nous avons revêtu les habits de noces de la tante ?... Les gravures du livre présentaient aussi les amoureux sous de vieux costumes du temps passé, de sorte que pour moi vous étiez Saint-Preux[2], et je me retrouvais dans Julie. Ah ! que n'êtes-vous revenu alors ! Mais vous étiez, disait-on, en Italie. Vous en avez vu là de bien plus jolies que moi ! — Aucune, Sylvie, qui ait votre regard et les traits purs de votre visage. Vous êtes une nymphe antique qui vous ignorez.... D'ailleurs, les bois de cette contrée sont aussi beaux que ceux de la campagne romaine. Il y a là-bas des masses de granit non moins sublimes, et une cascade qui tombe du haut des rochers comme celle de Terni[3]. Je n'ai rien vu là-bas que je puisse regretter ici. — Et à Paris ? dit-elle. — A Paris ?... »

Je secouai la tête sans répondre.

Tout à coup je pensai à l'image vaine qui m'avait égaré si longtemps. « Sylvie, dis-je, arrêtons-nous ici, le voulez-vous ? » Je me jetai à ses pieds ; je confessai en pleurant à chaudes larmes mes irrésolutions, mes caprices ; j'évoquai le spectre funeste qui traversait ma vie. « Sauvez-moi ! ajoutai-je, je reviens à vous pour toujours. »

Elle tourna vers moi ses regards attendris....

En ce moment, notre entretien fut interrompu par de violents éclats de rire. C'était le frère de Sylvie qui nous rejoignait, avec cette bonne gaieté rustique, suite obligée d'une nuit de fête, que des rafraîchissements nombreux avaient développée outre mesure. Il appelait le galant du bal, perdu au loin dans les buissons d'épines et qui ne tarda pas à nous rejoindre. Ce garçon n'était guère plus solide sur ses pieds que son compagnon, il paraissait plus embarrassé encore de la présence d'un Parisien que de celle de Sylvie. Sa figure candide, sa déférence mêlée d'embarras, m'empêchaient de lui en vouloir d'avoir été le danseur pour lequel on était resté si tard à la fête. Je le jugeais peu dangereux. « Il faut rentrer à la maison, dit Sylvie à son frère. — A tantôt ! » me dit-elle en me tendant la joue.

L'amoureux ne s'offensa pas.

IX

ERMENONVILLE

Je n'avais nulle envie de dormir. J'allais à Montagny pour revoir la maison de mon oncle[1]. Une grande tristesse me gagna dès que j'en entrevis la façade jaune et les contrevents verts. Tout semblait dans le même état qu'autrefois ; seulement, il fallut aller chez le fermier pour avoir la clef de la porte. Une fois les volets ouverts, je revis avec attendrissement les vieux meubles conservés dans le même état et qu'on frottait de temps en temps, la haute armoire de noyer, deux tableaux flamands qu'on disait l'ouvrage d'un ancien peintre, notre aïeul ; de grandes estampes d'après Boucher, et toute une série encadrée de gravures de l'*Émile* et de *La Nouvelle Héloïse*, par Moreau[2] ; sur la table, un chien empaillé que j'avais connu vivant, ancien compagnon de mes courses dans les bois, le dernier carlin peut-être, car il appartenait à cette race perdue. « Quant au perroquet, me dit le fermier, il vit toujours ; je l'ai retiré chez moi. »

Le jardin présentait un magnifique tableau de végétation sauvage. J'y reconnus, dans un angle, un jardin d'enfant que j'avais tracé jadis. J'entrai tout frémissant dans le cabinet, où se voyait encore la petite bibliothèque pleine de livres choisis, vieux amis de celui qui n'était plus, et sur le bureau quelques débris antiques trouvés dans son jardin, des vases, des médailles romaines, collection locale qui le rendait heureux.

« Allons voir le perroquet », dis-je au fermier. Le perroquet demandait à déjeuner comme en ses plus beaux jours, et me regarda de cet œil rond, bordé d'une peau chargée de rides, qui fait penser au regard expérimenté des vieillards.

Plein des idées tristes qu'amenait ce retour tardif en des lieux si aimés, je sentis le besoin de revoir Sylvie, seule figure vivante et jeune encore qui me rattachât à ce pays. Je repris la route de Loisy. C'était au milieu du jour ; tout le monde dormait, fatigué de la fête. Il me vint l'idée de me distraire par une promenade à Ermenonville, distant d'une lieue par le chemin de la forêt. C'était par un beau temps d'été. Je pris plaisir d'abord à la fraîcheur de cette route, qui semble l'allée d'un parc. Les grands chênes d'un vert uniforme n'étaient variés que par les troncs blancs des bouleaux au feuillage frissonnant. Les oiseaux se taisaient, et j'entendais seulement le bruit que fait le pivert en frappant les arbres pour y creuser son nid. Un instant, je risquai de me perdre, car les poteaux dont les palettes annoncent diverses routes n'offrent plus, par endroits, que des caractères effacés. Enfin, laissant le *Désert*[3] à gauche, j'arrivai au rond-point de la danse, où subsiste encore le banc des vieillards. Tous les souvenirs de l'Antiquité philosophique, ressuscités par l'ancien possesseur du domaine, me revenaient en foule devant cette réalisation pittoresque de l'*Anacharsis*[4] et de l'*Émile*.

Lorsque je vis briller les eaux du lac à travers les branches des saules et des coudriers, je reconnus tout à fait un lieu où mon oncle, dans ses promenades, m'avait conduit bien des fois : c'est le *Temple de la philosophie*[5], que son fondateur n'a pas eu le bonheur de terminer. Il a la forme du temple de la sibylle tiburtine[6], et, debout encore, sous l'abri d'un bouquet de pins, il étale tous ces grands noms de la pensée qui commencent par Montaigne et Descartes, et qui s'arrêtent à Rousseau. Cet édifice inachevé n'est déjà plus qu'une ruine, le lierre le festonne avec grâce, la ronce envahit les marches disjointes. Là, tout enfant, j'ai vu des fêtes où les jeunes filles vêtues de blanc venaient recevoir des prix d'étude et de sagesse. Où sont les buissons de roses qui entouraient la colline ? L'églantier et le framboisier en cachent les derniers plants, qui retournent à l'état sauvage. — Quant aux lauriers, les a-t-on coupés, comme le dit la chanson des jeunes filles qui ne veulent plus aller au bois ? Non, ces arbustes de la douce Italie ont péri sous notre ciel brumeux. Heureusement, le troène[7] de Virgile fleurit encore, comme pour appuyer la parole du maître inscrite au-dessus de la porte : *Rerum cognoscere causas*[8] ! — Oui, ce temple tombe comme tant d'autres, les hommes oublieux ou fatigués se détourneront de ses abords, la nature indifférente reprendra le terrain que l'art lui disputait ; mais la soif de connaître restera éternelle, mobile de toute force et de toute activité !

Voici les peupliers de l'île, et la tombe de Rousseau, vide de ses cendres[9]. O sage ! tu nous avais donné le lait des forts, et nous étions trop faibles pour qu'il pût nous profiter. Nous avons oublié tes leçons que savaient nos pères, et nous avons perdu le sens de ta parole, dernier écho des sagesses antiques. Pourtant ne désespérons pas, et, comme tu fis à ton suprême instant, tournons nos yeux vers le soleil !

J'ai revu le château, les eaux paisibles qui le bordent, la cascade qui gémit dans les roches, et cette chaussée réunissant les deux parties du village, dont quatre colombiers marquent les angles, la pelouse qui s'étend au-delà comme une savane, dominée par des coteaux ombreux ; la tour [10] de Gabrielle se reflète de loin sur les eaux d'un lac factice étoilé de fleurs éphémères ; l'écume bouillonne, l'insecte bruit.... Il faut échapper à l'air perfide qui s'exhale en gagnant les grès poudreux du désert et les landes où la bruyère rose relève le vert des fougères. Que tout cela est solitaire et triste ! Le regard enchanté de Sylvie, ses courses folles, ses cris joyeux, donnaient autrefois tant de charme aux lieux que je viens de parcourir ! C'était encore une enfant sauvage, ses pieds étaient nus, sa peau hâlée, malgré son chapeau de paille, dont le large ruban flottait pêle-mêle avec ses tresses de cheveux noirs. Nous allions boire du lait à la ferme suisse, et l'on me disait :

« Qu'elle est jolie, ton amoureuse, petit Parisien ! »

Oh ! ce n'est pas alors qu'un paysan aurait dansé avec elle ! Elle ne dansait qu'avec moi, une fois par an, à la fête de l'arc.

X

LE GRAND FRISÉ

J'AI repris le chemin de Loisy ; tout le monde était réveillé. Sylvie avait une toilette de demoiselle, presque dans le goût de la ville. Elle me fit monter à sa chambre avec toute l'ingénuité d'autrefois. Son œil étincelait toujours dans un sourire plein de charme, mais l'arc prononcé de ses sourcils lui donnait par instants un air sérieux. La chambre était décorée avec simplicité, pourtant les meubles étaient modernes, une glace à bordure dorée avait remplacé l'antique trumeau où se voyait un berger d'idylle offrant un nid à une bergère bleue et rose. Le lit à colonnes chastement drapé de vieille perse à ramage était remplacé par une couchette de noyer garnie du rideau à flèche ; à la fenêtre, dans la cage où jadis étaient les fauvettes, il y avait des canaris.

J'étais pressé de sortir de cette chambre où je ne trouvais rien du passé. « Vous ne travaillerez point à votre dentelle, aujourd'hui ?... dis-je à Sylvie. — Oh ! je ne fais plus de dentelle, on n'en demande plus dans le pays ; même à Chantilly, la fabrique est fermée. — Que faites-vous donc ? » Elle alla chercher dans un coin de la chambre un instrument en fer qui ressemblait à une longue pince. « Qu'est-ce que c'est que cela ? — C'est ce qu'on appelle la mécanique : c'est pour maintenir la peau des gants, afin de les coudre. — Ah ! vous êtes gantière, Sylvie ? — Oui, nous travaillons ici pour Dammartin, cela donne beaucoup dans ce moment ; mais je ne fais rien aujourd'hui ; allons où vous voudrez. » Je tournais les yeux vers la route d'Othys : elle secoua la tête ; je compris que la vieille tante n'existait plus. Sylvie appela un petit garçon et lui fit seller un âne. « Je suis encore fatiguée d'hier, dit-elle, mais la promenade me fera du bien ; allons à Châalis. » Et nous voilà traversant la forêt, suivis du petit garçon armé d'une branche. Bientôt Sylvie voulut s'arrêter, et je l'embrassai en l'engageant à s'asseoir. La conversation entre nous ne pouvait plus être bien intime. Il fallut lui raconter ma vie à Paris, mes voyages.... « Comment peut-on aller si loin ! dit-elle. — Je m'en étonne en vous revoyant. — Oh ! cela se dit ! — Et convenez que vous étiez moins jolie autrefois. — Je n'en sais rien. — Vous souvenez-vous du temps où nous étions enfants et vous la plus grande ? — Et vous le plus sage ! — Oh ! Sylvie ! — On nous mettait sur l'âne chacun dans un panier. — Et nous ne nous disions pas *vous*.... Te rappelles-tu que tu m'apprenais à pêcher des écrevisses sous les ponts de la Thève et de la Nonette ? — Et toi, te souviens-tu de ton frère de lait qui t'a un jour retiré *de l'ieau*[1]. — Le *grand frisé !* C'est lui qui m'avait dit qu'on pouvait la passer, *l'ieau !* »

Je me hâtai de changer de conversation. Ce souvenir m'avait vivement rappelé l'époque où je venais dans le pays, vêtu d'un petit habit à l'anglaise qui faisait rire les paysans. Sylvie seule me trouvait bien mis ; mais je n'osais lui rappeler cette opinion d'un temps si ancien. Je ne sais pourquoi ma pensée se porta sur les habits de noces que nous avions revêtus chez la vieille tante à Othys. Je demandai ce qu'ils étaient devenus. « Ah ! la bonne tante, dit Sylvie, elle m'avait prêté sa robe pour aller danser au carnaval à Dammartin, il y a de cela deux ans. L'année d'après, elle est morte, la pauvre tante ! » Elle soupirait et pleurait, si bien que je ne pus lui demander par quelle circonstance elle était allée à un bal masqué ; mais, grâce à ses talents d'ouvrière, je comprenais assez que Sylvie n'était plus une paysanne. Ses parents seuls étaient restés dans leur condition, et elle vivait au milieu d'eux comme une fée industrieuse, répandant l'abondance autour d'elle.

XI

RETOUR

La vue se découvrait au sortir du bois. Nous étions arrivés au bord des étangs de Châalis. Les galeries du cloître, la chapelle aux ogives élancées, la tour féodale et le petit château qui abrita les amours de Henri IV et de Gabrielle se teignaient des rougeurs du soir sur le vert sombre de la forêt.

« C'est un paysage de Walter Scott[1], n'est-ce pas ? disait Sylvie. — Et qui vous a parlé de Walter Scott ? lui dis-je. Vous avez donc bien lu depuis trois ans !... Moi, je tâche d'oublier les livres, et ce qui me charme, c'est de revoir avec vous cette vieille abbaye, où, tout petits enfants, nous nous cachions dans les ruines. Vous souvenez-vous, Sylvie, de la peur que vous aviez quand le gardien nous racontait l'histoire des moines rouges ? — Oh ! ne m'en parlez pas. — Alors, chantez-moi la chanson de la belle fille enlevée au jardin de son père, sous le rosier blanc. — On ne chante plus cela. — Seriez-vous devenue musicienne ? — Un peu. — Sylvie, Sylvie, je suis sûr que vous chantez des airs d'opéra ! — Pourquoi vous plaindre ? — Parce que j'aimais les vieux airs, et que vous ne saurez plus les chanter. »

Sylvie modula quelques sons d'un grand air d'opéra moderne.... Elle *phrasait !*

Nous avions tourné les étangs voisins. Voici la verte pelouse entourée de tilleuls et d'ormeaux, où nous avons dansé souvent ! J'eus l'amour-propre de définir les vieux murs carlovingiens et de déchiffrer les armoiries de la maison d'Este. « Et vous ! comme vous avez lu plus que moi ! dit Sylvie. Vous êtes donc un savant ? »

J'étais piqué de son ton de reproche. J'avais jusque-là cherché l'endroit convenable pour renouveler le moment d'expansion du matin ; mais que lui dire avec l'accompagnement d'un âne et d'un petit garçon très éveillé, qui prenait plaisir à se rapprocher toujours pour entendre parler un Parisien ? Alors, j'eus le malheur de raconter l'apparition de Châalis, restée dans mes souvenirs. Je menai Sylvie dans la salle même du château où j'avais entendu chanter Adrienne[2]. « Oh ! que je vous entende ! lui dis-je ; que votre voix chérie résonne sous ces voûtes et en chasse l'esprit qui me tourmente, fût-il divin ou bien fatal ! »

Elle répéta les paroles et le chant après moi :

> Anges, descendez promptement
> Au fond du purgatoire !...

« C'est bien triste ! me dit-elle.

— C'est sublime.... Je crois que c'est du Porpora [3], avec des vers traduits au XVIe siècle.

— Je ne sais pas », répondit Sylvie.

Nous sommes revenus par la vallée en suivant le chemin de Charlepont, que les paysans, peu étymologistes de leur nature, s'obstinent à appeler *Châllepont*. Sylvie, fatiguée de l'âne, s'appuyait sur mon bras. La route était déserte ; j'essayai de parler de choses que j'avais dans le cœur ; mais, je ne sais pourquoi, je ne trouvais que des expressions vulgaires, ou bien tout à coup quelque phrase pompeuse de roman, — que Sylvie pouvait avoir lue. Je m'arrêtais alors avec un goût tout classique, et elle s'étonnait parfois de ces effusions interrompues. Arrivés aux murs de Saint-S..., il fallait prendre garde à notre marche. On traverse des prairies humides où serpentent les ruisseaux. « Qu'est devenue la religieuse ? dis-je tout à coup. — Ah ! vous êtes terrible, avec votre religieuse.... Eh bien !... eh bien ! cela a mal tourné[4]. »

Sylvie ne voulut pas m'en dire un mot de plus.

Les femmes sentent-elles vraiment que telle ou telle parole passe sur les lèvres sans sortir du cœur ? On ne le croirait pas, à les voir si facilement abusées, à se rendre compte des choix qu'elles font le plus souvent : il y a des hommes qui jouent si bien la comédie de l'amour ! Je n'ai jamais pu m'y faire, quoique sachant que certaines acceptent sciemment d'être trompées. D'ailleurs, un amour qui remonte à l'enfance est quelque chose de sacré.... Sylvie, que j'avais vue grandir, était pour moi comme une sœur. Je ne pouvais tenter une séduction.... Une tout autre idée vint traverser mon esprit.

« A cette heure-ci, me dis-je, je serais au théâtre.... Qu'est-ce qu'Aurélie [5] (c'était le nom de l'actrice) doit donc jouer, ce soir ? Évidemment le rôle de la princesse dans le drame nouveau. Oh ! le troisième acte, qu'elle y est touchante !... Et dans la scène d'amour du second ! avec ce jeune premier tout ridé.... »

« Vous êtes dans vos réflexions ? » dit Sylvie.

Et elle se mit à chanter :

> A Dammartin l'y a trois belles filles :
> L'y en a z'une plus belle que le jour....

« Ah ! méchante ! m'écriai-je, vous voyez bien que vous en savez encore, des vieilles chansons.

— Si vous veniez plus souvent ici, j'en retrouverais, dit-elle, mais il faut songer au solide. Vous avez vos affaires de Paris, j'ai mon travail ; ne rentrons pas trop tard : il faut que demain je sois levée avec le soleil. »

XII

LE PÈRE DODU

J'ALLAIS répondre, j'allais tomber à ses pieds, j'allais offrir la maison de mon oncle, qu'il m'était possible encore de racheter, car nous étions plusieurs héritiers, et cette petite propriété était restée indivise ; mais en ce moment nous arrivions à Loisy. On nous attendait pour souper. La soupe à l'oignon répandait au loin son parfum patriarcal. Il y avait des voisins invités pour ce lendemain de fête. Je reconnus tout de suite un vieux bûcheron, le père Dodu, qui racontait jadis aux veillées des histoires si comiques ou si terribles. Tour à tour berger, messager, garde-chasse, pêcheur, braconnier même, le père Dodu fabriquait à ses moments perdus des coucous et des tournebroches. Pendant longtemps, il s'était consacré à promener des Anglais dans Ermenonville, en les conduisant aux lieux de méditation de Rousseau et en leur racontant ses derniers moments. C'était lui qui avait été le petit garçon que le philosophe employait à classer ses herbes, et à qui il donna l'ordre de cueillir les ciguës [1] dont il exprima le suc dans sa tasse de café au lait. L'aubergiste de la Croix-d'Or lui contestait ce détail ; de là des haines prolongées. On avait longtemps reproché au père Dodu la possession de quelques secrets bien innocents, comme de guérir les vaches avec un verset dit à rebours et le signe de croix figuré du pied gauche, mais il avait de bonne heure renoncé à ces superstitions, — grâce au souvenir, disait-il, des conversations de Jean-Jacques.

« Te voilà ! petit Parisien, me dit le père Dodu. Tu viens pour débaucher nos filles ? — Moi, père Dodu ? — Tu les emmènes dans les bois pendant que le loup n'y est pas ! — Père Dodu, c'est vous qui êtes le loup. — Je l'ai été tant que j'ai trouvé des brebis ; à présent, je ne rencontre plus que des chèvres, et qu'elles savent bien se défendre ! Mais, vous autres, vous êtes des malins, à Paris. Jean-Jacques avait bien raison de dire : « L'homme se corrompt dans « l'air empoisonné des villes. » — Père Dodu, vous savez trop bien que l'homme se corrompt partout. »

Le père Dodu se mit à entonner un air à boire ; on voulut en vain l'arrêter à un certain couplet scabreux que tout le monde savait par cœur. Sylvie ne voulut pas chanter, malgré nos prières, disant qu'on ne chantait plus à table. J'avais remarqué déjà que l'amoureux de la veille était assis à sa gauche. Il y avait je ne sais quoi dans sa figure ronde, dans ses cheveux ébouriffés qui ne m'était pas inconnu. Il se leva et vint derrière ma chaise en disant : « Tu ne me reconnais donc pas, Parisien ? »

Une bonne femme, qui venait de rentrer au dessert après nous avoir servis, me dit à l'oreille : « Vous ne reconnaissez pas votre frère de lait ? » Sans cet avertissement, j'allais être ridicule. « Ah ! c'est toi, *grand frisé !* dis-je, c'est toi, le même qui m'a retiré de *l'ieau !* » Sylvie riait aux éclats de cette reconnaissance.

« Sans compter, disait ce garçon en m'embrassant, que tu avais une belle montre en argent, et qu'en revenant tu étais bien plus inquiet de ta montre que de toi-même, parce qu'elle ne marchait plus ; tu disais : « La *bête* est *nayée* [2], « ça ne fait plus tic-tac ; qu'est-ce que mon oncle va dire ?... »

— Une bête dans une montre ! dit le père Dodu, voilà ce qu'on leur fait croire à Paris, aux enfants ! »

Sylvie avait sommeil, je jugeai que j'étais perdu dans son esprit. Elle remonta à sa chambre, et pendant que je l'embrassais, elle dit : « A demain, venez nous voir ! » Le père Dodu était resté à table avec Sylvain et mon frère de lait ; nous causâmes longtemps, autour d'un flacon de *ratafiat*[3] de Louvres. « Les hommes sont égaux, dit le père Dodu entre deux couplets, je bois avec un pâtissier comme je ferais avec un prince. — Où est le pâtissier ? dis-je. — Regarde à côté de toi ! un jeune homme qui a l'ambition de s'établir. »

Mon frère de lait parut embarrassé. J'avais tout compris. — C'était une fatalité qui m'était réservée d'avoir un frère de lait dans un pays illustré par Rousseau, — qui voulait supprimer les nourrices ! Le père Dodu m'apprit qu'il était fort question du mariage de Sylvie avec le *grand frisé*, qui voulait aller former un établissement de pâtisserie à Dammartin. Je n'en demandai pas plus. La voiture de Nanteuil-le-Haudoin me ramena le lendemain à Paris.

XIII

AURÉLIE

A Paris ! — La voiture met cinq heures. Je n'étais pressé d'arriver que pour le soir. Vers huit heures, j'étais assis dans ma stalle accoutumée ; Aurélie répandit son inspiration et son charme sur des vers faiblement inspirés de Schiller[1], que l'on devait à un talent de l'époque. Dans la scène du jardin, elle devint sublime. Pendant le quatrième acte, où elle ne paraissait pas, j'allai acheter un bouquet chez madame Prévost. J'y insérai une lettre fort tendre signée : *Un Inconnu*. Je me dis : « Voilà quelque chose de fixé pour l'avenir », — et, le lendemain, j'étais sur la route d'Allemagne[2].

Qu'allais-je y faire ? Essayer de remettre de l'ordre dans mes sentiments. — Si j'écrivais un roman, jamais je ne pourrais faire accepter l'histoire d'un cœur épris de deux amours simultanées. Sylvie m'échappait par ma faute ; mais la revoir un jour avait suffi pour relever mon âme : je la plaçais désormais comme une statue souriante dans le temple de la Sagesse. Son regard m'avait arrêté au bord de l'abîme. — Je repoussais avec plus de force encore l'idée d'aller me présenter à Aurélie, pour lutter un instant avec tant d'amoureux vulgaires qui brillaient un instant près d'elle et retombaient brisés. « Nous verrons quelque jour, me dis-je, si cette femme a un cœur. »

Un matin, je lus dans un journal qu'Aurélie était malade. Je lui écrivis des montagnes de Salzbourg. La lettre était si empreinte de mysticisme germanique que je n'en devais pas attendre un grand succès, mais aussi je ne demandais pas de réponse. Je comptais un peu sur le hasard et sur — l'*inconnu*.

Des mois se passent. A travers mes courses et mes loisirs, j'avais entrepris de fixer dans une action poétique les amours du peintre Colonna pour la belle Laura, que ses parents firent religieuse, et qu'il aima jusqu'à la mort. Quelque chose dans ce sujet se rapportait à mes préoccupations constantes. Le dernier vers du drame écrit [3], je ne songeai plus qu'à revenir en France.

Que dire maintenant qui ne soit l'histoire de tant d'autres ? J'ai passé par tous les cercles de ces lieux d'épreuves qu'on appelle théâtres. « J'ai mangé du tambour et bu de la cymbale », comme dit la phrase dénuée de sens apparent des initiés d'Éleusis. — Elle signifie sans doute qu'il faut au besoin passer les bornes du non-sens et de l'absurdité : la raison pour moi, c'était de conquérir et de fixer mon idéal.

Aurélie avait accepté le rôle principal dans le drame que je rapportais d'Allemagne. Je n'oublierai jamais le jour où elle me permit de lui lire la pièce. Les scènes d'amour étaient préparées à son intention. Je crois bien que je les dis avec âme, mais surtout avec enthousiasme. Dans la conversation qui suivit, je me révélai comme l'*inconnu* des deux lettres. Elle me dit : « Vous êtes bien fou ; mais revenez me voir.... Je n'ai jamais pu trouver quelqu'un qui sût m'aimer. »

O femme ! tu cherches l'amour.... Et moi, donc ?

Les jours suivants, j'écrivis les lettres les plus tendres [4], les plus belles que sans doute elle eût jamais reçues. J'en recevais d'elle qui étaient pleines de raison. Un instant elle fut touchée, m'appela près d'elle, et m'avoua qu'il lui était difficile de rompre un attachement plus ancien.

« Si c'est bien *pour moi* que vous m'aimez, dit-elle, vous comprenez que je ne puis être qu'à un seul. »

Deux mois plus tard, je reçus une lettre pleine d'effusion. Je courus chez elle. — Quelqu'un me donna dans l'intervalle un détail précieux. Le beau jeune homme que j'avais rencontré une nuit au cercle venait de prendre un engagement dans les spahis.

L'été suivant, il y avait des courses à Chantilly. La troupe du théâtre où jouait Aurélie donnait là une représentation. Une fois dans le pays, la troupe était pour trois jours aux ordres du régisseur. — Je m'étais fait l'ami de ce brave homme, ancien Dorante [5] des comédies de Marivaux, longtemps jeune premier de drame, et dont le dernier succès avait été le rôle d'amoureux dans la pièce imitée de Schiller, où mon binocle me l'avait montré si ridé. De près, il paraissait plus jeune, et, resté maigre, il produisait encore de l'effet dans les provinces. Il avait du feu. J'accompagnais la troupe en qualité de *seigneur poète* [6]; je persuadai au régisseur d'aller donner des représentations à Senlis et à Dammartin. Il penchait d'abord pour Compiègne; mais Aurélie fut de mon avis. Le lendemain, pendant que l'on allait traiter avec les propriétaires des salles et les autorités, je louai des chevaux, et nous prîmes la route des étangs de Commelle [7] pour aller déjeuner au château de la reine Blanche. Aurélie, en amazone, avec ses cheveux blonds flottants, traversait la forêt comme une reine d'autrefois, et les paysans s'arrêtaient éblouis. — Madame de F... [8] était la seule qu'ils eussent vue si imposante et si gracieuse dans ses saluts. — Après le déjeuner, nous descendîmes dans des villages rappelant ceux de la Suisse, où l'eau de la Nonette fait mouvoir des scieries. Ces aspects chers à mes souvenirs l'intéressaient sans l'arrêter. J'avais projeté de conduire Aurélie au château, près d'Orry, sur la même place verte où, pour la première fois, j'avais vu Adrienne. — Nulle émotion ne parut en elle. Alors je lui racontai tout; je lui dis la source de cet amour entrevu dans les nuits, rêvé plus tard, réalisé en elle. Elle m'écoutait sérieusement et me dit : « Vous ne m'aimez pas ! Vous attendez que je vous dise : « La comédienne est la « même que la religieuse »; vous cherchez un drame [9], voilà tout, et le dénouement vous échappe. Allez, je ne vous crois plus. »

Cette parole fut un éclair. Ces enthousiasmes bizarres que j'avais ressentis si longtemps, ces rêves, ces pleurs, ces désespoirs et ces tendresses... ce n'était donc pas l'amour ? Mais où donc est-il ?

Aurélie joua le soir à Senlis. Je crus m'apercevoir qu'elle avait un faible pour le régisseur, — le jeune premier ridé. Cet homme était d'un caractère excellent et lui avait rendu des services.

Aurélie m'a dit un jour : « Celui qui m'aime, le voilà ! »

XIV

DERNIER FEUILLET

Telles sont les chimères qui charment et égarent au matin de la vie. J'ai essayé de les fixer sans beaucoup d'ordre, mais bien des cœurs me comprendront. Les illusions tombent l'une après l'autre, comme les écorces d'un fruit, et le fruit, c'est l'expérience. Sa saveur est amère ; elle a pourtant quelque chose d'âcre qui fortifie, — qu'on me pardonne ce style vieilli. Rousseau dit que le spectacle de la nature console de tout. Je cherche parfois à retrouver mes bosquets de Clarens [1] perdus au nord de Paris, dans les brumes. Tout cela est bien changé !

Ermenonville ! pays où fleurissait encore l'idylle antique, — traduite une seconde fois d'après Gessner [2] ! tu as perdu ta seule étoile, qui chatoyait pour moi d'un double éclat. Tour à tour bleue et rose, comme l'astre trompeur d'Aldébaran [3], c'était Adrienne [4] ou Sylvie, — c'étaient les deux moitiés d'un seul amour. L'une était l'idéal sublime, l'autre la douce réalité. Que me font maintenant tes ombrages et tes lacs, et même ton désert ? Othys, Montagny, Loisy, pauvres hameaux voisins, Châalis, — que l'on restaure, — vous n'avez rien gardé de tout ce passé ! Quelquefois, j'ai besoin de revoir ces lieux de solitude et de rêverie. J'y relève tristement en moi-même les traces fugitives d'une époque où le naturel était affecté ; je souris parfois en lisant sur le flanc des granits certains vers de Roucher [5], qui m'avaient paru sublimes, — ou des maximes de bienfaisance [6] au-dessus d'une fontaine ou d'une grotte consacrée à Pan [7]. Les étangs, creusés à si grands frais, étalent en vain leur eau morte que le cygne dédaigne. Il n'est plus, le temps où les chasses de Condé passaient avec leurs amazones fières [8], où les cors se répondaient de loin, multipliés par les échos !... Pour se rendre à Ermenonville, on ne trouve plus aujourd'hui de route directe. Quelquefois, j'y vais par Creil et Senlis ; d'autres fois, par Dammartin.

A Dammartin, l'on n'arrive jamais que le soir. Je vais coucher alors à l'*Image Saint-Jean* [9]. On me donne d'ordinaire une chambre assez propre tendue en vieille tapisserie, avec un trumeau au-dessus de la glace. Cette chambre est un dernier retour vers le bric-à-bras, auquel j'ai depuis longtemps renoncé. On y dort chaudement sous l'édredon, qui est d'usage dans ce pays. Le matin, quand j'ouvre la fenêtre, encadrée de vigne et de roses, je découvre avec ravissement un horizon vert de dix lieux, où les peupliers s'alignent comme des armées. Quelques villages s'abritent çà et là sous leurs clochers aigus, construits, comme on dit là, en pointes d'ossements. On distingue d'abord Othys, — puis Ève, puis Ver ; on distinguerait Ermenonville à travers le bois, s'il avait un clocher, — mais, dans ce lieu philosophique on a bien négligé l'église. Après avoir rempli mes poumons de l'air si pur qu'on respire sur ces plateaux, je descends gaiement et je vais faire un tour chez le pâtissier. « Te voilà, grand frisé ! — Te voilà, petit Parisien ! » Nous nous donnons les coups de poing amicaux de l'enfance, puis je gravis un certain escalier où les joyeux cris de deux enfants accueillent ma venue. Le sourire athénien de Sylvie illumine ses traits charmés. Je me dis : « Là était le bonheur, peut-être ; cependant.... »

Je l'appelle quelquefois Lolotte [10], et elle me trouve un peu de ressemblance avec Werther, moins les pistolets, qui ne sont plus de mode. Pendant que le *grand frisé* s'occupe du déjeuner, nous allons promener les enfants dans les allées de tilleuls qui ceignent les débris des vieilles tours de brique du château. Tandis que ces petits s'exercent, au tir des compagnons de l'arc, à ficher dans la paille les flèches paternelles, nous lisons quelques poésies ou quelques pages de ces livres si courts qu'on ne fait plus guère.

J'oubliais de dire que le jour où la troupe dont faisait partie Aurélie a donné une représentation à Dammartin, j'ai conduit Sylvie au spectacle, et je lui ai demandé si elle ne trouvait pas que l'actrice ressemblait à une personne qu'elle avait connue déjà. « A qui donc ? — Vous souvenez-vous d'Adrienne ? » Elle partit d'un grand éclat de rire en disant :

« Quelle idée ! »

Puis, comme se le reprochant, elle reprit en soupirant :

« Pauvre Adrienne ! elle est morte au couvent de Saint-S..., vers 1832.[11] »

CHANSONS ET LÉGENDES DU VALOIS

CHAQUE fois que ma pensée se reporte aux souvenirs de cette province du Valois, je me rappelle avec ravissement les chants et les récits qui ont bercé mon enfance. La maison de mon oncle était toute pleine de voix mélodieuses, et celles des servantes qui nous avaient suivis à Paris chantaient tout le jour les ballades joyeuses de leur jeunesse, dont malheureusement je ne puis citer les airs. J'en ai donné plus haut quelques fragments. Aujourd'hui, je ne puis arriver à les compléter, car tout cela est profondément oublié ; le secret en est demeuré dans la tombe des aïeules. On publie aujourd'hui les chansons patoises [1] de Bretagne ou d'Aquitaine, mais aucun chant des vieilles provinces où s'est toujours parlée la vraie langue française ne nous sera conservé. C'est qu'on n'a jamais voulu admettre dans les livres des vers composés sans souci de la rime, de la prosodie et de la syntaxe ; la langue du berger, du marinier, du charretier qui passe, est bien la nôtre, à quelques élisions près, avec des tournures douteuses, des mots hasardés, des terminaisons et des liaisons de fantaisie, mais elle porte un cachet d'ignorance qui révolte l'homme du monde, bien plus que ne fait le patois. Pourtant ce langage a ses règles, ou du moins ses habitudes régulières, et il est fâcheux que des couplets tels que ceux de la célèbre romance : *Si j'étais hirondelle*, soient abandonnés, pour deux ou trois consonnes singulièrement placées, au répertoire chantant des concierges et des cuisinières.

Quoi de plus gracieux et de plus poétique pourtant !

Si j'étais hirondelle ! — Que je puisse voler, — Sur votre sein, la belle, — J'irais me reposer !

Il faut continuer, il est vrai, par : *J'ai z'un coquin de frère...*, ou risquer un hiatus [2] terrible ; mais pourquoi aussi la langue a-t-elle repoussé ce *z* si commode, si liant, si séduisant qui faisait tout le charme du langage de l'ancien Arlequin, et que la jeunesse dorée du Directoire a tenté en vain de faire passer dans le langage des salons ?

Ce ne serait rien encore, et de légères corrections rendraient à notre poésie légère, si pauvre, si peu inspirée, ces charmantes et naïves productions de poètes modestes ; mais la rime, cette sévère rime française, comment s'arrangerait-elle du couplet suivant :

La fleur de l'olivier — Que vous avez aimé, — Charmante beauté ! — Et vos beaux yeux charmants, — Que mon cœur aime tant, — Les faudra-t-il quitter ?

Observez que la musique se prête admirablement à ces hardiesses ingénues et trouve dans les assonances, ménagées suffisamment d'ailleurs, toutes les ressources que la poésie doit lui offrir. Voilà deux charmantes chansons, qui ont comme un parfum de la Bible, dont la plupart des couplets sont perdus, parce que personne n'a jamais osé les écrire ou les imprimer. Nous en dirons autant de celle où se trouve la strophe suivante :

Enfin vous voilà donc, — Ma belle mariée, — Enfin vous voilà donc — A votre époux liée, — Avec un long fil d'or — Qui ne rompt qu'à la mort !

Quoi de plus pur d'ailleurs comme langue et comme pensée ; mais l'auteur de cet épithalame ne savait pas écrire, et l'imprimerie nous conserve les gravelures de Collé, de Piis et de Panard [3] !

Les richesses poétiques n'ont jamais manqué au marin, ni au soldat français, qui ne rêvent dans leurs chants que filles de roi, sultanes, et même présidentes, comme dans la ballade trop connue :

C'est dans la ville de Bordeaux — Qu'il est arrivé trois vaisseaux, etc.

Mais le tambour des gardes françaises, où s'arrêtera-t-il, celui-là ?

Un joli tambour s'en allait à la guerre, etc.

La fille du roi est à sa fenêtre, le tambour la demande en mariage : « Joli tambour, dit le roi, tu n'es pas assez riche ! — Moi ? dit le tambour sans se déconcerter.

J'ai trois vaisseaux sur la mer gentille, — L'un chargé d'or, l'autre de perles fines, — Et le troisième pour promener ma mie !

— Touche là, tambour, lui dit le roi, tu n'auras pas ma fille ! — Tant pis ! dit le tambour, j'en trouverai de plus gentilles !... »

Après tant de richesses dévolues à la verve un peu gasconne du militaire et du marin, envierons-nous le sort du simple berger ? Le voilà qui chante et qui rêve :

Au jardin de mon père, — Vole, mon cœur vole ! — Il y a z'un pommier doux, — Tout doux !

Trois belles princesses, — Vole, mon cœur vole ! — Trois belles princesses — Sont couchées dessous, etc.

Est-ce donc la vraie poésie, est-ce la soif mélancolique de l'idéal qui manque à ce peuple pour comprendre et produire des chants dignes d'être comparés à ceux de l'Allemagne et de l'Angleterre ? Non, certes ; mais il est arrivé qu'en France la littérature n'est jamais descendue au niveau de la grande foule ; les poètes académiques du XVIIe et du XVIIIe siècle n'auraient pas plus compris de telles inspirations, que les paysans n'eussent admiré leurs odes, leurs épîtres et leurs poésies fugitives, si incolores, si gourmées. Pourtant comparons encore la chanson que je vais citer à tous ces bouquets à Chloris [4], qui faisaient vers ce temps l'admiration des belles compagnies.

Quand Jean Renaud de la guerre revint, — Il en revint triste et chagrin ; — « Bonjour, ma mère ! — Bonjour, mon fils ! — Ta femme est accouchée d'un petit. »

« Allez, ma mère, allez devant, — Faites-moi dresser un beau lit blanc ; — Mais faites-le dresser si bas — Que ma femme ne l'entende pas ! »

Et quand ce fut vers le minuit, — Jean Renaud a rendu l'esprit.

Ici la scène de la ballade change et se transporte dans la chambre de l'accouchée :

« Ah ! dites, ma mère, ma mie, — Ce que j'entends pleurer ici ?

— Ma fille, ce sont les enfants — Qui se plaignent du mal de dents. »

« Ah ! dites, ma mère, ma mie, — Ce que j'entends clouer ici ? — Ma fille, c'est le charpentier, — Qui raccommode le plancher ! »

« Ah ! dites, ma mère, ma mie, — Ce que j'entends chanter ici ? — Ma fille, c'est la procession — Qui fait le tour de la maison ! »

« Mais dites, ma mère, ma mie — Pourquoi donc pleurez-vous ainsi ? — Hélas ! je ne puis le cacher ; — C'est Jean Renaud qui est décédé. »

« Ma mère ! dites au fossoyeux — Qu'il fasse la fosse pour deux, — Et que l'espace y soit si grand, — Qu'on y renferme aussi l'enfant ! »

Ceci ne le cède en rien aux plus touchantes ballades allemandes, il n'y manque qu'une certaine exécution de détail qui manquait aussi à la légende primitive de Lénore [5] et à celle du roi des Aulnes [6], avant Gœthe et Burger. Mais quel parti encore un poète eût tiré de la complainte de saint Nicolas, que nous allons citer en partie !

Il était trois petits enfants — Qui s'en allaient glaner aux champs.

S'en vont au soir chez un boucher. — « Boucher, voudrais-tu nous loger ? — Entrez, entrez, petits enfants, — Il y a de la place assurément. »

Ils n'étaient pas sitôt entrés, — Que le boucher les a tués, — Les a coupés en petits morceaux, — Mis au saloir comme pourceaux.

Saint Nicolas au bout d'sept ans, — Saint Nicolas vint dans ce champ. — Il s'en alla chez le boucher : — « Boucher, voudrais-tu me loger ? »

« Entrez, entrez, saint Nicolas, — Il y a d'la place, il n'en manque pas. » — Il n'était pas sitôt entré, — Qu'il a demandé à souper.

« Voulez-vous un morceau d'jambon ? — Je n'en veux pas, il n'est pas bon. — Voulez-vous un morceau de veau ? — Je n'en veux pas, il n'est pas beau !

« Du p'tit salé je veux avoir, — Qu'il y a sept ans qu'est dans l'saloir ! » — Quand le boucher entendit cela, — Hors de sa porte il s'enfuya.

« Boucher, boucher, ne t'enfuis pas, — Repens-toi, Dieu te pardonn'ra. » — Saint Nicolas posa trois doigts — Dessus le bord de ce saloir.

Le premier dit : « J'ai bien dormi ! » — Le second dit : « Et moi aussi ! » — Et le troisième répondit : — « Je croyais être en paradis ! »

N'est-ce pas là une ballade d'Uhland, moins les beaux vers ? Mais il ne faut pas croire que l'exécution manque toujours à ces naïves inspirations populaires.

La chanson que nous avons citée dans *Angélique* : *Le roi Loys est sur son pont* [7], a été composée sur un des plus beaux airs qui existent ; c'est comme un chant d'église croisé par un chant de guerre ; on n'a pas conservé la seconde partie de la ballade, dont pourtant nous connaissons vaguement le sujet. Le beau Lautrec [8], l'amant de cette noble fille, revient de la Palestine au moment où on la portait en terre. Il rencontre l'escorte sur le chemin de Saint-Denis. Sa colère met en fuite prêtres et archers, et le cercueil reste en son pouvoir. « Donnez-moi, dit-il à sa suite, donnez-moi mon couteau d'or fin, que je découse ce drap de lin ! » Aussitôt délivrée de son linceul, la belle revient à la vie. Son amant l'enlève et l'emmène dans son château au fond des forêts. Vous croyez *qu'ils vécurent heureux* et que tout se termina là ; mais une fois plongé dans les douceurs de la vie conjugale, le beau Lautrec n'est plus qu'un mari vulgaire, il passe tout son temps à pêcher au bord de son lac, si bien qu'un jour sa fière épouse vient doucement derrière lui et le pousse résolument dans l'eau noire, en lui criant :

Va-t'en, vilain pêche-poissons ! — Quand ils seront bons, — Nous en mangerons [9].

Propos mystérieux, digne d'Arcabonne [10] ou de Mélusine. — En expirant, le pauvre châtelain a la force de détacher ses clefs de sa ceinture et de les jeter à la fille du roi, en lui disant qu'elle est désormais maîtresse et souveraine, et qu'il se trouve heureux de mourir par sa volonté !... Il y a dans cette conclusion bizarre quelque chose qui frappe involontairement l'esprit, et qui laisse douter si le poète a voulu finir par un trait de satire, ou si cette belle morte que Lautrec a tirée du linceul n'était pas une sorte de femme vampire, comme les légendes nous en présentent souvent.

Du reste, les variantes [11] et les interpolations [12] sont fréquentes dans ces chansons ; chaque province possédait une version différente. On a recueilli comme une légende du Bourbonnais, *La Jeune Fille de la Garde*, qui commence ainsi :

Au château de la Garde — Il y a trois belles filles ; — Il y en a une plus belle que le jour. — Hâte-toi, capitaine, — Le duc va l'épouser.

C'en est une autre qui commence ainsi :

Dessous le rosier blanc — La belle se promène.

Voilà le début, simple et charmant ; où cela se passe-t-il ? Peu importe ! Ce serait si l'on voulait la fille d'un sultan rêvant sous les bouquets de Schiraz [13]. Trois cavaliers passent au clair de lune : « Montez, dit le plus jeune, sur mon beau cheval gris. » N'est-ce pas là la course de Lénore, et n'y a-t-il pas une attraction fatale dans ces cavaliers inconnus ! Ils arrivent à la ville, s'arrêtent à une hôtellerie éclairée et bruyante. La pauvre fille tremble de tout son corps :

Aussitôt arrivée, — L'hôtesse la regarde. — « Êtes-vous ici par force — Ou pour votre plaisir ? — Au jardin de mon père — Trois cavaliers m'ont pris. »

Sur ce propos le souper se prépare : « Soupez, la belle et soyez heureuse :

Avec trois capitaines, — Vous passerez la nuit. »
Mais le souper fini, — La belle tomba morte. — Elle tomba morte — Pour ne plus revenir !

« Hélas ! ma mie est morte ! s'écria le plus jeune cavalier, qu'en allons-nous faire ?... » Et ils conviennent de la reporter au château de son père, sous le rosier blanc.

Et au bout de trois jours — La belle ressuscite. — « Ouvrez, ouvrez, mon père, — Ouvrez sans plus tarder ! — Trois jours j'ai fait la morte, — Pour mon honneur garder. »

La vertu des filles du peuple attaquée par des seigneurs félons a fourni encore de nombreux sujets de romances. Il y a, par exemple, la fille d'un pâtissier, que son père envoie porter des gâteaux chez un galant châtelain. Celui-ci la retient jusqu'à la nuit close, et ne veut plus la laisser partir. Pressée de son déshonneur, elle feint de céder, et demande au comte son poignard pour couper une agrafe de son corset. Elle se perce le cœur, et les pâtissiers instituent une fête pour cette martyre boutiquière.

Il y a des chansons de *causes célèbres* qui offrent un intérêt moins romanesque, mais souvent plein de terreur et d'énergie. Imaginez un homme qui revient de la chasse et qui répond à un autre qui l'interroge :

« J'ai tant tué de petits lapins blancs — Que mes souliers sont pleins de sang. — T'en as menti, faux traître ! — Je te ferai connaître. — Je vois, je vois à tes pâles couleurs — Que tu viens de tuer ma sœur ! »

Quelle poésie sombre en ces lignes qui sont à peine des vers ! Dans une autre, un déserteur rencontre la maréchaussée, cette terrible Némésis [14] au chapeau bordé d'argent.

On lui a demandé : « Où est votre congé ? — Le congé que j'ai pris, il est sous mes souliers. »

Il y a toujours une amante éplorée mêlée à ces tristes récits.

La belle s'en va trouver son capitaine, — Son colonel et aussi son sergent....

Le refrain est une mauvaise phrase latine, sur un ton de plain-chant, qui prédit suffisamment le sort du malheureux soldat.

Quoi de plus charmant que la chanson de Biron [15], si regretté dans ces contrées :

Quand Biron voulut danser, — Quand Biron voulut danser, — Ses souliers fit apporter, — Ses souliers fit apporter ; — Sa chemise — De Venise, — Son pourpoint — Fait au point, — Son chapeau tout rond ; — Vous danserez, Biron !

Nous avons cité deux vers de la suivante :

La belle était assise — Près du ruisseau coulant, — Et dans l'eau qui frétille, — Baignait ses beaux pieds blancs : — Allons, ma mie, légèrement ! — Légèrement !

C'est une jeune fille des champs qu'un seigneur surprend au bain, comme Percival [16] surprit Griselidis. Un enfant sera le résultat de leur rencontre. Le seigneur dit :

« En ferons-nous un prêtre, — Ou bien un président ?

— Non, répond la belle, ce ne sera qu'un paysan :

On lui mettra la hotte — Et trois oignons dedans.... — Il s'en ira criant : — « Qui veut mes oignons blancs ?... » — Allons, ma mie, légèrement, etc...

Voici un conte de veillée que je me souviens d'avoir entendu réciter par les vanniers :

LA REINE DES POISSONS

Il y avait dans la province du Valois, au milieu des bois de Villers-Cotterets, un petit garçon et une petite fille qui se rencontraient de temps en temps sur les bords des petites rivières du pays, l'un obligé par un bûcheron nommé Tord-Chêne, qui était son oncle, à aller ramasser du bois mort, l'autre envoyée par ses parents pour saisir de petites anguilles que la baisse des eaux permet d'entrevoir dans la vase en certaines saisons. Elle devait encore, faute de mieux, atteindre entre les pierres les écrevisses, très nombreuses dans quelques endroits.

Mais la pauvre petite fille, toujours courbée et les pieds dans l'eau, était si compatissante pour les souffrances des animaux, que, le plus souvent, voyant les contorsions des poissons qu'elle tirait de la rivière, elle les y remettait et ne rapportait guère que les écrevisses, qui souvent lui pinçaient les doigts jusqu'au sang, et pour lesquelles elle devenait alors moins indulgente.

Le petit garçon, de son côté, faisant des fagots de bois mort et des bottes de bruyère, se voyait exposé souvent aux reproches de Tord-Chêne, soit parce qu'il n'en avait pas assez rapporté, soit parce qu'il s'était trop occupé à causer avec la petite pêcheuse.

Il y avait un certain jour dans la semaine où ces deux enfants ne se rencontraient jamais.... Quel était ce jour ? Le même sans doute où la fée Mélusine se changeait en poisson, et où les princesses de l'Elda [1] se transformaient en cygnes.

Le lendemain d'un de ces jours-là, le petit bûcheron dit à la pêcheuse : « Te souviens-tu qu'hier je t'ai vue passer là-bas dans les eaux de Challepont [2] avec tous les poissons qui te faisaient cortège.... jusqu'aux carpes et aux brochets ; et tu étais toi-même un beau poisson rouge, avec les côtés tout reluisants d'écailles en or.

— Je m'en souviens bien, dit la petite fille, puisque je t'ai vu, toi qui étais sur le bord de l'eau, et que tu ressemblais à un beau *chêne vert* [3], dont les branches d'en haut étaient d'or... et que tous les arbres du bois se courbaient jusqu'à terre en te saluant.

— C'est vrai, dit le petit garçon, j'ai rêvé cela.

— Et moi aussi j'ai rêvé ce que tu m'as dit ; mais comment nous sommes-nous rencontrés deux dans le rêve ?... »

En ce moment, l'entretien fut interrompu par l'apparition de Tord-Chêne, qui frappa le petit avec un gros gourdin, en lui reprochant de n'avoir pas seulement lié encore un fagot.

« Et puis, ajouta-t-il, est-ce que je ne t'ai pas recommandé de tordre les branches qui cèdent facilement, et de les ajouter à tes fagots ?

— C'est que, dit le petit, le garde me mettrait en prison, s'il trouvait dans mes fagots du bois vivant.... Et puis, quand j'ai voulu le faire, comme vous me l'aviez dit, j'entendais l'arbre qui se plaignait.

— C'est comme moi, dit la petite fille, quand j'emporte des poissons dans mon panier, je les entends qui chantent si tristement, que je les rejette dans l'eau.... Alors on me bat chez nous !

— Tais-toi, petite masque ! dit Tord-Chêne, qui paraissait animé par la boisson, tu déranges mon neveu de son travail. Je te connais bien, avec tes dents pointues couleur de perle.... Tu es la reine des poissons.... Mais je saurai bien te prendre à un certain jour de la semaine, et tu périras dans l'osier... dans l'osier ! »

Les menaces que Tord-Chêne avait faites dans son ivresse ne tardèrent pas à s'accomplir. La petite fille se trouva prise sous la forme de poisson rouge, que le destin l'obligeait à prendre à de certains jours. Heureusement, lorsque Tord-Chêne voulut, en se faisant aider de son neveu, tirer de l'eau la nasse d'osier, ce dernier reconnut le beau poisson rouge à écailles d'or qu'il avait vu en rêve, comme étant la transformation accidentelle de la petite pêcheuse.

Il osa la défendre contre Tord-Chêne et le frappa même de sa galoche. Ce dernier, furieux, le prit par les cheveux, cherchant à le renverser ; mais il s'étonna de trouver une grande résistance : c'est que l'enfant tenait des pieds à la terre avec tant de force, que son oncle ne pouvait venir à bout de le renverser ou de l'emporter, et le faisait en vain virer dans tous les sens.

Au moment où la résistance de l'enfant allait se trouver vaincue, les arbres de la forêt frémirent d'un bruit sourd, les branches agitées laissèrent siffler les vents, et la tempête fit reculer Tord-Chêne, qui se retira dans sa cabane de bûcheron.

Il en sortit bientôt, menaçant, terrible et transfiguré comme un fils d'Odin [4] ; dans sa main brillait cette hache scandinave qui menace les arbres, pareille au marteau de Thor [5] brisant les rochers.

Le jeune roi des forêts, victime de Tord-Chêne, — son oncle, usurpateur, — savait déjà quel était son rang, qu'on voulait lui cacher. Les arbres le protégeaient, mais seulement par leur masse et leur résistance passive....

En vain les broussailles et les surgeons [6] s'entrelaçaient de tous côtés pour arrêter les pas de Tord-Chêne, celui-ci a appelé ses bûcherons et se trace un chemin à travers ces obstacles. Déjà plusieurs arbres, autrefois sacrés du temps des vieux druides, sont tombés sous les haches et les cognées.

Heureusement, la reine des poissons n'avait pas perdu de temps. Elle était allée se jeter aux pieds de la *Marne*[7], de l'*Oise* et de l'*Aisne*, — les trois grandes rivières voisines, leur représentant que si l'on n'arrêtait pas les projets de Tord-Chêne et de ses compagnons, les forêts trop éclaircies n'arrêteraient plus les vapeurs qui produisent les pluies et qui fournissent l'eau aux ruisseaux, aux rivières et aux étangs ; que les sources elles-mêmes seraient taries et ne feraient plus jaillir l'eau nécessaire à alimenter les rivières ; sans compter que tous les poissons se verraient détruits en peu de temps, ainsi que les bêtes sauvages et les oiseaux.

Les trois grandes rivières prirent là-dessus de tels arrangements que le sol où Tord-Chêne, avec ses terribles bûcherons, travaillait à la destruction des arbres, — sans toutefois avoir pu atteindre encore le jeune prince des forêts, — fut entièrement noyé par une immense inondation, qui ne se retira qu'après la destruction entière des agresseurs.

Ce fut alors que le roi des forêts et la reine des poissons purent de nouveau reprendre leurs innocents entretiens.

Ce n'étaient plus un petit bûcheron et une petite pêcheuse, — mais un Sylphe [8] et une Ondine, lesquels, plus tard, furent unis légitimement.

Nous nous arrêtons dans ces citations si incomplètes, si difficiles à faire comprendre sans la musique et sans la poésie des lieux et des hasards, qui font que tel ou tel de ces chants populaires se grave ineffaçablement dans l'esprit. Ici ce sont des compagnons qui passent avec leurs longs bâtons ornés de rubans; là des mariniers qui descendent un fleuve; des buveurs d'autrefois (ceux d'aujourd'hui ne chantent plus guère), des lavandières, des faneuses, qui jettent au vent quelques lambeaux des chants de leurs aïeules. Malheureusement on les entend répéter plus souvent aujourd'hui les romances à la mode, platement spirituelles, ou même franchement incolores, variées sur trois à quatre thèmes éternels. Il serait à désirer que de bons poètes modernes missent à profit l'inspiration naïve de nos pères, et nous rendissent, comme l'ont fait les poètes d'autres pays, une foule de petits chefs-d'œuvre qui se perdent de jour en jour avec la mémoire et la vie des bonnes gens du temps passé.

OCTAVIE
OU L'ILLUSION

OCTAVIE

Ce fut au printemps de l'année 1835 qu'un vif désir me prit de voir l'Italie [1]. Tous les jours, en m'éveillant, j'aspirais d'avance l'âpre senteur des marronniers alpins; le soir, la cascade de Terni [2], la source écumante du Téverone [3] jaillissaient pour moi seul entre les portants éraillés des coulisses d'un petit théâtre.... Une voix délicieuse, comme celle des sirènes, bruissait à mes oreilles, comme si les roseaux de Trasimène [4] eussent tout à coup pris une voix.... Il fallut partir, laissant à Paris un amour contrarié [5], auquel je voulais échapper par la distraction.

C'est à Marseille que je m'arrêtai d'abord. Tous les matins, j'allais prendre les bains de mer au Château-Vert, et j'apercevais de loin en nageant les îles riantes du golfe. Tous les jours aussi, je me rencontrais dans la baie azurée avec une jeune fille anglaise, dont le corps délié fendait l'eau verte auprès de moi. Cette fille des eaux, qui se nommait Octavie, vint un jour à moi toute glorieuse d'une pêche étrange qu'elle avait faite. Elle tenait dans ses blanches mains un poisson qu'elle me donna.

Je ne pus m'empêcher de sourire d'un tel présent. Cependant le choléra régnait alors dans la ville, et pour éviter les quarantaines [6], je me résolus à prendre la route de terre. Je vis Nice, Gênes et Florence; j'admirais le Dôme et le Baptistère, les chefs-d'œuvre de Michel-Ange [7], la tour penchée et le Campo-Santo [8] de Pise. Puis, prenant la route de Spolette, je m'arrêtai dix jours à Rome. Le dôme de Saint-Pierre, le Vatican [9], le Colisée [10] m'apparurent ainsi qu'un rêve. Je me hâtai de prendre la poste pour Civita-Vecchia [11], où je devais m'embarquer. — Pendant trois jours, la mer furieuse retarda l'arrivée du bateau à vapeur. Sur cette plage désolée où je me promenais pensif, je faillis un jour être dévoré par les chiens. — La veille du jour où je partis, on donnait au théâtre un vaudeville français. Une tête blonde et sémillante attira mes regards. C'était la jeune Anglaise qui avait pris place dans une loge d'avant-scène. Elle accompagnait son père, qui paraissait infirme, et à qui les médecins avaient recommandé le climat de Naples.

Le lendemain matin, je prenais tout joyeux mon billet de passage. La jeune Anglaise [12] était sur le pont, qu'elle parcourait à grands pas, et impatiente de la lenteur du navire, elle imprimait ses dents d'ivoire dans l'écorce d'un citron : « Pauvre fille, lui dis-je, vous souffrez de la poitrine, j'en suis sûr, et ce n'est pas ce qu'il faudrait. »

Elle me regarda fixement et me dit : « Qui l'a appris à vous [13] ? — La sibylle de Tibur [14], lui dis-je sans me déconcerter. — Allez ! me dit-elle, je ne crois pas un mot de vous. »

Ce disant, elle me regardait tendrement et je ne pus m'empêcher de lui baiser la main. « Si j'étais plus forte, dit-elle, je vous apprendrais à mentir !... »

Et elle me menaçait, en riant, d'une badine à tête d'or qu'elle tenait à la main.

Notre vaisseau touchait au port de Naples et nous traversions le golfe, entre Ischia et Nisida, inondées des feux de l'Orient. « Si vous m'aimez, reprit-elle, vous irez m'attendre demain à Portici. Je ne donne pas à tout le monde de tels rendez-vous. »

Elle descendit sur la place du Môle et accompagna son père à l'hôtel de Rome, nouvellement construit sur la jetée. Pour moi, j'allai prendre mon logement derrière le théâtre des Florentins. Ma journée se passa à parcourir la rue de Tolède, la place du Môle, à visiter le Musée des études ; puis j'allai le soir voir le ballet à San-Carlo. J'y fis rencontre du marquis Gargallo, que j'avais connu à Paris et qui me mena, après le spectacle, prendre le thé chez ses sœurs.

Jamais je n'oublierai la délicieuse soirée qui suivit. La marquise faisait les honneurs d'un vaste salon rempli d'étrangers. La conversation était un peu celle des Précieuses [15] ; je me croyais dans la chambre bleue [16] de l'hôtel de Rambouillet. Les sœurs de la marquise, belles commes les Grâces, renouvelaient pour moi les prestiges de l'ancienne Grèce. On discuta longtemps sur la forme de la pierre d'Éleusis [17], se demandant si sa forme était triangulaire ou carrée. La marquise aurait pu prononcer en toute assurance, car elle était belle et fière comme Vesta [18]. Je sortis du palais la tête étourdie de cette discussion philosophique, et je ne pus parvenir à retrouver mon domicile. A force d'errer dans la ville, je devais y être enfin le héros de quelque aventure. La rencontre que je fis cette nuit-là est le sujet de la lettre suivante, que j'adressai plus tard à celle [19] dont j'avais cru fuir l'amour fatal en m'éloignant de Paris.

« Je suis dans une inquiétude extrême. Depuis quatre jours, je ne vous vois pas ou je ne vous vois qu'avec tout le monde ; j'ai comme un fatal pressentiment. Que vous ayez été sincère avec moi, je le crois ; que vous soyez changée depuis quelques jours, je l'ignore, mais je le crains. Mon Dieu ! prenez pitié de mes incertitudes, ou vous attirerez sur nous quelque malheur. Voyez, ce serait moi-même que j'accuserais pourtant. J'ai été timide et dévoué plus qu'un homme ne le devrait montrer. J'ai entouré mon amour de tant de réserve, j'ai craint si fort de vous offenser, vous qui m'en aviez tant puni une fois déjà, que j'ai peut-être été trop loin dans ma délicatesse, et que vous avez pu me croire refroidi. Eh bien, j'ai respecté un jour important pour vous, j'ai contenu des émotions à briser l'âme, et je me suis couvert d'un masque souriant, moi dont le cœur haletait et brûlait. D'autres n'auront pas eu tant de ménagement, mais aussi nul ne vous a peut-être prouvé tant d'affection vraie, et n'a si bien senti tout ce que vous valez.

« Parlons franchement : je sais qu'il est des liens qu'une femme ne peut briser qu'avec peine, des relations incommodes qu'on ne peut rompre que lentement. Vous ai-je demandé de trop pénibles sacrifices ? Dites-moi vos chagrins, je les comprendrai. Vos craintes, votre fantaisie, les nécessités de votre position, rien de tout cela ne peut ébranler l'immense affection que je vous porte, ni troubler même la pureté de mon amour. Mais nous verrons ensemble ce qu'on peut admettre ou combattre, et s'il était des nœuds qu'il fallût trancher et non dénouer, reposez-vous sur moi de ce soin. Manquer de franchise en ce moment serait de l'inhumanité peut-être ; car, je vous l'ai dit, ma vie ne tient à rien qu'à votre volonté, et vous savez bien que ma plus grande envie ne peut être que de mourir pour vous !

« Mourir, grand Dieu ! pourquoi cette idée me revient-elle à tout propos, comme s'il n'y avait que ma mort qui fût l'équivalent du bonheur que vous promettez ? La mort !

ce mot ne répand cependant rien de sombre dans ma pensée. Elle m'apparaît couronnée de roses pâles, comme à la fin d'un festin ; j'ai rêvé quelquefois qu'elle m'attendait en souriant au chevet d'une femme adorée, après le bonheur, après l'ivresse, et qu'elle me disait : « Allons, jeune homme !
« tu as eu toute ta part de joie en ce monde. A présent,
« viens dormir, viens te reposer dans mes bras. Je ne suis
« pas belle, moi, mais je suis bonne et secourable, et je ne
« donne pas le plaisir, mais le calme éternel. »

« Mais où donc cette image s'est-elle déjà offerte à moi ? Ah ! je vous l'ai dit, c'était à Naples, il y a trois ans. J'avais fait rencontre dans la nuit, près de la Villa-Reale, d'une jeune femme qui vous ressemblait, une très bonne créature dont l'état était de faire des broderies d'or pour les ornements d'église ; elle semblait égarée d'esprit ; je la reconduisis chez elle, bien qu'elle me parlât d'un amant qu'elle avait dans les gardes suisses, et qu'elle tremblait de voir arriver. Pourtant, elle ne fit pas de difficulté de m'avouer que je lui plaisais davantage.... Que vous dirai-je ? Il me prit fantaisie de m'étourdir pour tout un soir, et de m'imaginer que cette femme, dont je comprenais à peine le langage, était vous-même, descendue à moi par enchantement. Pourquoi vous tairais-je toute cette aventure et la bizarre illusion que mon âme accepta sans peine, surtout après quelques verres de lacrima-cristi [20] mousseux qui me furent versés au souper ? La chambre où j'étais entré avait quelque chose de mystique par le hasard ou par le choix singulier des objets qu'elle renfermait. Une madone noire [21] couverte d'oripeaux, et dont mon hôtesse était chargée de rajeunir l'antique parure, figurait sur une commode près d'un lit aux rideaux de serge verte ; une figure de sainte Rosalie [22], couronnée de roses violettes, semblait plus loin protéger le berceau d'un enfant endormi ; les murs, blanchis à la chaux, étaient décorés de vieux tableaux des quatre éléments représentant des divinités mythologiques. Ajoutez à cela un beau désordre d'étoffes brillantes, de fleurs artificielles, de vases étrusques ; des miroirs entourés de clinquant qui reflétaient vivement la lueur de l'unique lampe de cuivre, et, sur une table, un Traité de la divination et des songes, qui me fit penser que ma compagne était un peu sorcière, ou bohémienne pour le moins.

« Une bonne vieille aux grands traits solennels allait, venait, nous servant ; je crois que ce devait être sa mère !

Et moi, tout pensif, je ne cessais de regarder sans dire un mot celle qui me rappelait si exactement votre souvenir.

« Cette femme me répétait à tout moment : « Vous êtes « triste ? » Et je lui dis : « Ne parlez pas, je puis à peine vous « comprendre ; l'italien me fatigue à écouter et à prononcer. «— Oh ! dit-elle, je sais encore parler autrement. » Et elle parla tout à coup dans une langue que je n'avais pas encore entendue. C'était des syllabes sonores, gutturales, des gazouillements pleins de charme, une langue primitive sans doute ; de l'hébreu, du syriaque, je ne sais. Elle sourit de mon étonnement et s'en alla à sa commode, d'où elle tira des ornements de fausses pierres, colliers, bracelets, couronne ; s'étant parée ainsi, elle revint à table, puis resta sérieuse fort longtemps. La vieille, en rentrant, poussa de grands éclats de rire et me dit, je crois, que c'était ainsi qu'on la voyait aux fêtes. En ce moment, l'enfant se réveilla et se prit à crier. Les deux femmes coururent à son berceau, et bientôt la jeune revint près de moi tenant fièrement dans ses bras le *bambino* soudainement apaisé.

« Elle lui parlait dans cette langue que j'avais admirée, elle l'occupait avec des agaceries pleines de grâce ; et moi, peu accoutumé à l'effet des vins brûlés du Vésuve, je sentais tourner les objets devant mes yeux : cette femme, aux manières étranges, royalement parée, fière et capricieuse, m'apparaissait comme une de ces magiciennes de Thessalie [23] à qui l'on donnait son âme pour un rêve. Oh ! pourquoi n'ai-je pas craint de vous faire ce récit ? C'est que vous savez bien que ce n'était aussi qu'un rêve, où seule vous avez régné !

« Je m'arrachai à ce fantôme, qui me séduisait et m'effrayait à la fois ; j'errai dans la ville déserte jusqu'au son des premières cloches ; puis, sentant le matin, je pris par les petites rues derrière Chiaia, et je me mis à gravir le Pausilippe au-dessus de la grotte [24]. Arrivé tout en haut, je me promenais en regardant la mer déjà bleue, la ville où l'on n'entendait encore que les bruits du matin, et les îles de la baie, où le soleil commençait à dorer le haut des villas. Je n'étais pas attristé le moins du monde ; je marchais à grands pas, je courais, je descendais les pentes, je me roulais dans l'herbe humide ; mais dans mon cœur il y avait l'idée de la mort.

« O dieux ! je ne sais quelle profonde tristesse habitait mon âme, mais ce n'était autre chose que la pensée cruelle que je n'étais pas aimé. J'avais vu comme le fantôme du bonheur, j'avais usé de tous les dons de Dieu, j'étais sous le plus beau ciel du monde, en présence de la nature la plus parfaite, du spectacle le plus immense qu'il soit donné aux hommes de voir, mais à quatre cents lieues de la seule femme qui existât pour moi, et qui ignorait jusqu'à mon existence. N'être pas aimé et n'avoir pas l'espoir de l'être jamais ! C'est alors que je fus tenté d'aller demander compte à Dieu de ma singulière existence [25]. Il n'y avait qu'un pas à faire : à l'endroit où j'étais, la montagne était coupée comme une falaise, la mer grondait au bas, bleue et pure ; ce n'était plus qu'un moment à souffrir. Oh ! l'étourdissement de cette pensée fut terrible. Deux fois je me suis élancé, et je ne sais quel pouvoir me rejeta vivant sur la terre, que j'embrassai. Non, mon Dieu ! vous ne m'avez pas créé pour mon éternelle souffrance. Je ne veux pas vous outrager par ma mort ; mais donnez-moi la force, donnez-moi le pouvoir, donnez-moi surtout la résolution, qui fait que les uns arrivent au trône, les autres à la gloire, les autres à l'amour ! »

Pendant cette nuit étrange, un phénomène assez rare s'était accompli. Vers la fin de la nuit, toutes les ouvertures de la maison où je me trouvais s'étaient éclairées, une poussière chaude et soufrée m'empêchait de respirer, et, laissant ma facile conquête endormie sur la terrasse, je m'engageai dans les ruelles qui conduisent au château Saint-Elme [26] ; à mesure que je gravissais la montagne, l'air pur du matin venait gonfler mes poumons ; je me reposais délicieusement sous les treilles des villas, et je contemplais sans terreur le Vésuve couvert encore d'une coupole de fumée.

C'est en ce moment que je fus saisi de l'étourdissement dont j'ai parlé ; la pensée du rendez-vous qui m'avait été donné par la jeune Anglaise m'arracha aux fatales idées que j'avais conçues. Après avoir rafraîchi ma bouche avec une de ces énormes grappes de raisin que vendent les femmes du marché, je me dirigeai vers Portici [27], et j'allai visiter les ruines d'Herculanum. Les rues étaient toutes saupoudrées d'une cendre métallique. Arrivé près des ruines, je descendis dans la ville souterraine et je me promenai longtemps d'édifice en édifice, demandant à ces monuments le secret de leur passé. Le temple de Vénus, celui de Mercure parlaient en vain à mon imagination. Il fallait que cela fût peuplé de figures vivantes. — Je remontai à Portici et m'arrêtai pensif sous une treille en attendant mon inconnue.

Elle ne tarda pas à paraître, guidant la marche pénible de son père, et me serra la main avec force en me disant: « C'est bien. »

Nous choisîmes un voiturin et nous allâmes visiter Pompéi. Avec quel bonheur je la guidai dans les rues silencieuses de l'antique colonie romaine ! J'en avais d'avance étudié les plus secrets passages. Quand nous arrivâmes au petit temple d'Isis [28], j'eus le bonheur de lui expliquer fidèlement les détails du culte et des cérémonies que j'avais lues dans Apulée [29]. Elle voulut jouer elle-même le personnage de la Déesse, et je me vis chargé du rôle d'Osiris, dont j'expliquai les divins mystères.

En revenant, frappé de la grandeur des idées que nous venions de soulever, je n'osai lui parler d'amour.... Elle me vit si froid qu'elle m'en fit reproche. Alors je lui avouai que je ne me sentais plus digne d'elle. Je lui contai le mystère de cette apparition qui avait réveillé un ancien amour dans mon cœur, et toute la tristesse qui avait succédé à cette nuit fatale où le fantôme du bonheur n'avait été que le reproche d'un parjure [30].

Hélas ! que tout cela est loin de nous ! Il y a dix ans, je repassais à Naples, venant d'Orient [31]. J'allai descendre à l'hôtel de Rome, et j'y retrouvai la jeune Anglaise. Elle avait épousé un peintre célèbre qui, peu de temps après son mariage, avait été pris d'une paralysie complète ; couché sur un lit de repos, il n'avait rien de mobile dans le visage que deux grands yeux noirs, et, jeune encore, il ne pouvait même espérer la guérison sous d'autres climats. La pauvre fille avait dévoué son existence à vivre tristement entre son époux et son père, et sa douceur, sa candeur de vierge ne pouvaient réussir à calmer l'atroce jalousie qui couvait dans l'âme du premier. Rien ne put jamais l'engager à laisser sa femme libre dans ses promenades, et il me rappelait ce géant noir qui veille éternellement dans la caverne des génies, et que sa femme est forcée de battre pour l'empêcher de se livrer au sommeil. O mystère de l'âme humaine ! Faut-il voir dans un tel tableau les marques cruelles de la vengeance des dieux !

Je ne pus donner qu'un jour au spectacle de cette douleur. Le bateau qui me ramenait à Marseille emporta comme un rêve le souvenir de cette apparition chérie, et je me dis que peut-être j'avais laissé là le bonheur. Octavie en a gardé près d'elle le secret.

ISIS

I

Avant l'établissement du chemin de fer de Naples à Résina[1], une course à Pompéi était tout un voyage. Il fallait une journée pour visiter successivement Herculanum, le Vésuve, — et Pompéi, situé à deux milles plus loin ; souvent même on restait sur les lieux jusqu'au lendemain, afin de parcourir Pompéi pendant la nuit, à la clarté de la lune, et de se faire ainsi une illusion complète. Chacun pouvait supposer, en effet, que, remontant le cours des siècles, il se voyait tout à coup admis à parcourir les rues et les places de la ville endormie ; la lune paisible convenait mieux peut-être que l'éclat du soleil à ces ruines, qui n'excitent tout d'abord ni l'admiration ni la surprise, et où l'Antiquité se montre pour ainsi dire dans un déshabillé modeste.

Un des ambassadeurs résidant à Naples donna, il y a quelques années, une fête assez ingénieuse. — Muni de toutes les autorisations nécessaires, il fit costumer à l'antique un grand nombre de personnes ; les invités se conformèrent à cette disposition, et, pendant un jour et une nuit, l'on essaya diverses représentations des usages de l'antique colonie romaine[2]. On comprend que la science avait dirigé la plupart des détails de la fête ; des chars parcouraient les rues, des marchands peuplaient les boutiques ; des collations réunissaient, à certaines heures, dans les principales maisons, les diverses compagnies des invités. Là, c'était l'édile Pansa[3], là Salluste, là Julia-Felix, l'opulente fille de Scaurus, qui recevaient les convives et les admettaient à leurs foyers. — La maison des Vestales[4] avait ses habitantes voilées ; celle des Danseuses ne mentait pas aux promesses de ses gracieux attributs. Les deux théâtres offrirent des représentations comiques et tragiques, et sous les colonnades du Forum des citoyens oisifs échangeaient les nouvelles du jour, tandis que, dans la basilique ouverte sur la place, on entendait retentir l'aigre voix des avocats ou les imprécations des plaideurs. — Des toiles et des tentures complétaient, dans tous les lieux où de tels spectacles étaient offerts, l'effet de décoration, que le manque général de toitures aurait pu contrarier ; mais on sait qu'à part ce détail, la conservation de la plupart des édifices est assez complète pour que l'on ait pu prendre grand plaisir à cette tentative palingénésique. — Un des spectacles les plus curieux fut la cérémonie qui s'exécuta au coucher du soleil dans cet admirable petit temple d'Isis [5], qui, par sa parfaite conservation, est peut-être la plus intéressante de toutes ces ruines.

Cette fête donna lieu aux recherches suivantes, touchant les formes qu'affecta le culte égyptien lorsqu'il en vint à lutter directement avec la religion naissante du Christ.

II

Si puissant et si séduisant que fût ce culte régénéré d'Isis pour les hommes énervés de cette époque, il agissait principalement sur les femmes. — Tout ce que les étranges cérémonies et mystères des Cabires [6] et des dieux d'Éleusis, de la Grèce, tout ce que les bacchanales [7] du *Liber Pater* et de l'*Hébon* [8] de la Campanie avaient offert séparément à la passion du merveilleux et à la superstition même se trouvait, par un religieux artifice, rassemblé dans le culte secret de la déesse égyptienne, comme en un canal souterrain qui reçoit les eaux d'une foule d'affluents.

Outre les fêtes particulières mensuelles et les grandes solennités, il y avait deux fois par jour assemblée et office publics pour les croyants des deux sexes. Dès la première heure du jour, la déesse était sur pied, et celui qui voulait mériter ses grâces particulières devait se présenter à son lever pour la prière du matin. — Le temple était ouvert avec grande pompe. Le grand prêtre sortait du sanctuaire accompagné de ses ministres. L'encens odorant fumait sur l'autel ; de doux sons de flûte se faisaient entendre. — Cependant, la communauté s'était partagée en deux rangs, dans le vestibule, jusqu'au premier degré du temple. — La voix du prêtre invite à la prière, une sorte de litanie est psalmodiée ; puis on entend retentir dans les mains de quelques adorateurs les sons éclatants du sistre [9] d'Isis. Souvent, une partie de l'histoire de la déesse est représentée au moyen de pantomimes et de danses symboliques. Les éléments de son culte sont présentés avec des invocations au peuple agenouillé, qui chante ou qui murmure toutes sortes d'oraisons.

Mais, si l'on avait, au lever du soleil, célébré les matines de la déesse, on ne devait pas négliger de lui offrir ses salutations du soir et de lui souhaiter une nuit heureuse, formule particulière qui constituait une des parties importantes de la liturgie[10]. On commençait par annoncer à la déesse elle-même l'*heure du soir*.

Les Anciens ne possédaient pas, il est vrai, la commodité de l'horloge sonnante, ni même de l'horloge muette ; mais ils suppléaient, autant qu'ils le pouvaient, à nos machines d'acier et de cuivre par des machines vivantes, par des esclaves chargés de crier l'heure d'après la clepsydre [11] et le cadran solaire ; — il y avait même des hommes qui, rien qu'à la longueur de leur ombre, qu'ils savaient estimer à vue d'œil, pouvaient dire l'heure exacte du jour ou du soir. — Cet usage de crier les déterminations du temps était également admis dans les temples. Il y avait des gens pieux à Rome qui remplissaient auprès de Jupiter Capitolin ce singulier office de lui dire les heures. — Mais cette coutume était principalement observée aux matines et aux vêpres de la grande Isis, et c'est de cela que dépendait l'ordonnance de la liturgie quotidienne.

III

Après la mort d'Alexandre le Grand[12], les deux principales religions d'où sont sorties les autres, le culte des astres et celui du feu, dont la plus haute expression fut la doctrine de Zoroastre[13], et la plus grossière l'idolâtrie, formèrent ensemble une étrange fusion. — Les systèmes religieux de l'Orient et de l'Occident se rencontrèrent à Éphèse[14], à Antioche, à Alexandrie et à Rome. La nouvelle superstition égyptienne se répandit partout avec une rapidité extraordinaire. Depuis longtemps, les idées et les mythes de la vieille théogonie[15] n'étaient plus à la taille du monde grec et romain. — Jupiter et Junon, Apollon et Diane, et tous les autres habitants de l'Olympe pouvaient encore être invoqués, et n'avaient pas perdu leur crédit dans l'opinion publique. Leurs autels fumaient à certains jours solennels de l'année ; leurs images étaient portées en grande pompe par les chemins, et le temple et le théâtre se remplissaient, les jours de fête, de spectateurs nombreux. Mais ces spectateurs étaient devenus étrangers à toute espèce d'adoration. — L'art même, qui se jouait en d'idéales représentations des dieux, n'était plus qu'un appât raffiné pour les sens. Aussi le petit nombre de fidèles qui existaient encore avaient-ils la conviction que la divinité habitait seulement dans les vieilles images de forme roide et sèche — appartenant à la théogonie primitive. Cette superstition populaire s'opposa vainement à l'effort des philosophes et des sceptiques moqueurs. — Les lois divines et humaines, et ce que les simples aïeux avaient considéré comme le type de la sainteté furent conspués et foulés aux pieds. Mais, dans cet état de décomposition générale, l'âme humaine ne sentit que mieux le vide immense qu'elle s'était fait et un désir secret de rétablir quelque chose de divin, d'inexprimable. — Un besoin semblable fut ressenti à la fois par des milliers d'esprits blasés, et ce vieil adage reçut une nouvelle confirmation, que là où l'incrédulité règne la superstition s'est déjà ouvert une porte. — Le judaïsme parut à beaucoup de personnes de nature à combler ce vide douloureux. On sait avec quelle rapidité le culte mosaïque conquit alors des sectateurs non seulement dans tout l'empire romain, mais au-delà même de ses frontières.

Pourtant, le dogme de Jéhova[16] n'admettait pas d'images et il fallait à l'adoration matérialiste de cette époque des formes palpables et parlantes. Alors, l'Égypte, la mère et la conservatrice de toutes les imaginations et aussi de toutes les extravagances religieuses, offrit une satisfaction aux besoins de l'âme et des sens. — Sérapis[17] et Isis vinrent en aide, l'un aux corps souffrants, l'autre aux âmes languissantes. — Jupiter Sérapis, avec la corbeille de fruits sur sa tête majestueuses et rayonnante, déposséda bientôt, à Rome et dans la Grèce, le Jupiter Olympien et Capitolin armé de sa foudre. Le vieux Jupiter n'était bon qu'à tonner, et ses éclats atteignaient souvent ses temples et l'arbre qui lui était consacré. — Le dieu égyptien héritier des mystères et des traditions primitives de l'ancien culte d'Apis et d'Osiris, et de toute la magnificence de l'Olympe grec, ne tenait pas vainement dans sa main la clef du Nil et du royaume des ombres. Il pouvait guérir les mortels de tous les maux dont ils sont affligés. Dans une plus large mesure, ce nouveau sauveur alexandrin opérait ces cures merveilleuses qu'autrefois Esculape, le dompteur de la douleur, avait faites à Épidaure. Presque tous les grands ports de mer d'Italie eurent des sérapéons[18], — ainsi nommait-on les temples et les hôpitaux du dieu guérisseur, — avec des vestibules et des colonnades, où un grand nombre de chambres et de salles de bain étaient préparées pour les malades. — Ces sérapéons étaient les lazarets[19] et les maisons de santé de l'ancien monde. — Sans doute, il y avait là des remèdes naturels, et, avant tout, ceux des bains et du massage, combinés avec le magnétisme, le somnambulisme et autres pratiques dont les prêtres possédaient et se transmettaient le secret ; mais cela était fondé sur une profonde connaissance des hommes d'alors ; et de cet empirisme sortit bientôt une remarquable et puissante médecine physique. — La merveilleuse puissance du dieu nous est attestée par les ruines de son temple à Pouzzoles[20]. C'est à trois lieues de Naples, sur la côte de Campanie ; — maintenant encore, trois gigantesques colonnes, toutes ravagées qu'elles sont par les plantes grimpantes, du sein d'un monceau de ruines, proclament l'antique renommée du dieu, qui, dans ce populeux port de mer, sous le nom de Séparis Dusar, donnait refuge et guérison. Une magnifique colonnade qui, dans les temps modernes, a été appropriée au palais de Caserte, entourait les salles et les galeries. — On y trouvait un grand nombre de chambres de malades et d'étuves entre les logements des prêtres et des gardiens. Le long du rivage, depuis le voluptueux golfe de Neptuno jusqu'aux souterrains de Trivergola, il y avait une série de lieux d'asile et de guérison sous la protection du père universel Sérapis.

IV

Cela se faisait dans l'après-midi, au moment de la fermeture solennelle du temple, vers quatre heures, selon la division moderne du temps, ou, selon la division antique, après la huitième heure du jour. — C'était ce que l'on pourrait proprement appeler le petit coucher de la déesse. De tous temps, les dieux durent se conformer aux us et coutumes des hommes. — Sur son Olympe, le *Zeus* d'Homère[21] mène l'existence patriarcale, avec ses femmes, ses fils et ses filles, et vit absolument comme Priam[22] et Arsinoüs aux pays troyen et phéacien. Il fallut également que les deux grandes divinités du Nil, Isis et Sérapis, du moment qu'elles s'établirent à Rome et sur les rivages d'Italie, s'accommodassent à la manière de vivre des Romains. — Même du temps des derniers empereurs, on se levait de bon matin à Rome, et, vers la première ou la deuxième heure du jour, tout était en mouvement sur les places, dans les cours de justice et sur les marchés. — Mais ensuite, vers la huitième heure de la journée ou la quatrième de l'après-midi, toute activité avait cessé.... Plus tard, Isis était encore glorifiée dans un office solennel du soir.

Les autres parties de la liturgie étaient la plupart de celles qui s'exécutaient aux matines, avec cette différence toutefois que les litanies [23] et les hymnes étaient entonnés et chantés, au bruit des sistres, des flûtes et des trompettes, par un psalmiste ou préchantre qui, dans l'ordre des prêtres, remplissait les fonctions d'hymnode. — Au moment le plus solennel, le grand prêtre, debout sur le dernier degré, devant le tabernacle, accosté à droite et à gauche de deux diacres ou pastophores, élevait le principal élément du culte, le symbole du Nil fertilisateur, *l'eau bénite*, et la présentait à la fervente adoration des fidèles. La cérémonie se terminait par la formule de congé ordinaire.

Les idées superstitieuses attachées à de certains jours, les ablutions, les jeûnes, les expiations, les macérations et les mortifications de la chair étaient le prélude de la consécration à la plus sainte des déesses de mille qualités et vertus, auxquelles hommes et femmes, après maintes épreuves et mille sacrifices, s'élevaient par trois degrés. Toutefois, l'introduction de ces mystères ouvrit la porte à quelques déportements. — A la faveur des préparations et des épreuves qui, souvent, duraient un grand nombre de jours et qu'aucun époux n'osait refuser à sa femme, aucun amant à sa maîtresse, dans la crainte du fouet d'Osiris ou des vipères d'Isis, se donnaient dans les sanctuaires des rendez-vous équivoques, recouverts par les voiles impénétrables de l'initiation. — Mais ce sont là des excès communs à tous les cultes dans leurs époques de décadence. Les mêmes accusations furent adressées aux pratiques mystérieuses et aux agapes [24] des premiers chrétiens. — L'idée d'une *terre sainte* où devait se rattacher pour tous les peuples le souvenir des traditions premières et une sorte d'adoration filiale, — d'une eau sainte propre aux consécrations et purifications des fidèles, — présente des rapports plus nobles à étudier entre ces deux cultes, dont l'un a pour ainsi dire servi de transition vers l'autre.

Toute eau était douce pour l'Égyptien, mais surtout celle qui avait été puisée au fleuve, émanation d'Osiris. — A la fête annuelle d'Osiris retrouvé, où, après de longues lamentations, on criait : « *Nous l'avons trouvé et nous nous réjouissons tous !* » tout le monde se jetait à terre devant la cruche remplie d'eau du Nil nouvellement puisée que portait le grand prêtre ; on levait les mains vers le ciel, exaltant le miracle de la miséricorde divine.

La sainte eau du Nil, conservée dans la cruche sacrée, était aussi à la fête d'Isis le plus vivant symbole du père des vivants et des morts. Isis ne pouvait être honorée sans Osiris. — Le fidèle croyait même à la présence réelle d'Osiris dans l'eau du Nil, et, à chaque bénédiction du soir et du matin, le grand prêtre montrait au peuple l'*hydria* [25], la sainte cruche, et l'offrait à son adoration. — On ne négligeait rien pour pénétrer profondément l'esprit des spectateurs du caractère de cette divine transsubstantiation. — Le prophète lui-même, quelque grande que fût la sainteté de ce personnage, ne pouvait saisir avec ses mains nues le vase dans lequel s'opérait le divin mystère. — Il portait sur son étole, de la plus fine toile, une sorte de pèlerine (*piviale*) également de lin ou de mousseline, qui lui couvrait les épaules et les bras, et dans laquelle il enveloppait son bras et sa main. — Ainsi ajusté, il prenait le saint vase, qu'il portait ensuite, au rapport de saint Clément d'Alexandrie, serré contre son sein. — D'ailleurs, quelle était la vertu que le Nil ne possédât pas aux yeux du pieux Égyptien ? On en parlait partout comme d'une source de guérisons et de miracles. — Il y avait des vases où son eau se conservait plusieurs années. « J'ai dans ma cave de l'eau du Nil de quatre ans », disait avec orgueil le marchand égyptien à l'habitant de Byzance [26] ou de Naples qui lui vantait son vieux vin de Falerne [27] ou de Chios. Même après la mort, sous ses bandelettes et dans sa condition de momie, l'Égyptien espérait qu'Osiris lui permettrait encore d'étancher sa soif avec son onde vénérée. « Osiris te donne de l'eau fraîche ! » disaient les épitaphes des morts. C'est pour cela que les momies portaient une coupe peinte sur la poitrine.

V

A la droite du prophète qui portait l'hydria (*hydriophore*), se tenait une femme représentant, par les attributs et par le costume, la déesse Isis elle-même. — Isis devait toujours, en effet, partager les hommages rendus à Osiris. — Elle ne portait pas les cheveux ras comme le reste du clergé, mais les avait, au contraire, longs et bouclés.

Une chose également très caractéristique pour la représentation d'Isis, c'est ce que la prêtresse tenait dans les mains. — De la droite, elle soulevait ce fameux instrument que les Grecs nommaient *sistron*[28] et les Égyptiens *kemkem*. — La tristesse, à l'occasion de la mort d'Osiris, et la joie lorsqu'il était retrouvé, tels étaient les principaux points de la religion égyptienne dans la période qui suivit la conquête des Perses. Pour toutes les litanies de tristesse et de joie qui étaient chantées lors de ces grandes fêtes, c'était le sistre d'Isis qui marquait la mesure. — Un sistre bien fait devait, en mémoire des quatre éléments, avoir quatre petits bâtons. — On peut croire que jamais le sistre ne s'agitait sans rappeler le souvenir de la mort et de la résurrection d'Osiris. De la main gauche, la prêtresse tenait un arrosoir, par lequel on voulait signifier la fécondité que le Nil procurait à la terre. — Isis y puisait de l'eau pour les besoins du culte et aussi pour la fécondation du sol. — Car, si Osiris est la force des eaux, Isis est la force de la terre et passe pour le principe de la fertilité.

Le prêtre qui chantait les hymnes et les prières, ou préchantre, jouissait d'une estime particulière. Il se tenait sur le degré inférieur du temple, au milieu de la double rangée du peuple, et dirigeait l'ensemble au moyen d'un bâton en forme de sceptre. Les Grecs nommaient ce liturge au maître de la chapelle du culte d'Isis, le chanteur ou le chanteur d'hymnes (*odos*, *hymnodos*). Il rappelle les rhabdodes et rhapsodes[29], qui chantaient, un bâton de laurier à la main.

Apulée parle, en plusieurs endroits, des flûtes et cornets qui, dans les cérémonies d'Isis et d'Osiris, par des modulations lamentables ou joyeuses, mettaient les assistants dans des dispositions d'esprit convenables ; cette musique provenait d'une sorte de flûte dont on attribuait l'invention à Osiris. — Un autre personnage qui terminait la rangée des fidèles de l'autre côté, et dont le costume s'accordait parfaitement avec celui des prêtres d'Isis d'un ordre inférieur, avait la tête tondue et portait le tablier autour des reins. — Mais il tenait dans la main un des plus énigmatiques symboles égyptiens, la croix ansée[30] (*crux ansata*), dont le savant Daunou[31] a trouvé tout un soubassement couvert dans un temple de Philé.

Il va sans dire qu'ici aucune victime sanglante n'était immolée, et que jamais la flamme de l'autel ne consumait des chairs palpitantes. — Isis, le principe de la vie et la mère de tous les êtres vivants, dédaignait les sacrifices sanglants. — De l'eau du fleuve sacré ou du lait étaient seulement répandus pour elle ; pour elle brûlaient aussi de l'encens et d'autres parfums.

Dans le temple, tout était significatif et caractéristique : le nombre impair des degrés sur lesquels la chapelle est élevée avait aussi un sens mystique. — En général, le prêtre égyptien cherchait à s'entourer des souvenirs de la terre sacrée du Nil, et, au moyen des végétaux et des animaux de l'Égypte, à transporter les sectateurs de cette nouvelle religion dans le pays où elle avait pris naissance. — Ce n'était point par hasard qu'on avait planté deux palmiers à droite et à gauche du bosquet odoriférant qui entourait la chapelle ; car le palmier, qui tous les mois pousse de nouveaux rameaux, était un symbole de la puissance des grands dieux. De là les porteurs de palmiers qui figuraient aux processions et dont il est fait mention dans la célèbre inscription de Rosette[32].

A la fin de la cérémonie, selon un passage d'Apulée, un des prêtres prononçait la formule ordinaire : « Congé au peuple ! » qui est devenue la formule chrétienne : « *Ite, missa est* », et à laquelle le peuple répondait par son adieu accoutumé à la déesse : « Portez-vous bien », ou : « Maintenez-vous en santé ! »

VI

Peut-être faut-il craindre, en voyage, de gâter par des lectures faites d'avance l'impression première des lieux célèbres. J'avais visité l'Orient[33] avec les seuls souvenirs, déjà vagues, de mon éducation classique. — Au retour de l'Égypte, Naples était pour moi un lieu de repos et d'étude, et les précieux dépôts de ses bibliothèques et de ses musées me servaient à justifier ou à combattre les hypothèses que mon esprit s'était formées à l'aspect de tant de ruines inexpliquées ou muettes. — Peut-être ai-je dû au souvenir éclatant d'Alexandrie, de Thèbes et des Pyramides, l'impression presque religieuse que me causa une seconde fois la vue du temple d'Isis de Pompéi. J'avais laissé mes compagnons de voyage admirer dans tous ses détails la maison de Diomède [34], et, me dérobant à l'attention des gardiens, je m'étais jeté au hasard dans les rues de la ville antique, évitant çà et là quelque invalide qui me demandait de loin où j'allais, et m'inquiétant peu de savoir le nom que la science avait retrouvé pour tel ou tel édifice, pour un temple, pour une maison, pour une boutique. N'était-ce pas assez que les drogmans [35] et les Arabes m'eussent gâté les Pyramides, sans subir encore la tyrannie des *ciceroni* [36] napolitains ? J'étais entré par la rue des Tombeaux ; il était clair qu'en suivant cette voie pavée de lave, où se dessine encore l'ornière profonde des roues antiques, je retrouverais le temple de la déesse égyptienne, situé à l'extrémité de la ville, auprès du théâtre tragique. Cependant, des temples consacrés aux dieux grecs et romains frappaient mes yeux par leur masse imposante et leurs nombreuses colonnes, et l'*Iseum* semblait perdu dans les maisons particulières. Enfin, pénétrant çà et là dans les bâtiments, j'entrai dans une enceinte par une porte basse, et, là, il n'y avait plus à douter, le souvenir des deux tableaux antiques que j'avais vus au Musée des études, et qui représentent les cérémonies décrites plus haut du culte d'Isis, s'accordait avec l'architecture du monument que j'avais devant les yeux. — C'était bien là. Je reconnus l'étroite cour jadis fermée d'une grille, les colonnes encore debout, les deux autels à droite et à gauche, dont le dernier est d'une conservation parfaite, et, au fond, l'antique *cella* [37] s'élevant sur sept marches autrefois revêtues de mardre de Paros.

Huit colonnes d'ordre dorique, sans base, soutiennent les côtés, et dix autres le fronton ; l'enceinte est découverte, selon le genre d'architecture dit *hypœtron* [38], mais un portique couvert régnait alentour. Le sanctuaire a la forme d'un petit temple carré, voûté, couvert en tuiles, et présente trois niches destinées aux images de la Trinité égyptienne ; — deux autels placés au fond du sanctuaire portaient les tables isiaques, dont l'une a été conservée, et sur la base de la principale statue de la déesse, placée au centre de la nef intérieure, on a pu lire que *L. C. Phœbus* l'avait érigée dans ce lieu par décret des décurions [39].

Près de l'autel de gauche, dans la cour, était une petite loge destinée aux purifications ; quelques bas-reliefs en décoraient les murailles. Deux vases contenant l'eau lustrale [40] se trouvaient, en outre, placés à l'entrée de la porte intérieure, comme le sont nos bénitiers. Des peintures sur stuc décoraient l'intérieur du temple et représentaient des tableaux de la campagne, des plantes et des animaux de l'Égypte, — la terre sacrée.

J'avais admiré au musée les richesses qu'on a retirées de ce temple, les lampes, les coupes, les encensoirs, les burettes, les goupillons, les mitres et les crosses brillantes des prêtres, les sistres, les clairons et les cymbales, une Vénus dorée, un Bacchus, des Hermès, des sièges d'argent et d'ivoire, des idoles de basalte et des pavés de mosaïque ornés d'inscriptions et d'emblèmes. La plupart de ces objets, dont la matière et le travail précieux indiquent la richesse du temple, ont été découverts dans le lieu saint le plus retiré, situé derrière le sanctuaire, et où l'on arrive en passant sous cinq arcades. Là, une petite cour oblongue conduit à une chambre qui contenait des ornements sacrés. L'habitation des ministres isiaques, située à gauche du temple, se composait de trois pièces, et l'on trouva dans l'enceinte plusieurs cadavres de ces prêtres à qui l'on suppose que leur religion fit un devoir de ne pas abandonner le sanctuaire [41].

Ce temple est la ruine la mieux conservée de Pompéi, parce qu'à l'époque où la ville fut ensevelie il en était le monument le plus nouveau. L'ancien temple avait été renversé quelques années auparavant par un tremblement de terre, et nous voyons là celui qu'on avait rebâti à sa place. — J'ignore si quelqu'une des trois statues d'Isis du musée de Naples aura été retrouvée dans ce lieu même, mais je les avais admirées la veille, et rien ne m'empêchait, en y joignant le souvenir des deux tableaux, de reconstruire dans ma pensée toute la scène de la cérémonie du soir [42].

Justement le soleil commençait à s'abaisser vers Caprée, et la lune montait lentement du côté du Vésuve, couvert de son léger dais de fumée. — Je m'assis sur une pierre, en contemplant ces deux astres qu'on avait longtemps adorés dans ce temple sous les noms d'Osiris et d'Isis, et sous des attributs mystiques faisant allusion à leurs diverses phases, et je me sentis pris d'une vive émotion. Enfant d'un siècle sceptique plutôt qu'incrédule, flottant entre deux éducations contraires, celle de la Révolution, qui niait tout, et celle de la réaction sociale, qui prétend ramener l'ensemble des croyances chrétiennes, me verrais-je entraîné à tout croire, comme nos pères les philosophes l'avaient été à tout nier ? — Je songeais à ce magnifique préambule des *Ruines* de Volney[43], qui fait apparaître le Génie du passé sur les ruines de Palmyre[44], et qui n'emprunte à des inspirations si hautes que la puissance de détruire pièce à pièce tout l'ensemble des traditions religieuses du genre humain ! Ainsi périssait, sous l'effort de la raison moderne, le Christ lui-même, ce dernier des révélateurs, qui, au nom d'une raison plus haute, avait autrefois dépeuplé les cieux[45]. O nature ! ô mère éternelle ! était-ce là vraiment le sort réservé au dernier de tes fils célestes ? Les mortels en sont-ils venus à repousser toute espérance et tout prestige, et, levant ton voile sacré, déesse de Saïs[46] ! le plus hardi de tes adeptes s'est-il donc trouvé face à face avec l'image de la Mort ?

Si la chute successive des croyances conduisait à ce résultat, ne serait-il pas plus consolant de tomber dans l'excès contraire et d'essayer de se reprendre aux illusions du passé ?

VII

Il est évident que, dans les derniers temps, le paganisme s'était retrempé dans son origine égyptienne et tendait de plus en plus à ramener au principe de l'unité les diverses conceptions mythologiques. Cette éternelle Nature, que Lucrèce[47], le matérialiste, invoquait lui-même sous le nom de Vénus Céleste, a été préférablement nommée Cybèle par Julien, Uranie ou Cérès par Plotin[48], Proclus et Porphyre ; — Apulée, lui donnant tous ces noms, l'appelle plus volontiers Isis ; c'est le nom qui, pour lui, résume tous les autres ; c'est l'identité primitive de cette reine du ciel, aux attributs divers, au masque changeant ! Aussi lui apparaît-elle vêtue à l'égyptienne, mais dégagée des allures raides, des bandelettes et des formes naïves du premier temps.

Ses cheveux épais et longs, terminés en boucles, inondent en flottant ses divines épaules ; une couronne multiforme et multiflore pare sa tête, et la lune argentée brille sur son front ; des deux côtés se tordent des serpents[49] parmi de blonds épis et sa robe aux reflets indécis passe, selon le mouvement de ses plis, de la blancheur la plus pure au jaune de safran, ou semble emprunter sa rougeur à la flamme ; son manteau, d'un noir foncé, est semé d'étoiles et bordé d'une frange lumineuse ; sa main droite tient le sistre, qui rend un son clair, sa main gauche un vase d'or en forme de gondole.

Telle, exhalant les plus délicieux parfums de l'Arabie Heureuse [50], elle apparaît à Lucius [51], et lui dit :

« Tes prières m'ont touchée ; moi, la mère de la nature, la maîtresse des éléments, la source première des siècles, la plus grande des divinités, la reine des mânes ; moi qui confonds en moi-même et les dieux et les déesses ; moi dont l'univers a adoré sous mille formes l'unique et toute-puissante divinité. Ainsi, l'on me nomme en Phrygie, Cybèle ; à Athènes, Minerve ; en Chypre, Vénus Paphienne ; en Crète, Diane Dictynne ; en Sicile, Proserpine Stygienne ; à Éleusis, l'antique Cérès ; ailleurs, Junon, Bellone, Hécate ou Némésis, tandis que l'Égyptien, qui dans les sciences précéda tous les autres peuples, me rend hommage sous mon vrai nom de la déesse Isis.

« Qu'il te souvienne, dit-elle à Lucius après lui avoir indiqué les moyens d'échapper à l'enchantement dont il est victime, que tu dois me consacrer le reste de ta vie, et, dès que tu auras franchi le sombre bord, tu ne cesseras encore de m'adorer, soit dans les ténèbres de l'Achéron ou dans les Champs Élysées ; et si, par l'observation de mon culte et par une inviolable chasteté, tu mérites bien de moi, tu sauras que je puis seule prolonger ta vie spirituelle au-delà des bornes marquées. »

Ayant prononcé ces adorables paroles, l'invincible déesse disparaît et se recueille *dans sa propre immensité.*

Certes, si le paganisme avait toujours manifesté une conception aussi pure de la divinité, les principes religieux issus de la vieille terre d'Égypte régneraient encore selon cette forme sur la civilisation moderne. — Mais n'est-il pas à remarquer que c'est aussi de l'Égypte que nous viennent les premiers fondements de la foi chrétienne ? Orphée [52] et Moïse, initiés tous deux aux mystères isiaques, ont simplement annoncé à des races diverses des vérités sublimes — que la différence des mœurs, des langages et l'espace des temps ont ensuite peu à peu altérées ou transformées entièrement. — Aujourd'hui, il semble que le catholicisme lui-même ait subi, selon les pays, une réaction analogue à celle qui avait lieu dans les dernières années du polythéisme. En Italie, en Pologne, en Grèce, en Espagne, chez tous les peuples les plus sincèrement attachés à l'Église romaine, la dévotion à la Vierge n'est-elle pas devenue une sorte de culte exclusif ? N'est-ce pas toujours la Mère sainte, tenant dans ses bras l'enfant sauveur et médiateur, qui domine les esprits, — et dont l'apparition produit encore des conversions comparables à celle du héros d'Apulée? Isis n'a pas seulement ou l'enfant dans les bras, ou la croix à la main comme la Vierge [53] : le même signe zodiacal leur est consacré, la lune est sous leurs pieds ; le même nimbe brille autour de leur tête ; nous avons rapporté plus haut mille détails analogues dans les cérémonies ; — même sentiment de chasteté dans le culte isiaque, tant que la doctrine est restée pure ; institutions pareilles d'associations et de confréries. Je me garderai certes de tirer de tous ces rapprochements les mêmes conclusions que Volney et Dupuis [54]. Au contraire, au yeux du philosophe — sinon du théologien, — ne peut-il pas sembler qu'il y ait eu, dans tous les cultes intelligents, une certaine part de révélation divine ? Le christianisme primitif a invoqué la parole des sibylles [55] et n'a point repoussé le témoignage des derniers oracles de Delphes. Une évolution nouvelle des dogmes pourrait faire concorder sur certains points les témoignages religieux des divers temps. Il serait si beau d'absoudre et d'arracher aux malédictions éternelles les héros et les sages de l'Antiquité !

Loin de moi, certes, la pensée d'avoir réuni les détails qui précèdent en vue seulement de prouver que la religion chrétienne a fait de nombreux emprunts aux dernières formules du paganisme : ce point n'est nié de personne. Toute religion qui succède à une autre respecte longtemps certaines pratiques et formes de culte, qu'elle se borne à harmoniser avec ses propres dogmes. Ainsi la vieille théogonie des Égyptiens et des Pélasges [56] s'était seulement modifiée et traduite chez les Grecs, parée de noms et d'attributs nouveaux ; — plus tard encore, dans la phase religieuse que nous venons de dépeindre, Sérapis, qui était déjà une transformation d'Osiris, en devenait une de Jupiter ; Isis, qui n'avait, pour entrer dans le mythe grec, qu'à reprendre son nom d'Io [57], fille d'Inachus, — le fondateur des mystères d'Éleusis, — repoussait désormais le masque bestial, symbole d'une époque de lutte et de servitude. Mais voyez combien d'assimilations aisées le christianisme allait trouver dans ces rapides transformations des dogmes les plus divers ! — Laissons de côté la *croix* de Sérapis et le séjour aux enfers de ce dieu *qui juge les âmes ;* — le *Rédempteur* promis à la terre, et que pressentaient depuis longtemps les poètes et les oracles, est-ce l'enfant Horus allaité par la mère divine, et qui sera le *Verbe* (logos) des âges futurs ? — Est-ce l'Iacchus-Iésus des mystères d'Éleusis, plus grand déjà, et s'élançant des bras de Déméter, la déesse *panthée ?* ou plutôt n'est-il pas vrai qu'il faut réunir tous ces modes divers d'une même idée, et que ce fut toujours une admirable pensée théogonique de présenter à l'adoration des hommes une Mère céleste dont l'enfant est l'espoir du monde ?

Et, maintenant, pourquoi ces cris d'ivresse et de joie, ces chants du ciel, ces palmes qu'on agite, ces gâteaux sacrés qu'on se partage à de certains jours de l'année ? C'est que l'enfant sauveur est né jadis en ce même temps. — Pourquoi ces autres jours de pleurs et de chants lugubres où l'on cherche le corps d'un Dieu meurtri et sanglant, — où les gémissements retentissent des bords du Nil aux rives de la Phénicie, des hauteurs du Liban aux plaines où fut Troie ? Pourquoi celui qu'on cherche et qu'on pleure s'appelle-t-il ici Osiris, plus loin Adonis[58], plus loin Atys ? et pourquoi une autre clameur qui vient du fond de l'Asie cherche-t-elle aussi dans les grottes mystérieuses les restes d'un dieu immolé ? — Une femme divinisée, mère, épouse ou amante, baigne de ses larmes ce corps saignant et défiguré, victime d'un principe hostile qui triomphe par sa mort, mais qui sera vaincu un jour ! La victime céleste est représentée par le marbre ou la cire, avec ses chairs ensanglantées, avec ses plaies vives, que les fidèles viennent toucher et baiser pieusement. Mais le troisième jour tout change : le corps a disparu, l'immortel s'est révélé ; la joie succède aux pleurs, l'espérance renaît sur la terre ; c'est la fête renouvelée de la jeunesse et du printemps.

Voilà le culte oriental, primitif et postérieur à la fois aux fables de la Grèce, qui avait fini par envahir et absorber peu à peu le domaine des dieux d'Homère. Le ciel mythologique rayonnait d'un trop pur éclat, il était d'une beauté trop précise et trop nette, il respirait trop le bonheur, l'abondance et la sérénité, il était, en un mot, trop bien conçu au point de vue des gens heureux, des peuples riches et vainqueurs, pour s'imposer longtemps au monde agité et souffrant. — Les Grecs l'avaient fait triompher par la victoire dans cette lutte presque cosmogonique[59] qu'Homère a chantée, et depuis encore, la force et la gloire des dieux s'étaient incarnées dans les destinées de Rome ; — mais la douleur et l'esprit de vengeance agissaient sur le reste du monde, qui ne voulait plus s'abandonner qu'aux religions du désespoir. — La philosophie accomplissait d'autre part un travail d'assimilation et d'unité morale ; la chose attendue dans les esprits se réalisa dans l'ordre des faits. Cette Mère divine, ce Sauveur, qu'une sorte de mirage prophétique avait annoncés çà et là d'un bout à l'autre du monde, apparurent enfin comme le grand jour qui succède aux vagues clartés de l'aurore.

CORILLA
OU LES DEUX RENDEZ-VOUS

FABIO. MARCELLI. MAZETTO, *garçon de théâtre.*
CORILLA [1], *prima donna.*

Le boulevard de Sainte-Lucie, à Naples, près de l'Opéra.

FABIO, MAZETTO.

FABIO. — Si tu me trompes, Mazetto, c'est un triste métier que tu fais là....

MAZETTO. — Le métier n'en est pas meilleur ; mais je vous sers fidèlement. Elle viendra ce soir, vous dis-je ; elle a reçu vos lettres et vos bouquets.

FABIO. — Et la chaîne d'or, et l'agrafe de pierres fines ?

MAZETTO. — Vous ne devez pas douter qu'elles ne lui soient parvenues aussi, et vous les reconnaîtrez peut-être à son cou et à sa ceinture ; seulement, la façon de ces bijoux est si moderne, qu'elle n'a trouvé encore aucun rôle où elle pût les porter comme faisant partie de son costume.

FABIO. — Mais, m'a-t-elle vu seulement ? m'a-t-elle remarqué à la place où je suis assis tous les soirs [2] pour l'admirer et l'applaudir, et puis-je penser que mes présents ne seront pas la seule cause de sa démarche ?

MAZETTO. — Fi, monsieur ! ce que vous avez donné n'est rien pour une personne de cette volée [3] ; et, dès que vous vous connaîtrez mieux, elle vous répondra par quelque portrait entouré de perles qui vaudra le double. Il en est de même des dix ducats [4] que vous m'avez remis déjà, et des vingt autres que vous m'avez promis dès que vous aurez l'assurance de votre premier rendez-vous ; ce n'est qu'argent prêté, je vous l'ai dit, et ils vous reviendront un jour avec de gros intérêts.

FABIO. — Va, je n'en attends rien.

MAZETTO. — Non, monsieur, il faut que vous sachiez à quels gens vous avez affaire, et que, loin de vous ruiner, vous êtes ici sur le vrai chemin de votre fortune ; veuillez donc me compter la somme convenue, car je suis forcé de me rendre au théâtre pour y remplir mes fonctions de chaque soir.

FABIO. — Mais pourquoi n'a-t-elle pas fait de réponse, et n'a-t-elle pas marqué de rendez-vous ?

MAZETTO. — Parce que, ne vous ayant encore vu que de loin, c'est-à-dire de la scène aux loges, comme vous ne l'avez vue vous-même que des loges à la scène, elle veut connaître avant tout votre tenue et vos manières, entendez-vous ? votre son de voix, que sais-je ? Voudriez-vous que la première cantatrice de San-Carlo [5] acceptât les hommages du premier venu sans plus d'information ?

FABIO. — Mais l'oserai-je aborder seulement ? et dois-je m'exposer, sur ta parole, à l'affront d'être rebuté, ou d'avoir, à ses yeux, la mine d'un galant de carrefour ?

MAZETTO. — Je vous répète que vous n'avez rien à faire qu'à vous promener le long de ce quai, presque désert à cette heure ; elle passera, cachant son visage baissé sous la frange de sa mantille ; elle vous adressera la parole elle-même et vous indiquera un rendez-vous ce soir, car l'endroit est peu propre à une conversation suivie. Serez-vous content ?

FABIO. — O Mazetto ! si tu dis vrai, tu me sauves la vie !

MAZETTO. — Et, par reconnaissance, vous me prêtez les vingt louis convenus.

FABIO. — Tu les recevras quand je lui aurai parlé.

MAZETTO. — Vous êtes méfiant ; mais votre amour m'intéresse, et je l'aurais servi par pure amitié, si je n'avais à nourrir ma famille. Tenez-vous là comme rêvant en vous-même et composant quelque sonnet ; je vais rôder aux environs pour prévenir toute surprise.

(Il sort.)

FABIO, *seul.*

Je vais la voir ! la voir pour la première fois à la lumière du ciel, entendre, pour la première fois, des paroles qu'elle aura pensées ! Un mot d'elle va réaliser mon rêve ou le faire envoler pour toujours ! Ah ! j'ai peur de risquer ici plus que je ne puis gagner ; ma passion était grande et pure, et rasait le monde sans le toucher, elle n'habitait que des palais radieux et des rives enchantées ; la voici ramenée à la terre et contrainte à cheminer comme toutes les autres. Ainsi que Pygmalion [6], j'adorais la forme extérieure d'une femme ; seulement la statue se mouvait tous les soirs sous mes yeux avec une grâce divine, et, de sa bouche, il ne tombait que des perles de mélodie. Et maintenant voici qu'elle descend à moi. Mais l'amour qui a fait ce miracle est un honteux valet de comédie, et le rayon qui fait vivre pour moi cette idole adorée est de ceux que Jupiter versait au sein de Danaé [7] !... Elle vient, c'est bien elle ; oh ! le cœur me manque, et je serais tenté de m'enfuir si elle ne m'avait aperçu déjà !

FABIO, UNE DAME *en mantille.*

LA DAME, *passant près de lui.* — Seigneur cavalier, donnez-moi le bras, je vous prie, de peur qu'on ne nous observe, et marchons naturellement. Vous m'avez écrit....

FABIO. — Et je n'ai reçu de vous aucune réponse....

LA DAME. — Tiendriez-vous plus à mon écriture qu'à mes paroles ?

FABIO. — Votre bouche ou votre main m'en voudrait si j'osais choisir.

LA DAME. — Que l'une soit le garant de l'autre ; vos lettres m'ont touchée, et je consens à l'entrevue que vous me demandez. Vous savez pourquoi je ne puis vous recevoir chez moi ?

FABIO. — On me l'a dit.

LA DAME. — Je suis très entourée, très gênée dans toutes mes démarches. Ce soir, à cinq heures de la nuit, attendez-moi au rond-point de la Villa-Reale, j'y viendrai sous un déguisement, et nous pourrons avoir quelques instants d'entretien.

FABIO. — J'y serai.

LA DAME. — Maintenant, quittez mon bras et ne me suivez pas, je me rends au théâtre. Ne paraissez pas dans la salle ce soir.... Soyez discret et confiant.

(Elle sort.)

FABIO, *seul.*

C'était bien elle !... En me quittant, elle s'est toute révélée dans un mouvement, comme la Vénus de Virgile [8]. J'avais à peine reconnu son visage, et pourtant l'éclair de ses yeux me traversait le cœur, de même qu'au théâtre, lorsque son regard vient croiser le mien dans la foule. Sa voix ne perd pas de son charme en prononçant de simples paroles ; et, cependant, je croyais jusqu'ici qu'elle ne devait avoir que le chant, comme les oiseaux ! Mais ce qu'elle m'a dit vaut tous les vers de Métastase [9], et ce timbre si pur, et cet accent si doux, n'empruntent rien pour séduire aux mélodies de Paesiello [10] ou de Cimarosa [11]. Ah ! toutes ces héroïnes que j'adorais en elle, Sophonisbe [12], Alcime, Herminie, et même cette blonde Molinara, qu'elle joue à ravir avec des habits moins splendides, je les voyais toutes enfermées à la fois sous cette mantille coquette, sous cette coiffe de satin.... Encore Mazetto !

FABIO, MAZETTO.

MAZETTO. — Eh bien ! seigneur, suis-je un fourbe, un homme sans parole, un homme sans honneur ?

FABIO. — Tu es le plus vertueux des mortels ! Mais, tiens, prends cette bourse et laisse-moi seul.

MAZETTO. — Vous avez l'air contrarié ?

FABIO. — C'est que le bonheur me rend triste ; il me force à penser au malheur qui le suit toujours de près.

MAZETTO. — Peut-être avez-vous besoin de votre argent pour jouer au lansquenet [13], cette nuit ? Je puis vous le rendre, et même vous en prêter d'autre.

FABIO. — Cela n'est point nécessaire. Adieu.

MAZETTO. — Prenez garde à la *jettatura* [14], seigneur Fabio ! *(Il sort.)*

FABIO, *seul.*

Je suis fatigué de voir la tête de ce coquin faire ombre sur mon amour ; mais, Dieu merci, ce messager va me devenir inutile. Qu'a-t-il fait, d'ailleurs, que de remettre adroitement mes billets et mes fleurs, qu'on avait longtemps repoussés ? Allons, allons, l'affaire a été habilement conduite et touche à son dénouement.... Mais pourquoi suis-je donc si morose ce soir, moi qui devrais nager dans la joie et frapper ces dalles d'un pied triomphant ? N'a-t-elle pas cédé un peu vite, et surtout depuis l'envoi de mes présents ?... Bon, je vois les choses trop en noir, et je ne devrais songer plutôt qu'à préparer ma rhétorique amoureuse. Il est clair que nous ne nous contenterons pas de causer amoureusement sous les arbres, et que je parviendrai bien à l'emmener souper dans quelque hôtellerie de Chiaia [15] ; mais il faudra être brillant, passionné, fou d'amour, monter ma conversation au ton de mon style, réaliser l'idéal que lui ont présenté mes lettres et mes vers... et c'est à quoi je ne me sens nulle chaleur et nulle énergie.... J'ai envie d'aller me remonter l'imagination avec quelques verres de vin d'Espagne.

FABIO, MARCELLI.

MARCELLI. — C'est un triste moyen, seigneur Fabio ; le vin est le plus traître des compagnons ; il vous prend dans un palais et vous laisse dans un ruisseau.

FABIO. — Ah ! c'est vous, seigneur Marcelli ; vous m'écoutiez ?

MARCELLI. — Non, mais je vous entendais.

FABIO. — Ai-je rien dit qui vous ait déplu ?

MARCELLI. — Au contraire ; vous vous disiez triste et vous vouliez boire, c'est tout ce que j'ai surpris de votre monologue. Moi, je suis plus gai qu'on ne peut dire. Je marche le long de ce quai comme un oiseau ; je pense à des choses folles, je ne puis demeurer en place, et j'ai peur de me fatiguer. Tenons-nous compagnie l'un à l'autre un instant ; je vaux bien une bouteille pour l'ivresse, et cependant je ne suis rempli que de joie ; j'ai besoin de m'épancher comme un flacon de sillery, et je veux jeter dans votre oreille un secret étourdissant.

FABIO. — De grâce, choisissez un confident moins préoccupé de ses propres affaires. J'ai la tête prise, mon cher ; je ne suis bon à rien ce soir, et, eussiez-vous à me confier que le roi Midas [16] a des oreilles d'âne, je vous jure que je serais incapable de m'en souvenir demain pour le répéter.

MARCELLI. — Et c'est ce qu'il me faut, vrai Dieu ! un confident muet comme une tombe.

FABIO. — Bon ! ne sais-je pas vos façons ?... Vous voulez publier une bonne fortune, et vous m'avez choisi pour le héraut [17] de votre gloire.

MARCELLI. — Au contraire, je veux prévenir une indiscrétion en vous confiant bénévolement certaines choses que vous n'avez pas manqué de soupçonner.

FABIO. — Je ne sais ce que vous voulez dire.

MARCELLI. — On ne garde pas un secret surpris, au lieu qu'une confidence engage.

FABIO. — Mais je ne soupçonne rien qui vous puisse concerner.

MARCELLI. — Il convient alors que je vous dise tout.

FABIO. — Vous n'allez donc pas au théâtre.

MARCELLI. — Non, pas ce soir ; et vous ?

FABIO. — Moi, j'ai quelque affaire en tête, j'ai besoin de me promener seul.

MARCELLI. — Je gage que vous composez un opéra ?

FABIO. — Vous avez deviné.

MARCELLI. — Et qui s'y tromperait ? Vous ne manquez pas une seule des représentations de San-Carlo ; vous arrivez dès l'ouverture, ce que ne fait aucune personne du bel air ; vous ne vous retirez pas au milieu du dernier acte, et vous restez seul dans la salle avec le public du parquet. Il est clair que vous étudiez votre art avec soin et persévérance. Mais une chose m'inquiète : êtes-vous poète ou musicien ?

FABIO. — L'un et l'autre.

MARCELLI. — Pour moi, je ne suis qu'amateur et n'ai fait que des chansonnettes. Vous savez donc très bien que mon assiduité dans cette salle, où nous nous rencontrons continuellement depuis quelques semaines, ne peut avoir d'autre motif qu'une intrigue amoureuse....

FABIO. — Dont je n'ai nulle envie d'être informé.

MARCELLI. — Oh ! vous ne m'échapperez point par ces faux-fuyants, et ce n'est que quand vous saurez tout que je me croirai certain du mystère dont mon amour a besoin.

FABIO. — Il s'agit donc de quelque actrice... de la Borsella ?

MARCELLI. — Non, de la nouvelle cantatrice espagnole, de la divine Corilla !... Par Bacchus ! vous avez bien remarqué les furieux clins d'œil que nous nous lançons ?

FABIO, *avec humeur*. — Jamais !

MARCELLI. — Les signes convenus entre nous à de certains instants où l'attention du public se porte ailleurs ?

FABIO. — Je n'ai rien vu de pareil.

MARCELLI. — Quoi ! vous êtes distrait à ce point ? J'ai donc eu tort de vous croire informé d'une partie de mon secret ; mais la confidence étant commencée....

FABIO, *vivement*. — Oui, certes ! vous me voyez maintenant curieux d'en connaître la fin.

MARCELLI. — Peut-être n'avez-vous jamais fait grande attention à la signora Corilla ? Vous êtes plus occupé, n'est-ce pas, de sa voix que de sa figure ? Eh bien, regardez-la, elle est charmante.

FABIO. — J'en conviens.

MARCELLI. — Une blonde[18] d'Italie ou d'Espagne, c'est toujours une espèce de beauté fort singulière et qui a du prix par sa rareté.

FABIO. — C'est également mon avis.

MARCELLI. — Ne trouvez-vous pas qu'elle ressemble à la Judith de Caravagio [19], qui est dans le Musée royal ?

FABIO. — Eh ! monsieur, finissez. En deux mots, vous êtes son amant, n'est-ce pas ?

MARCELLI. — Pardon ; je ne suis encore que son amoureux.

FABIO. — Vous m'étonnez.

MARCELLI. — Je dois vous dire qu'elle est fort sévère.

FABIO. — On le prétend.

MARCELLI. — Que c'est une tigresse, une Bradamante [20]....

FABIO. — Une Alcimadure [21].

MARCELLI. — Sa porte demeurant fermée à mes bouquets, sa fenêtre à mes sérénades, j'en ai conclu qu'elle avait des raisons pour être insensible... chez elle, mais que sa vertu devait tenir pied moins solidement sur les planches d'une scène d'opéra.... Je sondai le terrain, j'appris qu'un certain drôle, nommé Mazetto, avait accès près d'elle, en raison de son service au théâtre....

FABIO. — Vous confiâtes vos fleurs et vos billets à ce coquin.

MARCELLI. — Vous le saviez donc ?

FABIO. — Et aussi quelques présents qu'il vous conseilla de faire.

MARCELLI. — Ne disais-je pas bien que vous étiez informé de tout.

FABIO. — Vous n'avez pas reçu de lettres d'elle ?

MARCELLI. — Aucune.

FABIO. — Il serait trop singulier que la dame elle-même, passant près de vous dans la rue, vous eût, à voix basse, indiqué un rendez-vous....

MARCELLI. — Vous êtes le diable, ou moi-même !

FABIO. — Pour demain ?

MARCELLI. — Non, pour aujourd'hui.

FABIO. — A cinq heures de la nuit ?

MARCELLI. — A cinq heures.

FABIO. — Alors, c'est au rond-point de la Villa-Reale ?

MARCELLI. — Non ! devant les bains de Neptune.

FABIO. — Je n'y comprends plus rien.

MARCELLI. — Pardieu ! vous voulez tout deviner, tout savoir mieux que moi. C'est particulier. Maintenant que j'ai tout dit, il est de votre honneur d'être discret.

FABIO. — Bien. Écoutez-moi, mon ami... nous sommes joués l'un ou l'autre.

MARCELLI. — Que dites-vous ?

FABIO. — Ou l'un et l'autre, si vous voulez. Nous avons rendez-vous de la même personne, à la même heure : vous, devant les bains de Neptune ; moi, à la Villa-Reale !

MARCELLI. — Je n'ai pas le temps d'être stupéfait ; mais je vous demande raison de cette lourde plaisanterie.

FABIO. — Si c'est la raison qui vous manque, je ne me charge pas de vous en donner ; si c'est un coup d'épée qu'il vous faut, dégainez la vôtre.

MARCELLI. — Je fais une réflexion : vous avez sur moi tout avantage en ce moment.

FABIO. — Vous en convenez ?

MARCELLI. — Pardieu ! vous êtes un amant malheureux, c'est clair ; vous alliez vous jeter du haut de cette rampe, ou vous pendre aux branches de ces tilleuls, si je ne vous eusse rencontré. Moi, au contraire, je suis reçu, favorisé, presque vainqueur ; je soupe ce soir avec l'objet de mes vœux. Je vous rendrais service en vous tuant ; mais, si c'est moi qui suis tué, vous conviendrez qu'il serait dommage que ce fût avant, et non après. Les choses ne sont pas égales ; remettons l'affaire à demain.

FABIO. — Je fais exactement la même réflexion que vous, et pourrais vous répéter vos propres paroles. Ainsi, je consens à ne vous punir que demain de votre folle vanterie. Je ne vous croyais qu'indiscret.

MARCELLI. — Bon ! séparons-nous sans un mot de plus. Je ne veux point vous contraindre à des aveux humiliants, ni compromettre davantage une dame qui n'a pour moi que des bontés. Je compte sur votre réserve et vous donnerai demain matin des nouvelles de ma soirée.

FABIO. — Je vous en promets autant ; mais ensuite nous ferraillerons de bon cœur. A demain donc.

MARCELLI. — A demain, seigneur Fabio.

FABIO, *seul.*

Je ne sais quelle inquiétude m'a porté à le suivre de loin, au lieu d'aller de mon côté. Retournons ! *(Il fait quelques pas.)* Il est impossible de porter plus loin l'assurance, mais aussi ne pouvait-il guère revenir sur sa prétention et me confesser son mensonge. Voilà de nos jeunes fous à la mode ; rien ne leur fait obstacle, ils sont les vainqueurs et les préférés de toutes les femmes, et la liste de don Juan [22] ne leur coûterait que la peine de l'écrire. Certainement, d'ailleurs, si cette beauté nous trompait l'un pour l'autre, ce ne serait pas à la même heure. Allons, je crois que l'instant approche, et que je ferais bien de me diriger du côté de la Villa-Reale, qui doit être déjà débarrassée de ses promeneurs et rendue à la solitude. Mais en vérité n'aperçois-je pas là-bas Marcelli qui donne le bras à une femme ?... Je suis fou véritablement ; si c'est lui, ce ne peut être elle... Que faire ? Si je vais de leur côté, je manque l'heure de mon rendez-vous... et, si je n'éclaircis pas le soupçon qui me vient, je risque, en me rendant là-bas, de jouer le rôle d'un sot. C'est là une cruelle incertitude. L'heure se passe, je vais et reviens, et ma position est la plus bizarre du monde. Pourquoi faut-il que j'aie rencontré cet étourdi, qui s'est joué de moi peut-être ? Il aura su mon amour par Mazetto, et tout ce qu'il m'est venu conter tient à quelque obscure fourberie que je saurai bien démêler. — Décidément, je prends mon parti, je cours à la Villa-Reale. *(Il revient.)* Sur mon âme, ils approchent ; c'est la même mantille garnie de longues dentelles ; c'est la même robe de soie grise... en deux pas ils vont être ici. Oh ! si c'est elle, si je suis trompé... je n'attendrai pas à demain pour me venger de tous les deux !... Que vais-je faire ? un éclat ridicule... retirons-nous derrière ce treillis pour mieux nous assurer que ce sont bien eux-mêmes.

FABIO, *caché*, MARCELLI, LA SIGNORA CORILLA, *lui donnant le bras.*

MARCELLI. — Oui, belle dame, vous voyez jusqu'où va la suffisance de certaines gens. Il y a par la ville un cavalier qui se vante d'avoir aussi obtenu de vous une entrevue pour ce soir. Et, si je n'étais sûr de vous avoir maintenant à mon bras, fidèle à une douce promesse trop longtemps différée...

CORILLA. — Allons, vous plaisantez, seigneur Marcelli. Et ce cavalier si avantageux... le connaissez-vous ?

MARCELLI. — C'est à moi justement qu'il a fait ses confidences....

FABIO, *se montrant.* — Vous vous trompez, seigneur, c'est vous qui me faisiez les vôtres.... Madame, il est inutile d'aller plus loin ; je suis décidé à ne point supporter un pareil manège de coquetterie. Le seigneur Marcelli peut vous reconduire chez vous, puisque vous lui avez donné le bras ; mais ensuite, qu'il se souvienne bien que je l'attends, moi.

MARCELLI. — Écoutez, mon cher, tâchez, dans cette affaire-ci, de n'être que ridicule.

FABIO. — Ridicule, dites-vous ?

MARCELLI. — Je le dis. S'il vous plaît de faire du bruit, attendez que le jour se lève ; je ne me bats pas sous les lanternes, et je ne me soucie point de me faire arrêter par la garde de nuit.

CORILLA. — Cet homme est fou ; ne le voyez-vous pas ? Éloignons-nous.

FABIO. — Ah ! madame ! il suffit... ne brisez pas entièrement cette belle image que je portais pure et sainte au fond de mon cœur. Hélas ! content de vous aimer de loin, de vous écrire... j'avais peu d'espérance, et je demandais moins que vous ne m'avez promis !

CORILLA. — Vous m'avez écrit ? à moi !...

MARCELLI. — Eh ! qu'importe ? ce n'est pas ici le lieu d'une telle explication....

CORILLA. — Et que vous ai-je promis, monsieur ?... je ne vous connais pas et ne vous ai jamais parlé.

MARCELLI. — Bon ! quand vous lui auriez dit quelques paroles en l'air, le grand mal ! Pensez-vous que mon amour s'en inquiète ?

CORILLA. — Mais quelle idée avez-vous aussi, seigneur ? Puisque les choses sont allées si loin, je veux que tout s'explique à l'instant. Ce cavalier croit avoir à se plaindre de moi : qu'il parle et qu'il se nomme avant tout ; car j'ignore ce qu'il est et ce qu'il veut.

FABIO. — Rassurez-vous, madame ! J'ai honte d'avoir fait cet éclat et d'avoir cédé à un premier mouvement de surprise. Vous m'accusez d'imposture, et votre belle bouche ne peut mentir. Vous l'avez dit, je suis fou, j'ai rêvé. Ici même, il y a une heure, quelque chose comme votre fantôme passait, m'adressait de douces paroles et promettait de revenir... Il y avait de la magie, sans doute, et cependant tous les détails restent présents à ma pensée. J'étais là, je venais de voir le soleil se coucher derrière le Pausilippe [23], en jetant sur Ischia [24] le bord de son manteau rougeâtre ; la mer noircissait dans le golfe, et les voiles blanches se hâtaient vers la terre comme des colombes attardées.... Vous voyez, je suis un triste rêveur, mes lettres ont dû vous l'apprendre, mais vous n'entendrez plus parler de moi, je le jure, et vous dis adieu.

CORILLA. — Vos lettres.... Tenez, tout cela a l'air d'un imbroglio de comédie, permettez-moi de ne m'y point arrêter davantage ; seigneur Marcelli, veuillez reprendre mon bras et me reconduire en toute hâte chez moi.

(Fabio salue et s'éloigne.)

MARCELLI. — Chez vous, madame ?

CORILLA. — Oui, cette scène m'a bouleversée !... Vit-on jamais rien de plus bizarre ? Si la place du Palais n'est pas encore déserte, nous trouverons bien une chaise, ou tout au moins un falot [25]. Voici justement les valets du théâtre qui sortent ; appelez un d'entre eux....

MARCELLI. — Holà ! quelqu'un ! par ici.... Mais, en vérité, vous sentez-vous malade ?

CORILLA. — A ne pouvoir marcher plus loin....

FABIO, MAZETTO, LES PRÉCÉDENTS.

FABIO, *entraînant Mazetto.* — Tenez, c'est le ciel qui nous l'amène ; voilà le traître qui s'est joué de moi.

MARCELLI. — C'est Mazetto ! le plus grand fripon des Deux-Siciles [26]. Quoi ! c'était aussi votre messager ?

MAZETTO. — Au diable ! vous m'étouffez.

FABIO. — Tu vas nous expliquer....

MAZETTO. — Et que faites-vous ici, seigneur ? je vous croyais en bonne fortune ?

FABIO. — C'est la tienne qui ne vaut rien. Tu vas mourir si tu ne confesses pas toute ta fourberie.

MARCELLI. — Attendez, seigneur Fabio, j'ai aussi des droits à faire valoir sur ses épaules. A nous deux, maintenant.

MAZETTO. — Messieurs, si vous voulez que je comprenne, ne frappez pas tous les deux à la fois. De quoi s'agit-il ?

FABIO. — Et de quoi peut-il être question, misérable ? Mes lettres, qu'en as-tu fait ?

MARCELLI. — Et de quelle façon as-tu compromis l'honneur de la signora Corilla ?

MAZETTO. — Messieurs, l'on pourrait nous entendre.

MARCELLI. — Il n'y a ici que la signora elle-même et nous deux, c'est-à-dire deux hommes qui vont s'entre-tuer demain à cause d'elle ou de toi.

MAZETTO. — Permettez : ceci dès lors est grave, et mon humanité me défend de dissimuler davantage.

FABIO. — Parle.

MAZETTO. — Au moins, remettez vos épées.

FABIO. — Alors nous prendrons des bâtons.

MARCELLI. — Non ; nous devons le ménager s'il dit la vérité tout entière, mais à ce prix-là seulement.

CORILLA. — Son insolence m'indigne au dernier point.

MARCELLI. — Le faut-il assommer avant qu'il ait parlé ?

CORILLA. — Non ; je veux tout savoir, et que, dans une si noire aventure, il ne reste du moins aucun doute sur ma loyauté.

MAZETTO. — Ma confession est votre panégyrique, madame ; tout Naples connaît l'austérité de votre vie. Or le seigneur Marcelli, que voilà, était passionnément épris de vous ; il allait jusqu'à promettre de vous offrir son nom si vous vouliez quitter le théâtre ; mais il fallait qu'il pût du moins mettre à vos genoux l'hommage de son cœur, je ne dis pas de sa fortune ; mais vous en avez bien pour deux, on le sait, et lui aussi [27].

MARCELLI. — Faquin !...

FABIO. — Laissez-le finir.

MAZETTO. — La délicatesse du motif m'engagea dans son parti. Comme valet du théâtre, il m'était aisé de mettre ses billets sur votre toilette. Les premiers furent brûlés ; d'autres, laissés ouverts, reçurent un meilleur accueil. Le dernier vous décida à accorder un rendez-vous au seigneur Marcelli, lequel m'en a fort bien récompensé !...

MARCELLI. — Mais qui te demande tout ce récit ?

FABIO. — Et moi, traître ! âme à double face ! comment m'as-tu servi ? Mes lettres, les as-tu remises ? Quelle est cette femme voilée que tu m'as envoyée tantôt, et que tu m'as dit être la signora Corilla elle-même ?

MAZETTO. — Ah ! seigneurs, qu'eussiez-vous dit de moi et quelle idée madame en eût-elle pu concevoir, si je lui avais remis des lettres de deux écritures différentes et des bouquets de deux amoureux ? Il faut de l'ordre en toute chose, et je respecte trop madame pour lui avoir supposé la fantaisie de mener de front deux amours. Cependant le désespoir du seigneur Fabio, à mon premier refus de le servir, m'avait singulièrement touché. Je le laissai d'abord épancher sa verve en lettres et en sonnets que je feignis de remettre à la signora, supposant que son amour pourrait bien être de ceux qui viennent si fréquemment se brûler les ailes aux flammes de la rampe ; passions d'écoliers et de poètes, comme nous en voyons tant.... Mais c'était plus sérieux, car la bourse du seigneur Fabio s'épuisait à fléchir ma résolution vertueuse....

MARCELLI. — En voilà assez ! Signora, nous n'avons point affaire, n'est-ce pas, de ces divagations....

CORILLA. — Laissez-le dire, rien ne nous presse, monsieur.

MAZETTO. — Enfin, j'imaginai que le seigneur Fabio étant épris par les yeux seulement, puisqu'il n'avait jamais pu réussir à s'approcher de madame et n'avait jamais entendu sa voix qu'en musique, il suffirait de lui procurer la satisfaction d'un entretien avec quelque créature de la taille et de l'air de la signora Corilla.... Il faut dire que j'avais déjà remarqué une petite bouquetière qui vend ses fleurs le long de la rue de Tolède ou devant les cafés de la place du Môle. Quelquefois elle s'arrête un instant et chante des chansonnettes espagnoles avec une voix d'un timbre fort clair....

MARCELLI. — Une bouquetière qui ressemble à la signora ; allons donc ! ne l'aurais-je point aussi remarquée ?

MAZETTO. — Seigneur, elle arrive tout fraîchement par le galion de Sicile, et porte encore le costume de son pays.

CORILLA. — Cela n'est pas vraisemblable, assurément.

MAZETTO. — Demandez au seigneur Fabio si, le costume aidant, il n'a pas cru tantôt voir passer madame elle-même ?

FABIO. — Eh bien ! cette femme....

MAZETTO. — Cette femme, seigneur, est celle qui vous attend à la Villa-Reale, ou plutôt qui ne vous attend plus, l'heure étant de beaucoup passée.

FABIO. — Peut-on imaginer une plus noire complication d'intrigues ?

MARCELLI. — Mais non ; l'aventure est plaisante. Et, voyez, la signora elle-même ne peut s'empêcher d'en rire.... Allons, beau cavalier, séparons-nous sans rancune, et corrigez-moi ce drôle d'importance.... Ou plutôt tenez, profitez de son idée : la nuée qu'embrassait Ixion [28] valait bien pour lui la divinité dont elle était l'image, et je vous crois assez poète pour vous soucier peu des réalités. — Bonsoir, seigneur Fabio !

FABIO, MAZETTO.

FABIO, *à lui-même*. — Elle était là ! et pas un mot de pitié, pas un signe d'attention ! Elle assistait, froide et morne, à ce débat qui me couvrait de ridicule, et elle est partie dédaigneusement sans dire une parole, riant seulement, sans doute, de ma maladresse et de ma simplicité !... Oh ! tu peux te retirer, va, pauvre diable si inventif, je ne maudis plus ma mauvaise étoile [29], et je vais rêver le long de la mer à mon infortune, car je n'ai plus même l'énergie d'être furieux.

MAZETTO. — Seigneur, vous feriez bien d'aller rêver du côté de la Villa-Reale ; la bouquetière vous attend peut-être encore....

FABIO, *seul.*

En vérité, j'aurais été curieux de rencontrer cette créature et de la traiter comme elle le mérite. Quelle femme est-ce donc que celle qui se prête à une telle manœuvre ? Est-ce une niaise enfant à qui l'on a fait la leçon, ou quelque effrontée qu'on n'a eu que la peine de payer et de mettre en campagne ? Mais il faut l'âme d'un plat valet pour m'avoir jugé digne de donner dans ce piège un instant. Et pourtant elle ressemble à celle que j'aime... et moi-même, quand je la rencontrai voilée, je crus reconnaître et sa démarche et le son si pur de sa voix.... Allons, il est bientôt six heures de nuit, les derniers promeneurs s'éloignent vers Sainte-Lucie [30] et vers Chiaia, et les terrasses des maisons se garnissent de monde.... A l'heure qu'il est, Marcelli soupe gaiement avec sa conquête facile. Les femmes n'ont d'amour que pour ces débauchés sans cœur.

FABIO, UNE BOUQUETIÈRE.

FABIO. — Que me veux-tu, petite ?

LA BOUQUETIÈRE. — Seigneur, je vends des roses, je vends des fleurs du printemps. Voulez-vous acheter tout ce qui me reste pour parer la chambre de votre amoureuse ? On va bientôt fermer le jardin, et je ne puis remporter cela chez mon père ; je serais battue. Prenez le tout pour trois carlins [31].

FABIO. — Crois-tu donc que je sois attendu ce soir, et me trouves-tu la mine d'un amant favorisé ?

LA BOUQUETIÈRE. — Venez ici à la lumière. Vous m'avez l'air d'un beau cavalier, et, si vous n'êtes pas attendu, c'est que vous attendez.... Ah ! mon Dieu !

FABIO. — Qu'as-tu, ma petite ? Mais vraiment, cette figure.... Ah ! je comprends tout maintenant : tu es la fausse Corilla !... A ton âge, mon enfant, tu entames un vilain métier !

LA BOUQUETIÈRE. — En vérité, seigneur, je suis une honnête fille, et vous allez me mieux juger. On m'a déguisée en grande dame, on m'a fait apprendre des mots par cœur ;

mais quand j'ai vu que c'était une comédie pour tromper un honnête gentilhomme, je me suis échappée et j'ai repris mes habits de pauvre fille, et je suis allée, comme tous les soirs, vendre mes fleurs sur la place du Môle et dans les allées du Jardin royal.

FABIO. — Cela est-il bien vrai ?

LA BOUQUETIÈRE. — Si vrai, que je vous dis adieu, seigneur ; et puisque vous ne voulez pas de mes fleurs, je les jetterai dans la mer en passant : demain, elles seraient fanées.

FABIO. — Pauvre fille, cet habit te sied mieux que l'autre, et je te conseille de ne plus le quitter. Tu es, toi, la fleur sauvage des champs ; mais qui pourrait se tromper entre vous deux ? Tu me rappelles sans doute quelques-uns de ses traits, et ton cœur vaut mieux que le sien, peut-être. Mais qui peut remplacer dans l'âme d'un amant la belle image [32] qu'il s'est plu tous les jours à parer d'un nouveau prestige ? Celle-là n'existe plus en réalité sur la terre ; elle est gravée seulement au fond du cœur fidèle, et nul portrait ne pourra jamais rendre son impérissable beauté.

LA BOUQUETIÈRE. — Pourtant on m'a dit que je la valais bien, et, sans coquetterie, je pense qu'étant parée comme la signora Corilla, aux feux des bougies, avec l'aide du spectacle et de la musique, je pourrais bien vous plaire autant qu'elle, et cela sans blanc de perle et sans carmin.

FABIO. — Si ta vanité se pique, petite fille, tu m'ôteras même le plaisir que je trouve à te regarder un instant. Mais, vraiment, tu oublies qu'elle est la perle de l'Espagne et de l'Italie, que son pied est le plus fin et sa main la plus royale du monde. Pauvre enfant ! la misère n'est pas la culture qu'il faut à des beautés si accomplies, dont le luxe et l'art prennent soin tour à tour.

LA BOUQUETIÈRE. — Regardez mon pied sur ce banc de marbre ; il se découpe encore assez bien dans sa chaussure brune. Et ma main, l'avez-vous seulement touchée ?

FABIO. — Il est vrai que ton pied est charmant, et ta main.... Dieu ! qu'elle est douce !... Mais, écoute, je ne veux pas te tromper, mon enfant, c'est bien elle seule que j'aime, et le charme qui m'a séduit n'est pas né dans une soirée. Depuis trois mois que je suis à Naples, je n'ai pas manqué de la voir un seul jour d'Opéra. Trop pauvre pour briller près d'elle, comme tous les beaux cavaliers qui l'entourent aux promenades, n'ayant ni le génie des musiciens, ni la renommée des poètes qui l'inspirent et qui la servent dans son talent, j'allais sans espérance m'enivrer de sa vue et de ses chants, et prendre ma part dans ce plaisir de tous, qui pour moi seul était le bonheur de la vie. Oh ! tu la vaux bien peut-être, en effet... mais as-tu cette grâce divine qui se révèle sous tant d'aspects ? As-tu ces pleurs et ce sourire ? As-tu ce chant divin[33], sans lequel une divinité n'est qu'une belle idole ? Mais alors tu serais à sa place, et tu ne vendrais pas des fleurs aux promeneurs de la Villa-Reale....

LA BOUQUETIÈRE. — Pourquoi donc la nature, en me donnant son apparence, aurait-elle oublié la voix ? Je chante fort bien, je vous jure ; mais les directeurs de San-Carlo n'auraient jamais l'idée d'aller ramasser une prima donna sur la place publique.... Écoutez ces vers d'opéra que j'ai retenus pour les avoir entendus seulement au petit théâtre de la Fenice.

(Elle chante.)

AIR ITALIEN

Qu'il m'est doux — De conserver la paix du cœur, — Le calme de la pensée.

Il est sage d'aimer — Dans la belle saison de l'âge ; — Plus sage de n'aimer pas.

FABIO, *tombant à ses pieds.* — Oh ! madame, qui vous méconnaîtrait maintenant ? Mais cela ne peut être.... Vous êtes une déesse véritable, et vous allez vous envoler ! Mon Dieu ! qu'ai-je à répondre à tant de bontés ? je suis indigne de vous aimer, pour ne vous avoir point d'abord reconnue !

CORILLA. — Je ne suis donc plus la bouquetière ?... Eh bien ! je vous remercie ; j'ai étudié ce soir un nouveau rôle, et vous m'avez donné la réplique admirablement.

FABIO. — Et Marcelli ?

CORILLA. — Tenez, n'est-ce pas lui que je vois errer tristement le long de ces berceaux, comme vous faisiez tout à l'heure ?

FABIO. — Évitons-le, prenons une allée.

CORILLA. — Il nous a vus, il vient à nous.

FABIO, CORILLA, MARCELLI

MARCELLI. — Hé ! seigneur Fabio, vous avez donc trouvé la bouquetière ? Ma foi, vous avez bien fait, et vous êtes plus heureux que moi ce soir.

FABIO. — Eh bien ! qu'avez-vous donc fait de la signora Corilla ? vous alliez souper ensemble gaiement.

MARCELLI. — Ma foi, l'on ne comprend rien aux caprices des femmes. Elle s'est dite malade, et je n'ai pu que la reconduire chez elle ; mais demain....

FABIO. — Demain ne vaut pas ce soir, seigneur Marcelli.

MARCELLI. — Voyons donc cette ressemblance tant vantée.... Elle n'est pas mal, ma foi !... mais ce n'est rien ; pas de distinction, pas de grâce. Allons, faites-vous illusion à votre aise.... Moi, je vais penser à la prima donna de San-Carlo, que j'épouserai dans huit jours.

CORILLA, *reprenant son ton naturel.* — Il faudra réfléchir là-dessus, seigneur Marcelli. Tenez, moi, j'hésite beaucoup à m'engager. J'ai de la fortune, je veux choisir. Pardonnez-moi d'avoir été comédienne en amour comme au théâtre, et de vous avoir mis à l'épreuve tous deux. Maintenant, je vous l'avouerai, je ne sais trop si aucun de vous m'aime, et j'ai besoin de vous connaître davantage. Le seigneur Fabio n'adore en moi que l'actrice peut-être, et son amour a besoin de la distance et de la rampe allumée ; et vous, seigneur Marcelli, vous me paraissez vous aimer avant tout le monde, et vous émouvoir difficilement dans l'occasion. Vous êtes trop mondain, et lui trop poète. Et maintenant, veuillez tous deux m'accompagner. Chacun de vous avait gagé de souper avec moi : j'en avais fait la promesse à chacun de vous ; nous souperons tous ensemble ; Mazetto nous servira.

MAZETTO, *paraissant et s'adressant au public.* — Sur quoi, messieurs, vous voyez que cette aventure scabreuse va se terminer le plus moralement du monde. — Excusez les fautes de l'auteur [34].

LA PANDORA

●

GÉRARD DE NERVAL *fut un chroniqueur remarquable : pendant ses voyages, tout lui était matière à enrichir son « reportage » et il adressait à ses amis des lettres où il mêlait impressions et confidences personnelles. C'est ainsi que nous pouvons faire des recoupements entre le rêve et la vie.*

Les Amours de Vienne *avaient paru à la* Revue de Paris *en 1841. Voulant donner une suite à ce récit pour compléter son recueil des* Filles du Feu, *Nerval entreprit en novembre 1843 d'écrire* La Pandora *dont la première partie seule parut de son vivant, dans* Le Mousquetaire *du 31 octobre 1854. La deuxième fut retrouvée par le biographe passionné de Nerval, Aristide Marie, qui la publia en 1921.*

Pandora ou La Pandora, c'est Marie Pleyel, la célèbre pianiste, mariée jeune au compositeur Camille Pleyel : elle avait attiré autour de son instrument tous les fervents de musique, de capitale en capitale. En 1839, elle se trouvait à Vienne en même temps que Gérard, qui, l'année précédente, avait rompu avec Jenny Colon et gardé de ces amours perdues *le sentiment d'une faute dont il craignait de ne jamais recevoir le pardon.*

Pourtant, dit un de ses amis, « c'était alors un beau jeune homme avec une barbe châtaine à la Van Dyck, un visage légèrement émacié, un regard plein de feu ; l'écrivain était déjà fêté par le succès ».

Une lettre de Janin l'autorisant à se présenter à l'artiste, Marie Pleyel fit sur lui une vive impression : « Deux yeux, écrit-il, qui sont comme le crépuscule d'un soir de printemps dans l'Alhambra, un visage éclatant comme le pâle reflet de la lune, un sourire qu'on dirait le rêve d'une poésie d'amour. »

Cet amour nouveau le transporta, il « sonna la trompette auprès de ses amis », puis bientôt ils apprirent que « cela avait mal fini ».

*Revenant sur ces événements dans le premier chapitre d'*Aurélia, *Nerval a raconté qu'il écrivit à Marie une belle lettre pleine d'amour, mais que, dans ses entretiens, il ne put retrouver le diapason de son style et qu'il dut lui avouer, avec larmes, « qu'il s'était trompé lui-même en l'abusant ». Ainsi déjà dans* Sylvie *(XIII) il confie à Jenny-Aurélie que c'est Adrienne qu'il recherche et retrouve en elle ; dans* Octavie, *il ne poursuit pas son aventure parce que la belle Napolitaine ne devait être qu'un rêve pour un cœur où seule régnait la femme aimée de Paris.*

*Dans cette série d'échecs on a voulu voir un cas d'application de la théorie stendhalienne (*De l'amour, II, *chapitre* LX*) ; et si l'on recherche les causes de la névrose de Nerval depuis 1841, on trouve qu'en décembre 1840 Nerval a rencontré, à Bruxelles, à la fois Jenny et Marie Pleyel, la cantatrice et la pianiste, toutes deux désirées, toutes deux perdues pour la même raison, et que, de cette entrevue, il a reçu un choc douloureux.*

Nerval, en effet, rentre à Paris le 1er janvier 1841 ; en février, après une crise d'enthousiasme extatique en public, il doit être confié à une maison de santé ; dès lors, dans le sommeil, il est visité par le spectre de sa mère « aux yeux caves, vêtue de noir », par les fantômes de Jenny et d'Adrienne, et il converse avec Isis. On lira l'histoire de cette première crise dans Aurélia.

La Pandora, *c'est donc la cruelle histoire d'une douleur que douze ans n'ont pas apaisée, mais que l'écrivain a sublimée à la lecture de* Pandora *de Gœthe (1807-1808) qu'il faut connaître pour mieux comprendre le texte de Nerval.*

Mais, aussi longtemps que de nouveaux papiers datant des Amours de Vienne *ne seront pas retrouvés, nous ne connaîtrons pas la véritable aventure des amours de Gérard et de Marie, ni le secret de* La Pandora, *dont la clé est perdue.*

H. A.-B.

LA PANDORA

I

> Deux âmes, hélas ! se partagent mon sein et chacune d'elles veut se séparer de l'autre : l'une, ardente d'amour, s'attache au monde par le moyen des organes du corps ; un mouvement surnaturel entraîne l'autre loin des ténèbres, vers les hautes demeures de nos aïeux.
>
> *Faust* [1].

Vous l'avez tous connue, ô mes amis ! la belle *Pandora* [2] du théâtre de Vienne. Elle vous a laissé sans doute, ainsi qu'à moi-même, de cruels et doux souvenirs. C'était bien à elle peut-être, — à elle, en vérité, — que pouvait s'appliquer l'indéchiffrable énigme gravée sur la pierre de Bologne [3] : ÆLIA LÆLIA. *Nec vir, nec mulier, nec androgyna*, etc. « Ni homme, ni femme, ni androgyne, ni fille, ni jeune, ni vieille, ni *chaste*, ni *folle*, ni pudique, mais tout cela ensemble.... » Enfin la *Pandora*, c'est tout dire, car je ne veux pas dire tout.

O Vienne la bien gardée ! rocher d'amour des paladins, comme dirait le vieux Menzel [4], tu ne possèdes pas la coupe bénie du Saint-Graal [5] mystique, mais le *Stock-im-Eisen* [6] des braves compagnons ! Ta montagne d'aimant attire invinciblement les pointes des épées, et le Magyar jaloux, le Bohême intrépide, le Lombard généreux mourraient pour te défendre aux pieds divins de *Maria Hilf* [7].

Je n'ai pu moi-même planter le clou symbolique dans le tronc chargé de fer (*Stock-im-Eisen*) posé à l'entrée du *Graben* [8], à la porte d'un bijoutier, — mais j'ai versé mes plus douces larmes et les plus pures effusions de mon cœur le long des places et des rues, sur les bastions, dans les allées de l'Augarten [9] et sous les bosquets du Prater [10]. J'ai attendri de mes chants d'amour les biches timides et les faisans privés ; j'ai promené mes rêveries sur les rampes gazonnées de Schœnbrunn [11]. J'adorais les pâles statues de ces jardins que couronne la *gloriette* [12] de Marie-Thérèse et les chimères du vieux palais m'ont ravi mon cœur pendant que j'admirais leurs yeux divins et que j'espérais m'allaiter à leurs seins de marbre éclatant.

Pardonne-moi d'avoir surpris un regard de tes beaux yeux, auguste archiduchesse, dont j'aimais tant l'image peinte sur une enseigne de magasin. Tu me rappelais *l'autre* [13]... rêve de mes jeunes amours, pour qui j'ai si souvent franchi l'espace qui séparait mon toit natal de la ville des Stuarts [14] ! J'allais à pied, traversant plaines et bois, rêvant à la Diane valoise [15] qui protège les Médicis, et quand, au-dessus des maisons du Pecq et du pavillon d'Henri IV, j'apercevais les tours de brique couronnées d'ardoises, alors je traversais la Seine qui languit et se replie autour de ses îles, et je m'engageais dans les ruines solennelles du vieux château de Saint-Germain. L'aspect ténébreux des hauts portiques, où plane la souris chauve, où fuit le lézard, où bondit le chevreau qui broute les vertes acanthes, me remplissait de joie et d'amour. Puis, quand j'avais gagné le plateau de la montagne, fût-ce à travers le vent et l'orage, quel bonheur encore d'apercevoir au-delà des maisons la côte bleuâtre de Mareil, avec son église où reposent les cendres du vieux seigneur de Monteynard.

Le souvenir de mes belles cousines, ces intrépides chasseresses que je promenais autrefois dans les bois, belles toutes deux, comme les filles de Léda [16], m'éblouit encore et m'enivre.

Pourtant, je n'aimais qu'*elle, alors!* [17].

Il faisait très froid à Vienne la veille de la Saint-Sylvestre et je me plaisais beaucoup dans le boudoir de la *Pandora*. Une lettre qu'elle faisait semblant d'écrire n'avançait guère, et les délicieuses pattes de mouche de son écriture s'entremêlaient follement avec je ne sais quels arpèges mystérieux qu'elle tirait par instants des cordes de sa harpe, dont la crosse disparaissait sous les enlacements d'une sirène dorée. Tout à coup, elle se jeta à mon col et m'embrassa, en disant avec un fou rire : « Tiens, c'est un petit prêtre ! il est bien plus amusant que mon baron. »

J'allai me rajuster à la glace, car mes cheveux châtains se trouvaient tout défrisés, et je rougis d'humiliation en sentant que je n'étais aimé qu'à cause d'un certain petit air ecclésiastique que me donnaient mon air timide et mon habit noir.

« Pandora, lui dis-je, ne plaisantons pas avec l'amour, ni avec la religion, car c'est la même chose en vérité.

— Mais j'adore les prêtres, dit-elle. Laissez-moi mon illusion.

— Pandora, dis-je avec amertume, je ne remettrai plus cet habit noir, et quand je reviendrai chez vous, je porterai mon habit bleu à boutons dorés, qui me donne l'air cavalier.

— Je ne vous recevrai qu'en habit noir, dit-elle. Et elle appela sa suivante :

— Roschen !... si Monsieur que voilà se présente en habit bleu, vous le mettrez dehors et vous le consignerez à la porte de l'hôtel. J'en ai bien assez, ajouta-t-elle avec colère, des attachés d'ambassade en bleu avec leurs boutons à couronnes, et des officiers de Sa Majesté Impériale, et des Magyars[18] avec leurs habits de velours et leurs toques à aigrettes. Ce petit-là me servira d'abbé. Adieu ! l'abbé, c'est convenu, vous viendrez me chercher demain en voiture et nous irons en partie fine au Prater... mais vous serez en habit noir ! »

Chacun de ces mots m'entrait au cœur comme une épine. Un rendez-vous, un rendez-vous positif, pour le lendemain, premier jour de l'année, et en habit noir encore. Et ce n'était pas tant l'habit noir qui me désespérait, mais ma bourse était vide. Quelle honte ! vide, hélas ! le propre jour de la Saint-Sylvestre !...

Poussé par un fol espoir, je me hâtai de courir à la poste pour voir si mon oncle ne m'avait pas adressé une lettre chargée. O bonheur ! on me demande deux florins et l'on me remet une épître qui porte le timbre de France. Un rayon de soleil tombait d'aplomb sur cette lettre insidieuse. Les lignes s'y suivaient impitoyablement sans le moindre croisement de mandat sur la poste ou d'effets de commerce. Elle ne contenait de toute évidence que des maximes de morale et des conseils d'économie.

Je la rendis en feignant prudemment une erreur de gilet, et je frappai avec une surprise affectée des poches qui ne rendaient aucun son métallique, puis je me précipitai dans les rues populeuses qui entourent Saint-Étienne[19].

Heureusement, j'avais à Vienne un ami. C'était un garçon fort aimable, un peu fou comme tous les Allemands, docteur en philosophie, et qui cultivait avec agrément quelques dispositions vagues à l'emploi de ténor léger.

Je savais bien où le trouver, c'est-à-dire chez sa maîtresse, une nommé Rosa, figurante au théâtre de Leopoldstadt[20]. Il lui rendait visite tous les jours de deux à cinq heures. Je traversai rapidement le Rothenthor, je montai le faubourg, et dès le bas de l'escalier je distinguai la voix de mon compagnon qui chantait d'un ton langoureux :

Einen Kuss von rosiger Lippe,
Und ich fürchte nicht Sturm, nicht Klippe [21]

Le malheureux s'accompagnait d'une guitare, ce qui n'est pas encore ridicule à Vienne, et se donnait des poses de ménestrel [22] ; je le pris à part en lui confiant ma situation.

« Mais tu ne sais pas, me dit-il, que c'est aujourd'hui la Saint-Sylvestre.

— Oh ! c'est juste, m'écriai-je en apercevant sur la cheminée de Rosa une magnifique garniture de vases remplis de fleurs. Alors, je n'ai plus qu'à me percer le cœur ou à m'en aller faire un tour vers l'île Lobau, là où se trouve la plus forte branche du Danube....

— Attends encore », me dit-il, en me saisissant le bras. Nous sortîmes. Il me dit :

« J'ai sauvé ceci des mains de Dalilah.... Tiens, voilà deux écus d'Autriche ; ménage-les bien et tâche de les garder intacts jusqu'à demain, car c'est le grand jour. »

Je traversai les glacis couverts de neige et je rentrai à Leopoldstadt où je demeurais chez des blanchisseuses. J'y trouvai une lettre qui me rappelait que je devais participer à une brillante représentation où assisterait une partie de la cour et de la diplomatie. Il s'agissait de jouer des charades [23]. Je pris mon rôle avec humeur, car je ne l'avais guère étudié. La Kathi vint me voir, souriante et parée, *bionda grassotta,* comme toujours et me dit des choses charmantes dans son patois mélangé de morave [24] et de vénitien. Je ne sais trop quelle fleur elle portait à son corsage ; je voulais l'obtenir de son amitié. Elle me dit d'un ton que je ne lui avais pas connu encore : « Jamais pour moins de *zehn Gulden Convention-mink* » (de dix florins en monnaie de convention).

Je fis semblant de ne pas comprendre. Elle s'en alla furieuse et me dit qu'elle irait trouver son vieux baron qui lui donnerait de plus riches étrennes.

Me voilà libre. Je descends le faubourg en étudiant mon rôle que je tenais à la main. Je rencontrai Wahby la Bohême, qui m'adressa un regard languissant et plein de reproches. Je sentis le besoin d'aller dîner à la Porte-Rouge, je m'inondai l'estomac d'un tokai [25] rouge à trois kreutzers le verre, dont j'arrosai des côtelettes grillées, du wurschell [26] et un entremets d'escargots.

Les boutiques illuminées regorgeaient de visiteuses et mille fanfreluches, bamboches et poupées de Nuremberg grimaçaient aux étalages accompagnées d'un concert enfantin de tambours de basque et de trompettes de fer-blanc. « Diable de conseiller intime de sucre candi ! » m'écriai-je en souvenir d'Hoffmann [27], et je descendis rapidement les degrés usés de la taverne des Chasseurs. On chantait la *Revue nocturne* du poète Zedlitz [28]. La grande ombre de l'empereur planait sur l'assemblée joyeuse, et je fredonnais en moi-même : « O Richard [29] !... » Une fille charmante m'apporta un verre de *baierisch-bier* [30], et je n'osai l'embrasser, parce que je songeais au rendez-vous du lendemain. Je ne pouvais tenir en place. J'échappai à la joie tumultueuse de la taverne, et j'allai prendre mon café au Graben. En traversant la place Saint-Étienne, je fus reconnu [31] par une bonne vieille décrotteuse qui me cria selon son habitude : « S... n... de D... ! » seul mot français qu'elle eût retenu de l'invasion impériale. Cela me fit songer à la représentation du soir, car autrement je serais allé m'incruster dans quelque salle du théâtre de la porte de Carinthie où j'avais l'usage d'admirer beaucoup M. Lutzer. Je me fis cirer, car la neige avait fort détérioré ma chaussure !

Une bonne tasse de café me remit en état de me présenter au palais ; les rues étaient pleines de Lombards, de Bohêmes et de Hongrois en costumes. Les diamants, les rubis, les opales étincelaient sur leurs poitrines, et la plupart se dirigeaient vers le *Burg* [32], pour aller présenter leurs hommages à la famille impédiale.

Je n'osai me mêler à cette foule éclatante, mais le souvenir chéri de l'*autre* [33]... me protégea encore contre les charmes de l'artificieuse *Pandora*.

II

Je suis obligé d'expliquer que *Pandora* fait suite aux aventures que j'ai publiées autrefois dans la *Revue de Paris* [1], et réimprimées dans l'introduction de mon *Voyage en Orient*, sous ce titre : *Les Amours de Vienne* [2]. Des raisons de convenance qui n'existent plus, j'espère, m'avaient forcé de supprimer ce chapitre. S'il faut encore un peu de clarté, permettez-moi de faire réimprimer les lignes qui précédaient jadis ce passage de mes *Mémoires*. J'écris les *miens* sous plusieurs formes, puisque c'est la mode aujourd'hui. Ceci est un fragment d'une lettre confidentielle adressée à M. Théophile Gautier, qui n'a vu le jour que par suite d'une indiscrétion de la police de Vienne, — à qui je pardonne, — et il serait trop long, dangereux peut-être, d'appuyer sur ce point.

Voici le passage que les curieux ont le droit de reporter en tête du premier article de *Pandora*.

Représente-toi une grande cheminée de marbre sculpté. Les cheminées sont rares à Vienne, et n'existent guère que dans les palais. Les fauteuils et les divans ont les pieds dorés. Autour de la salle, il y a des consoles dorées; et les lambris... ma foi, il y a aussi des lambris dorés. La chose est complète comme tu vois. Devant cette cheminée, trois dames[3] *charmantes sont assises: l'une est de Vienne; les deux autres sont, l'une Italienne, l'autre Anglaise. L'une des trois est la maîtresse de la maison. Des hommes sont là, deux sont comtes, un autre est un prince hongrois, un autre est ministre, les autres sont des jeunes gens* pleins d'avenir. *Les dames ont parmi eux des maris et des amants avoués, connus; mais tu sais que les amants passent en général à l'état de maris, c'est-à-dire ne comptent plus comme individualité masculine. Cette remarque est très forte, songes-y bien.*

Ton ami se trouve donc seul homme dans cette société à bien juger sa position; la maîtresse de la maison mise à part (cela doit être), ton ami a donc des chances de fixer l'attention des deux dames qui restent, et même il a peu de mérite à cela par les raisons que je viens d'expliquer.

Ton ami a dîné confortablement; il a bu des vins de France et de Hongrie, pris du café et de la liqueur, il est bien mis, son linge est d'une finesse exquise, ses cheveux sont soyeux et frisés très légèrement[4]. *Ton ami fait du paradoxe, ce qui est usé depuis dix ans chez nous, et ce qui est ici tout neuf. Les seigneurs étrangers ne sont pas de force à lutter sur ce bon terrain que nous avons tant remué. Ton ami flamboie et pétille; on le touche, il est tout en feu.*

Voilà un jeune homme bien posé: il plaît prodigieusement aux dames; les hommes sont très charmés aussi. Les gens de ce pays sont si bons! Ton ami passe donc pour un causeur agréable. On se plaint qu'il parle peu; mais, quand il s'échauffe, il est très bien!

Je te dirai que, des deux dames, il en est une qui me plaît beaucoup et l'autre beaucoup aussi. Toutefois l'Anglaise a un petit parler si doux, elle est si bien assise dans son fauteuil; de beaux cheveux blonds à reflets rouges, la peau si blanche, de la soie, de la ouate et des tulles, des perles et des opales; on ne sait pas trop ce qu'il y a au milieu de tout cela, mais c'est si bien arrangé!

C'est là un genre de beauté et de charme que je commence à présent à comprendre; je vieillis. Si bien que me voilà à m'occuper toute la soirée de cette jolie femme dans son fauteuil. L'autre paraissait s'amuser beaucoup dans la conversation d'un monsieur d'un certain âge qui semble fort épris d'elle et dans les conditions d'un patito[5] *tudesque, ce qui n'est pas réjouissant. Je causais avec la petite dame bleue; je lui témoignais avec feu mon admiration pour les cheveux et le teint des blondes. Voici l'autre, qui nous écoutait d'une oreille, qui quitte brusquement la conversation de son soupirant et se mêle à la nôtre. Je veux tourner la question. Elle avait tout entendu. Je me hâte d'établir une distinction pour les brunes qui ont la peau blanche: elle me répond que la sienne est noire... de sorte que voilà ton ami réduit aux exceptions, aux conventions, aux protestations. Alors je pensais avoir beaucoup déplu à la dame brune. J'en étais fâché, parce qu'après tout elle est fort belle et fort majestueuse dans sa robe blanche, et ressemble à la Grisi[6] dans le premier acte de* Don Juan. *Ce souvenir m'avait servi, du reste, à rajuster un peu les choses. Deux jours après, je me rencontre au casino avec l'un des comtes qui étaient là; nous allons par occasion dîner ensemble, puis au spectacle. Nous nous lions comme cela. La conversation tombe sur les deux dames dont j'ai parlé plus haut, il me propose de me présenter à l'une d'elles: la noire. J'objecte ma maladresse précédente. Il me dit qu'au contraire cela avait très bien fait. — Cet homme est profond.*

De colère je renversai le paravent[7], qui figurait un salon de campagne. — Quel scandale! — Je m'enfuis du salon à toutes jambes, bousculant, le long des escaliers, des foules d'huissiers à chaînes d'argent et d'heiduques[8] galonnés, et m'attachant des *pattes de cerf*[9], j'allai me réfugier honteusement dans la taverne des Chasseurs.

Là, je demandai un pot de vin nouveau, que je mélangeai d'un pot de vin vieux, et j'écrivis à la déesse[10] une lettre de quatre pages, d'un style abracadabrant. Je lui rappelais les souffrances de Prométhée[11], quand il mit au jour une créature aussi dépravée qu'elle. Je critiquai sa boîte à malice et son ajustement de bayadère. J'osai même m'attaquer à ses pieds serpentins [12], que je voyais passer insidieusement sous sa robe. Puis j'allai porter la lettre à l'hôtel où elle demeurait.

Sur quoi je retournai à mon petit logement de Leopoldstadt, où je ne pus dormir de la nuit. Je la voyais dansant toujours avec deux cornes d'argent ciselé, agitant sa tête empanachée et faisant onduler son col de dentelles gaufrées sur les plis de sa robe de brocart.

Qu'elle était belle en ses ajustements de soie et de pourpre levantine, faisant luire insolemment ses blanches épaules, huilées de la sueur du monde. Je la domptai en m'attachant désespérément à ses cornes, et je crus reconnaître en elle l'altière Catherine, impératrice de toutes les Russies. J'étais moi-même le prince de Ligne [13], et elle ne fit pas de difficulté de m'accorder la Crimée, ainsi que l'emplacement de l'ancien temple de Thoas [14]. — Je me trouvai tout à coup moelleusement assis sur le trône de Stamboul [15].

« Malheureuse ! lui dis-je, nous sommes perdus par ta faute, et le monde va finir ! Ne sais-tu pas qu'on ne peut plus respirer ici ? L'air est infecté de tes poisons, et la dernière bougie qui nous éclaire encore tremble et pâlit au souffle impur de nos haleines.... De l'air ! de l'air ! Nous périssons !

— Mon seigneur, cria-t-elle, nous n'avons à vivre que sept mille ans ! Cela fait encore mille cent quarante !

— Septante-sept mille ! lui dis-je, et des milliers d'années en plus ; tes nécromanciens [16] se sont trompés. »

Alors elle s'élança, rajeunie des oripeaux qui la couvraient, et son vol se perdit dans le ciel pourpré du lit à colonnes. Mon esprit flottant voulut en vain la suivre : elle avait disparu pour l'éternité.

J'étais en train d'avaler quelques pépins de grenade. Une sensation douloureuse succéda dans ma gorge à cette distraction. Je me trouvai étranglé. On me trancha la tête, qui fut exposée à la porte du sérail, et j'étais mort tout de bon, si un perroquet passant à tire-d'aile n'eût avalé quelques-uns des pépins que j'avais rejetés.

Il me transporta à Rome, sous les berceaux fleuris de la treille du Vatican, où la belle Impéria [17] trônait à la table sacrée, entourée d'un conclave de cardinaux. A l'aspect des plats d'or, je me sentis revivre et je lui dis : « Je te reconnais bien, Jésabel [18] ! » Puis un craquement se fit dans la salle. C'était l'annonce du *Déluge*, opéra en trois actes. Il me sembla alors que mon esprit perçait la terre, et, traversant à la nage les bancs de corail de l'Océan et la mer pourprée des tropiques, je me trouvai jeté sur la rive ombragée de l'île des Amours. C'était la plage de Taïti[19]. Trois jeunes filles m'entouraient et me faisaient peu à peu revenir. Je leur adressai la parole. Elles avaient oublié la langue des hommes. « Salut ! mes sœurs du ciel », leur dis-je en souriant.

Je me jetai hors du lit comme un fou ; il faisait grand jour, il fallait attendre jusqu'à minuit pour attendre l'effet de ma lettre. *La Pandora* dormait encore quand j'arrivai chez elle. Elle bondit de joie et me dit : « Allons au Prater, je vais m'habiller. » Pendant que je l'attendais dans son salon, le prince*** frappa à la porte et me dit qu'il revenait du château. Je l'avais cru dans ses terres. Il me parla longtemps de sa force à l'épée, et de certaines rapières dont les étudiants du Nord se servent dans leurs duels. Nous nous escrimions dans l'air quand notre double étoile apparut. Ce fut alors à qui ne sortirait pas du salon. Ils se mirent à causer dans une langue que j'ignorais ; mais je ne lâchai pas un pouce de terrain. Nous descendîmes l'escalier tous trois ensemble, et le prince nous accompagna jusqu'à l'entrée du Kohlmarkt[20].

« Vous avez fait de belles choses, me dit-elle, voilà l'Allemagne en feu pour un siècle. »

Je l'accompagnai chez son marchand de musique ; et, pendant qu'elle feuilletait les albums, je vis accourir le vieux marquis en uniforme de Magyar, mais sans bonnet, qui s'écriait : « Quelle imprudence ! les deux étourdis vont se tuer, pour l'amour de vous. » Je brisai cette conversation ridicule, en faisant avancer un fiacre. *La Pandora* donna l'ordre de toucher Dorothee-Gasse[21] chez sa modiste. Elle y resta enfermée une heure, puis elle dit en sortant : « Je ne suis entourée que de maladroits. — Et moi ? observai-je humblement. — Oh ! vous, vous avez le numéro un. — Merci ! » répliquai-je.

Je parlai confusément du Prater, mais le vent avait changé. Il fallut la ramener honteusement à son hôtel et mes deux écus d'Autriche furent à peine suffisants pour payer le fiacre.

De rage, j'allai me renfermer chez moi, où j'eus la fièvre. Le lendemain matin, je reçus un billet de répétition qui m'enjoignait d'apprendre le rôle de la Vieille, pour jouer la pièce intitulée : *Deux Mois dans la Forêt.*

Je me gardai bien de me soumettre à une nouvelle humiliation, et je repartis pour Salzbourg, où j'allais réfléchir amèrement dans l'ancienne maison de Mozart, habitée aujourd'hui par un chocolatier.

Je n'ai revu *la Pandora* que l'année suivante, dans une froide capitale du Nord [22]. Ma voiture s'arrêta tout à coup au milieu de la grande place et un sourire divin me cloua sans forces sur le sol. « Te voilà encore, enchanteresse, m'écriai-je, et la boîte fatale, qu'en as-tu fait ? — Je l'ai remplie pour toi, dit-elle, des plus beaux joujoux de Nuremberg. Ne viendras-tu pas les admirer ? »

Mais je me pris à fuir à toutes jambes vers la place de la Monnaie. « O fils des dieux, père des hommes ! criait-elle, arrête un peu. C'est aujourd'hui la Saint-Sylvestre, comme l'an passé.... Où as-tu caché le feu du ciel que tu dérobas à Jupiter ? »

Je ne voulus pas répondre : le nom de Prométhée me déplaît toujours singulièrement, car je sens encore à mon flanc le bec éternel du vautour dont Alcide [23] m'a délivré.

O Jupiter ! quand finira mon supplice ?

AURÉLIA

●

AU MATIN *du 26 janvier 1855, ses amis Asselineau, Houssaye, Nadar, Gautier, du Camp, reçurent le corps du pauvre Gérard tel que le leur rendait la nuit fatale de la rue de la Vieille-Lanterne. Ils retrouvèrent dans les poches de son habit noir des épreuves qu'il relisait les derniers jours; la* Revue de Paris *avait, en effet, publié le 1er janvier 1855 la première partie d'*Aurélia ou Le Rêve et la Vie; *le 15 février 1855, la seconde parut avec une note de la direction: « nous publions le dernier travail de Gérard de Nerval, tel qu'il nous l'a laissé... »*

La même année, Aurélia parut en volume chez l'éditeur Lecou et prit place en 1868 au tome V des Œuvres complètes *chez Michel Lévy Frères.*

C'est pendant son dernier séjour à la maison de santé de Passy que Nerval avait entrepris cet hallucinant récit, l'une des plus extraordinaires confessions de tous les temps. Ayant, selon sa propre expression, fait des folies, *il y était retourné le 27 août 1853; on lui avait installé une chambre où il pourrait se croire chez lui; le docteur Blanche, qui savait être aussi le médecin des âmes, recevait de Nerval, sur sa demande peut-être, des pages auxquelles le malade pour se libérer de ses angoisses: confiait, au jour le jour, ses rêves à ces feuillets vinrent s'ajouter le récit de la première crise de 1841, sur laquelle, selon Pierre Audiat, une notice nécrologique préparée par Jules Janin et parue prématurément lui avait fourni des documents.*

« J'entreprends, dit Nerval, d'écrire et de constater toutes les impressions que m'a laissées ma maladie. Jamais je ne me suis reconnu plus de facilité d'analyse et de description... J'arrive à débarrasser ma tête de toutes ces visions qui l'ont si longtemps peuplée. » Il travailla aussi en mai 1854,

pendant le voyage de convalescence qu'il fit en Allemagne. « Cela est devenu clair, c'est le principal. »

Ces stupéfiants mémoires des splendeurs de sa folie, comme Aristide Marie appelle Aurélia, *font revivre en effet toute l'existence de Nerval, le rêve et la vie.* Sylvie, *c'était la rêverie ;* Aurélia, *c'est le rêve, qui, pour lui et quelques autres comme Nodier, a une extrême importance dans la vie de l'homme : « le sommeil est l'état le plus puissant et le plus lucide de la pensée : ce qu'il y a de plus secret en nous, s'y épanouit ; l'esprit, sous le doux empire de cette mort intermittente, se repose dans sa propre essence ».*

Devant les songes étranges qu'il analyse dans cette véritable autopsie d'une âme *(Maxime du Camp), la vie de Nerval prend le sens d'une torturante inquiétude sur son destin : sa mère est morte jeune, Sylvie s'est mariée, Adrienne est devenue religieuse, son amour ne peut désormais l'atteindre. Jenny-Aurélia, qui est probablement la même qu'Adrienne, est perdue pour lui et par sa faute ; reportée sur Marie-Pandora, sa passion s'est évanouie ; tout ce malheur est la conséquence fatale d'une faute dont jamais il n'a livré le secret d'ailleurs, car la thèse de Louis Sébillotte n'est qu'une hypothèse*[1]. *Gérard sait néanmoins qu'il parviendra à retrouver Aurélia, qu'elle intercédera pour lui auprès des divinités, car Nerval a accepté tour à tour toutes les divinités et toutes les magies jusqu'au syncrétisme sur quoi, à la fin, il conclut.*

Une nuit, enfin, il revoit l'apparition de ses rêves qui est Aurélia, Jenny Colon, sa mère, la Vierge Marie, la déesse Isis, à la fois. Elle lui dit : l'épreuve à laquelle tu étais soumis est venue à son terme... il m'est permis à moi-même de venir et de t'encourager !... « La joie que ce rêve répandit en mon esprit me procura un rêve délicieux » (page 250). Gérard se sent maintenant pardonné, à la fois de sa faute secrète envers Aurélia et de sa faute envers Dieu, à qui il a préféré souvent la créature et dont il a voulu percer le mystère.

La consolation inonde son cœur : « O mort, où est ta victoire ? » Et ce livre, qui a décrit tous les tourments de l'enfer, se termine, dans les Mémorables, *par une admirable Apocalypse de la joie.*

H. A.-B.

1. Voir page 203, note 7.

AURÉLIA

PREMIÈRE PARTIE

I

Le Rêve est une seconde vie. Je n'ai pu percer sans frémir ces portes d'ivoire ou de corne qui nous séparent du monde invisible. Les premiers instants du sommeil sont l'image de la mort : un engourdissement nébuleux saisit notre pensée, et nous ne pouvons déterminer l'instant précis où le *moi*, sous une autre forme, continue l'œuvre de l'existence. C'est un souterrain vague qui s'éclaire peu à peu et où se dégagent de l'ombre et de la nuit les pâles figures gravement immobiles qui habitent le séjour des limbes. Puis le tableau se forme, une clarté nouvelle illumine et fait jouer ces apparitions bizarres : — le monde des Esprits s'ouvre pour nous.

Swedenborg [1] appelait ces visions *Memorabilia ;* il les devait à la rêverie plus souvent qu'au sommeil ; *L'Ane d'or* [2], d'Apulée, *La Divine Comédie* [3], du Dante, sont les modèles poétiques de ces études de l'âme humaine. Je vais essayer, à leur exemple, de transcrire les impressions d'une longue maladie qui s'est passée tout entière dans les mystères de mon esprit ; — et je ne sais pourquoi je me sers de ce terme maladie, car jamais, quant à ce qui est de moi-même, je ne me suis senti mieux portant [4]. Parfois, je croyais ma force et mon activité doublées ; il me semblait tout savoir, tout comprendre ; l'imagination m'apportait des délices infinies. En recouvrant ce que les hommes appellent la raison, faudra-t-il regretter de les avoir perdues ?...

Cette *Vita nuova* [5] a eu pour moi deux phases. Voici les notes qui se rapportent à la première. — Une dame que j'avais aimée longtemps et que j'appellerai du nom d'Aurélia [6], était perdue pour moi. Peu importent les circonstances de cet événement, qui devait avoir une si grande influence sur ma vie. Chacun peut chercher dans ses souvenirs l'émotion la plus navrante, le coup le plus terrible frappé sur l'âme par le destin ; il faut alors se résoudre à mourir ou à vivre : — je dirai plus tard pourquoi je n'ai pas choisi la mort. Condamné par celle que j'aimais, coupable d'une faute dont je n'espérais plus le pardon [7], il ne me restait qu'à me jeter dans les enivrements vulgaires ; j'affectai la joie et l'insouciance, je courus le monde, follement épris de la variété et du caprice ; j'aimais surtout les costumes et les mœurs bizarres des populations lointaines, il me semblait que je déplaçais ainsi les conditions du bien et du mal ; les termes, pour ainsi dire, de ce qui est *sentiment* pour nous autres Français. « Quelle folie, me disais-je, d'aimer ainsi d'un amour platonique une femme qui ne vous aime plus ! Ceci est la faute de mes lectures ; j'ai pris au sérieux les inventions des poètes, et je me suis fait une Laure ou une Béatrix d'une personne ordinaire de notre siècle.... Passons à d'autres intrigues, et celle-là sera vite oubliée. » L'étourdissement d'un joyeux carnaval dans une ville d'Italie [8] chassa toutes mes idées mélancoliques. J'étais si heureux du soulagement que j'éprouvais, que je faisais part de ma joie à tous mes amis, et, dans mes lettres je leur donnais pour l'état constant de mon esprit ce qui n'était qu'une surexcitation fiévreuse.

Un jour, arriva dans la ville une femme d'une grande renommée [9] qui me prit en amitié et qui, habituée à plaire et à éblouir, m'entraîna sans peine dans le cercle de ses admirateurs. Après une soirée où elle avait été à la fois naturelle et pleine d'un charme dont tous éprouvaient l'atteinte, je me sentis épris d'elle à ce point que je ne voulus pas tarder un instant à lui écrire. J'étais si heureux de sentir mon cœur capable d'un amour nouveau !... J'empruntais, dans cet enthousiasme factice, les formules mêmes qui, si peu de temps auparavant, m'avaient servi pour peindre un amour véritable et longtemps éprouvé. La lettre partie, j'aurais voulu la retenir, et j'allai rêver dans la solitude à ce qui me semblait une profanation de mes souvenirs.

Le soir rendit à mon nouvel amour tout le prestige de la veille. La dame se montra sensible à ce que je lui avais écrit, tout en manifestant quelque étonnement de ma ferveur soudaine. J'avais franchi, en un jour, plusieurs degrés des sentiments que l'on peut concevoir pour une femme avec apparence de sincérité. Elle m'avoua que je l'étonnais tout en la rendant fière. J'essayai de la convaincre; mais quoi que je voulusse lui dire, je ne pus ensuite retrouver dans nos entretiens le diapason de mon style, de sorte que je fus réduit à lui avouer, avec larmes, que je m'étais trompé moi-même en l'abusant. Mes confidences attendries eurent pourtant quelques charmes, et une amitié plus forte dans sa douceur succéda à de vaines protestations de tendresse.

II

Plus tard, je la rencontrai dans une autre ville [1] où se trouvait la dame que j'aimais toujours sans espoir. Un hasard les fit connaître l'une à l'autre, et la première eut occasion, sans doute, d'attendrir à mon égard celle qui m'avait exilé de son cœur. De sorte qu'un jour, me trouvant dans une société dont elle faisait partie, je la vis venir à moi et me tendre la main. Comment interpréter cette démarche et le regard profond et triste dont elle accompagna son salut ? J'y crus voir le pardon du passé ; l'accent divin de la pitié donnait aux simples paroles qu'elle m'adressa une valeur inexprimable, comme si quelque chose de la religion se mêlait aux douceurs d'un amour jusque-là profane, et lui imprimait le caractère de l'éternité.

Un devoir impérieux me forçait de retourner à Paris, mais je pris aussitôt la résolution de n'y rester que peu de jours et de revenir près de mes deux amies. La joie et l'impatience me donnèrent alors une sorte d'étourdissement [2] qui se compliquait du soin des affaires [3] que j'avais à terminer. Un soir, vers minuit, je remontais un faubourg où se trouvait ma demeure, lorsque, levant les yeux par hasard, je remarquai le numéro d'une maison éclairé par un réverbère. Ce nombre était celui de mon âge [4]. Aussitôt, en baissant les yeux, je vis devant moi une femme au teint blême, aux yeux caves, qui me semblait avoir les traits d'Aurélia. Je me dis : « C'est *sa mort* [5] ou la mienne qui m'est annoncée ! » Mais je ne sais pourquoi j'en restai à la dernière supposition, et je me frappai de cette idée, que ce devait être le lendemain à la même heure.

Cette nuit-là, je fis un rêve [6] qui me confirma dans ma pensée. — J'errais dans un vaste édifice composé de plusieurs salles, dont les unes étaient consacrées à l'étude, d'autres à la conversation ou aux discussions philosophiques. Je m'arrêtai avec intérêt dans une des premières, où je crus reconnaître mes anciens maîtres et mes anciens condisciples. Les leçons continuaient sur les auteurs grecs et latins, avec ce bourdonnement monotone qui semble une prière à la déesse Mnémosyne [7]. — Je passai dans une autre salle, où avaient lieu des conférences philosophiques. J'y pris part quelque temps, puis j'en sortis pour chercher ma chambre dans une sorte d'hôtellerie aux escaliers [8] immenses, pleine de voyageurs affairés.

Je me perdis plusieurs fois dans les longs corridors, et, en traversant une des galeries centrales, je fus frappé d'un spectacle étrange. Un être d'une grandeur démesurée, — homme ou femme, je ne sais, — voltigeait péniblement au-dessus de l'espace et semblait se débattre parmi des nuages épais. Manquant d'haleine et de force, il tomba enfin au milieu de la cour obscure, accrochant et froissant ses ailes le long des toits et des balustres. Je pus le contempler un instant. Il était coloré de teintes vermeilles, et ses ailes brillaient de mille reflets changeants. Vêtu d'une robe longue à plis antiques, il ressemblait à l'ange de la *Mélancolie* [9], d'Albrecht Dürer. — Je ne pus m'empêcher de pousser des cris d'effroi, qui me réveillèrent en sursaut.

Le jour suivant, je me hâtai d'aller voir tous mes amis. Je leur faisais mentalement mes adieux, et, sans leur rien dire de ce qui m'occupait l'esprit, je dissertais chaleureusement sur des sujets mystiques ; je les étonnais par une éloquence particulière, il me semblait que je savais tout, et que les mystères du monde [10] se révélaient à moi dans ces heures suprêmes.

Le soir, lorsque l'heure fatale semblait s'approcher, je dissertais avec deux amis, à la table d'un cercle, sur la peinture et sur la musique, définissant à mon point de vue la génération des couleurs et le sens des nombres. L'un d'eux, nommé Paul ***, voulut me renconduire chez moi, mais je lui dis que je rentrais pas. « Où vas-tu ? me dit-il. — *Vers l'Orient !* » Et pendant qu'il m'accompagnait, je me mis à chercher dans le ciel une étoile, que je croyais connaître, comme si elle avait quelque influence sur ma destinée. L'ayant trouvée, je continuai ma marche [11] en suivant les rues dans la direction desquelles elle était visible, marchant pour ainsi dire au-devant de mon destin et voulant apercevoir l'étoile jusqu'au moment où la mort devait me frapper. Arrivé cependant au confluent de trois rues, je ne voulus pas aller plus loin. Il me semblait que mon ami déployait une force surhumaine pour me faire changer de place ; il grandissait à mes yeux et prenait les traits d'un apôtre.

Je croyais voir le lieu où nous étions s'élever et perdre les formes que lui donnait sa configuration urbaine ; — sur une colline, entourée de vastes solitudes, cette scène devenait le combat de deux Esprits et comme une tentation biblique. « Non ! disais-je, je n'appartiens pas à ton ciel. Dans cette étoile sont ceux qui m'attendent. Ils sont antérieurs à la révélation [12] que tu as annoncée. Laisse-moi les rejoindre [13], car celle que j'aime leur appartient, et c'est là que nous devons nous retrouver ! »

III

Ici a commencé pour moi ce que j'appellerai l'épanchement [1] du songe dans la vie réelle. A dater de ce moment, tout prenait parfois un aspect double, — et cela, sans que le raisonnement manquât jamais de logique, sans que la mémoire perdît les plus légers détails de ce qui m'arrivait. Seulement mes actions, insensées en apparence, étaient soumises à ce que l'on appelle illusion, selon la raison humaine....

Cette idée m'est revenue bien des fois, que, dans certains moments graves de la vie, tel Esprit du monde extérieur [2] s'incarnait tout à coup en la forme d'une personne ordinaire, et agissait ou tentait d'agir sur nous, sans que cette personne en eût la connaissance ou en gardât le souvenir.

Mon ami m'avait quitté, voyant ses efforts inutiles, et me croyant sans doute en proie à quelque idée fixe que la marche calmerait. Me trouvant seul, je me levai avec effort et me remis en route dans la direction de l'étoile sur laquelle je ne cessai de fixer les yeux. Je chantais en marchant un hymne mystérieux dont je croyais me souvenir comme l'ayant entendu dans quelque autre existence, et qui me remplissait d'une joie ineffable. En même temps, je quittais mes habits terrestres et je les dispersais autour de moi [3]. La route semblait s'élever toujours et l'étoile s'agrandir. Puis, je restai les bras étendus, attendant le moment où l'âme allait se séparer du corps, attirée magnétiquement dans le rayon de l'étoile. Alors je sentis un frisson ; le regret de la terre et de ceux que j'y aimais me saisit au cœur, et je suppliai si ardemment en moi-même l'Esprit qui m'attirait à lui, qu'il me sembla que je redescendais parmi les hommes. Une ronde de nuit m'entourait ; — j'avais alors l'idée que j'étais devenu très grand, — et que, tout inondé de forces électriques, j'allais renverser tout ce qui m'approchait. Il y avait quelque chose de comique dans le soin que je prenais de ménager les forces et la vie des soldats [4] qui m'avaient recueilli.

Si je ne pensais que la mission d'un écrivain est d'analyser sincèrement ce qu'il éprouve dans les graves circonstances de la vie, et si je ne me proposais un but que je crois utile, je m'arrêterais ici, et je n'essaierais pas de décrire ce que j'éprouvai ensuite dans une série de visions insensées peut-être, ou vulgairement maladives.... Étendu sur un lit de camp, je crus voir le ciel se dévoiler et s'ouvrir en mille aspects de magnificences inouïes. Le destin de l'âme délivrée semblait se révéler à moi comme pour me donner le regret d'avoir voulu reprendre pied de toutes les forces de mon esprit sur la terre que j'allais quitter.... D'immenses cercles se traçaient dans l'infini, comme les orbes que forme l'eau troublée par la chute d'un corps ; chaque région, peuplée de figures radieuses, se colorait, se mouvait et se fondait tour à tour, et une divinité, toujours la même, rejetait en souriant les masques furtifs de ses diverses incarnations, et se réfugiait enfin, insaisissable, dans les mystiques splendeurs du ciel d'Asie.

Cette vision céleste, par un de ces phénomènes que tout le monde a pu éprouver dans certains rêves, ne me laissait pas étranger à ce qui se passait autour de moi. Couché sur un lit de camp, j'entendais que les soldats s'entretenaient d'un inconnu arrêté comme moi et dont la voix avait retenti dans la même salle. Par un singulier effet de vibration, il me semblait que cette voix résonnait dans ma poitrine, et que mon âme se dédoublait [5] pour ainsi dire, — distinctement partagée entre la vision et la réalité. Un instant, j'eus l'idée de me retourner avec effort vers celui dont il était question, puis je frémis en me rappelant une tradition bien connue en Allemagne, qui dit que chaque homme a *un double*, et que, lorsqu'il le voit, la mort est proche. — Je fermai les yeux et j'entrai dans un état d'esprit confus où les figures fantasques ou réelles qui m'entouraient se brisaient en mille apparences fugitives [6]. Un instant, je vis près de moi deux de mes amis [7] qui me réclamaient, les soldats me désignèrent ; puis la porte s'ouvrit, et quelqu'un de ma taille, dont je ne voyais pas la figure, sortit avec mes amis que je rappelais en vain. « Mais on se trompe ! m'écriais-je, c'est moi qu'ils sont venus chercher et c'est un autre qui sort ! » Je fis tant de bruit, que l'on me mit au cachot.

J'y restai plusieurs heures dans une sorte d'abrutissement ; enfin, les deux amis que j'avais *cru voir* déjà vinrent me chercher avec une voiture. Je leur racontai tout ce qui s'était passé, mais ils nièrent être venus dans la nuit. Je dînai avec eux assez tranquillement, mais, à mesure que la nuit approchait, il me sembla que j'avais à redouter l'heure même qui la veille avait risqué de m'être fatale. Je demandai à l'un d'eux une bague orientale qu'il avait au doigt et que je regardais comme un ancien talisman, et, prenant un foulard, je la nouai autour de mon col, en ayant soin de tourner le chaton, composé d'une turquoise, sur un point de la nuque où je sentais une douleur. Selon moi, ce point était celui par où l'âme risquerait de sortir au moment où un certain rayon, parti de l'étoile que j'avais vue la veille, coïnciderait relativement à moi avec le zénith. Soit par hasard, soit par l'effet de ma forte préoccupation, je tombai comme foudroyé, à la même heure que la veille. On me mit sur un lit, et pendant longtemps je perdis le sens et la liaison des images qui s'offrirent à moi. Cet état dura plusieurs jours. Je fus transporté dans une maison de santé [3]. Beaucoup de parents et d'amis me visitèrent sans que j'en eusse la connaissance. La seule différence pour moi de la veille au sommeil était que, dans la première, tout se transfigurait à mes yeux ; chaque personne qui m'approchait semblait changée, les objets matériels avaient comme une pénombre qui en modifiait la forme, et les jeux de la lumière, les combinaisons des couleurs se décomposaient, de manière à m'entretenir dans une série constante d'impressions qui se liaient entre elles, et dont le rêve, plus dégagé des éléments extérieurs, continuait la probabilité.

IV

Un soir, je crus avec certitude être transporté sur les bords du Rhin. En face de moi se trouvaient des rocs sinistres dont la perspective s'ébauchait dans l'ombre. J'entrai dans une maison riante, dont un rayon du soleil couchant traversait gaiement les contrevents verts que festonnait la vigne. Il me semblait que je rentrais dans une demeure connue, celle d'un oncle maternel, peintre flamand [1], mort depuis plus d'un siècle. Les tableaux ébauchés étaient suspendus çà et là ; l'un d'eux représentait la fée célèbre [2] de ce rivage.

Une vieille servante, que j'appelai Marguerite et qu'il me semblait connaître depuis l'enfance, me dit :

« N'allez-vous pas vous mettre sur le lit ? car vous venez de loin, et votre oncle rentrera tard ; on vous réveillera pour souper. »

Je m'étendis sur un lit à colonnes drapé de perse à grandes fleurs rouges. Il y avait en face de moi une horloge rustique accrochée au mur, et sur cette horloge un oiseau qui se mit à parler comme une personne. Et j'avais l'idée que l'âme de mon aïeul était dans cet oiseau ; mais je ne m'étonnais pas plus de son langage et de sa forme que de me voir comme transporté d'un siècle en arrière. L'oiseau me parlait de personnes de ma famille vivantes ou mortes en divers temps, comme si elles existaient simultanément, et me dit : « Vous voyez que votre oncle avait eu soin de faire *son* portrait d'avance... maintenant, *elle* est avec nous. » Je portai les yeux sur une toile qui représentait une femme en costume ancien à l'allemande, penchée sur le bord du fleuve, et les yeux attirés vers une touffe de myosotis. — Cependant la nuit s'épaississait peu à peu, et les aspects, les sons et le sentiment des lieux se confondaient dans mon esprit somnolent ; je crus tomber dans un abîme qui traversait le globe. Je me sentais emporté sans souffrance par un courant de métal fondu, et mille fleuves pareils, dont les teintes indiquaient les différences chimiques, sillonnaient le sein de la terre comme les vaisseaux et les veines qui serpentent parmi les lobes du cerveau. Tous coulaient, circulaient et vibraient ainsi, et j'eus le sentiment que ces courants étaient composés d'âmes vivantes, à l'état moléculaire, que la rapidité de ce voyage m'empêchait seule de distinguer. Une clarté blanchâtre s'infiltrait peu à peu dans ces conduits, et je vis enfin s'élargir, ainsi qu'une vaste coupole, un horizon nouveau où se traçaient des îles entourées de flots lumineux. Je me trouvai sur une côte éclairée de ce jour sans soleil, et je vis un vieillard qui cultivait la terre. Je le reconnus pour le même qui m'avait parlé par la voix de l'oiseau, et, soit qu'il me parlât, soit que je le comprisse en moi-même, il devenait clair pour moi que les aïeux [3] prenaient la forme de certains animaux pour nous visiter sur la terre, et qu'ils assistaient ainsi, muets observateurs, aux phases de notre existence.

Le vieillard quitta son travail et m'accompagna jusqu'à une maison qui s'élevait près de là. Le paysage qui nous entourait me rappelait celui d'un pays de la Flandre française où mes parents avaient vécu et où se trouvent leurs tombes : le champ entouré de bosquets à la lisière du bois, le lac voisin, la rivière et le lavoir, le village et sa rue qui monte, les collines de grès sombre et leurs touffes de genêts et de bruyères, — image rajeunie des lieux que j'avais aimés. Seulement, la maison où j'entrai ne m'était point connue. Je compris qu'elle avait existé dans je ne sais quel temps [4], et qu'en ce monde que je visitais alors, le fantôme des choses accompagnait celui du corps.

J'entrai dans une vaste salle où beaucoup de personnes étaient réunies. Partout je retrouvais des figures connues. Les traits des parents morts que j'avais pleurés se trouvaient reproduits dans d'autres qui, vêtus de costumes plus anciens, me faisaient le même accueil paternel. Ils paraissaient s'être assemblés pour un banquet de famille. Un de ces parents vint à moi et m'embrassa tendrement. Il portait un costume ancien dont les couleurs semblaient pâlies, et sa figure souriante, sous ses cheveux poudrés, avait quelque ressemblance avec la mienne. Il me semblait plus précisément vivant que les autres, et pour ainsi dire en rapport plus volontaire avec mon esprit. — C'était mon oncle. Il me fit placer près de lui, et une sorte de communication s'établit entre nous ; car je ne puis dire que j'entendisse sa voix ; seulement, à mesure que ma pensée se portait sur un point, l'explication m'en devenait claire aussitôt, et les images se précisaient devant mes yeux comme des peintures animées.

« Cela est donc vrai ! disais-je avec ravissement, nous sommes immortels et nous conservons ici les images du monde que nous avons habité. Quel bonheur de songer que tout ce que nous avons aimé existera toujours autour de nous [5] !... J'étais bien fatigué de la vie !

— Ne te hâte pas, dit-il, de te réjouir, car tu appartiens encore au monde d'en haut et tu as à supporter de rudes années d'épreuves. Le séjour qui t'enchante a lui-même ses douleurs, ses luttes et ses dangers. La terre où nous avons vécu est toujours le théâtre où se nouent et se dénouent nos destinées ; nous sommes les rayons du feu central qui l'anime et qui déjà s'est affaibli....

— Eh ! quoi, dis-je, la terre pourrait mourir, et nous serions envahis par le néant ?

— Le néant, dit-il, n'existe pas dans le sens qu'on l'entend ; mais la terre est elle-même un corps matériel dont la somme des esprits est l'âme. La matière ne peut pas plus périr que l'esprit, mais elle peut se modifier selon le bien et selon le mal. Notre passé et notre avenir sont solidaires. Nous vivons dans notre race, et notre race vit en nous. »

Cette idée me devint aussitôt sensible, et, comme si les murs de la salle se fussent ouverts sur des perspectives infinies, il me semblait voir une chaîne non interrompue d'hommes et de femmes en qui j'étais et qui étaient moi-même ; les costumes de tous les peuples, les images de tous les pays apparaissaient distinctement à la fois, comme si mes facultés d'attention s'étaient multipliées sans se confondre, par un phénomène d'espace analogue à celui du temps qui concentre un siècle d'action dans une minute de rêve. Mon étonnement s'accrut en voyant que cette immense énumération se composait seulement des personnes qui se trouvaient dans la salle et dont j'avais vu les images se diviser et se combiner en mille aspects fugitifs.

« Nous sommes sept, dis-je à mon oncle.

— C'est en effet, dit-il, le nombre typique[6] de chaque famille humaine, et, par extension, sept fois sept, et davantage. »

Je ne puis espérer de faire comprendre cette réponse, qui pour moi-même est restée très obscure. La métaphysique ne me fournit pas de termes pour la perception qui me vint alors du rapport de ce nombre de personnes avec l'harmonie générale. On conçoit bien dans le père et la mère l'analogie des forces électriques de la nature ; mais comment établir les centres individuels émanés d'eux, — dont ils émanent, comme une *figure* animique collective, dont la combinaison serait à la fois multiple et bornée ? Autant vaudrait demander compte à la fleur du nombre de ses pétales ou des divisions de sa corolle..., au sol des figures qu'il trace, au soleil des couleurs qu'il produit.

V

Tout changeait de forme autour de moi. L'Esprit avec qui je m'entretenais n'avait plus le même aspect. C'était un jeune homme qui désormais recevait plutôt de moi les idées, qu'il ne me les communiquait.... Étais-je allé trop loin dans ces hauteurs qui donnent le vertige[1] ? Il me sembla comprendre que ces questions étaient obscures ou dangereuses, même pour les esprits du monde que je percevais alors.... Peut-être aussi un pouvoir supérieur m'interdisait-il ces recherches. Je me vis errant dans les rues d'une cité très populeuse et inconnue. Je remarquai qu'elle était bossuée de collines et dominée par un mont tout couvert d'habitations. A travers le peuple de cette capitale, je distinguais certains hommes qui paraissaient appartenir à une nation particulière ; leur air vif, résolu, l'accent énergique de leurs traits me faisaient songer aux races indépendantes et guerrières des pays de montagnes ou de certaines îles peu fréquentées par les étrangers ; toutefois, c'est au milieu d'une grande ville et d'une population mélangée et banale qu'ils savaient maintenir ainsi leur individualité farouche. Qu'étaient donc ces hommes ? Mon guide me fit gravir des rues escarpées et bruyantes où retentissaient les bruits divers de l'industrie. Nous montâmes encore par de longues séries d'escaliers[2], au-delà desquels la vue se découvrit. Çà et là, des terrasses revêtues de treillages, des jardinets ménagés sur quelques espaces aplatis, des toits, des pavillons légèrement construits, peints et sculptés avec une capricieuse patience ; des perspectives reliées par de longues traînées de verdures grimpantes séduisaient l'œil et plaisaient à l'esprit comme l'aspect d'une oasis délicieuse, d'une solitude ignorée au-dessus du tumulte et de ces bruits d'en bas, qui là n'étaient plus qu'un murmure. On a souvent parlé de nations proscrites, vivant dans l'ombre des nécropoles et des catacombes ; c'était ici le contraire sans doute. Une race heureuse s'était créé cette retraite animée des oiseaux, des fleurs, de l'air pur et de la clarté. « Ce sont, me dit mon guide, les anciens habitants de cette montagne qui domine la ville où nous sommes en ce moment. Longtemps ils y ont vécu simples de mœurs, aimants et justes, conservant les vertus naturelles des premiers jours du monde. Le peuple environnant les honorait et se modelait sur eux. »

Du point où j'étais alors, je descendis, suivant mon guide, dans une de ces hautes habitations dont les toits réunis présentaient cet aspect étrange. Il me semblait que mes pieds s'enfonçaient dans les couches successives des édifices de différents âges. Ces fantômes de constructions en découvraient toujours d'autres où se distinguait le goût particulier de chaque siècle, et cela me représentait l'aspect des fouilles que l'on fait dans les cités antiques, si ce n'est que c'était aéré, vivant, traversé des mille jeux de la lumière. Je me trouvai enfin dans une vaste chambre où je vis un vieillard travaillant devant une table à je ne sais quel ouvrage d'industrie. — Au moment où je franchissais la porte, un homme vêtu de blanc, dont je distinguais mal la figure, me menaça d'une arme qu'il tenait à la main ; mais celui qui m'accompagnait lui fit signe de s'éloigner. Il semblait qu'on eût voulu m'empêcher de pénétrer le mystère de ces retraites. Sans rien demander à mon guide, je compris par intuition que ces hauteurs et en même temps ces profondeurs étaient la retraite des habitants primitifs de la montagne. Bravant toujours le flot envahissant des accumulations de races nouvelles, ils vivaient là, simples de mœurs, aimants et justes, adroits, fermes et ingénieux, — et pacifiquement vainqueurs des masses aveugles qui avaient tant de fois envahi leur héritage. Eh quoi ! ni corrompus, ni détruits, ni esclaves ; purs, quoique ayant vaincu l'ignorance ; conservant dans l'aisance les vertus de la pauvreté. — Un enfant s'amusait à terre avec des cristaux, des coquillages et des pierres gravées, faisant sans doute un jeu d'une étude. Une femme âgée, mais belle encore, s'occupait des soins du ménage. En ce moment, plusieurs jeunes gens entrèrent avec bruit, comme revenant de leurs travaux. Je m'étonnais de les voir tous vêtus de blanc ; mais il paraît que c'était une illusion de ma vue ; pour la rendre sensible, mon guide se mit à dessiner leur costume qu'il teignit de couleurs vives, me faisant comprendre qu'ils étaient ainsi en réalité. La blancheur qui m'étonnait provenait peut-être d'un éclat particulier, d'un jeu de lumière où se confondaient les teintes ordinaires du prisme. Je sortis de la chambre et je me vis sur une terrasse disposée en parterre. Là se promenaient et jouaient des jeunes filles et des enfants. Leurs vêtements me paraissaient blancs comme les autres, mais ils étaient agrémentés par des broderies de couleur rose. Ces personnes étaient si belles, leurs traits si gracieux, et l'éclat de leur âme transparaissait si vivement à travers leurs formes délicates, qu'elles inspiraient toutes une sorte d'amour sans préférence et sans désir, résumant tous les enivrements des passions vagues de la jeunesse.

Je ne puis rendre le sentiment que j'éprouvai au milieu de ces êtres charmants qui m'étaient chers sans que je les connusse. C'était comme une famille primitive et céleste, dont les yeux souriants cherchaient les miens avec une douce compassion. Je me mis à pleurer à chaudes larmes, comme au souvenir d'un paradis perdu. Là, je sentis amèrement que j'étais un passant dans ce monde à la fois étranger et chéri, et je frémis à la pensée que je devais retourner dans la vie. En vain, femmes et enfants se pressaient autour de moi comme pour me retenir. Déjà leurs formes ravissantes se fondaient en vapeurs confuses ; ces beaux visages pâlissaient, et ces traits accentués, ces yeux étincelants se perdaient dans une ombre où luisait encore le dernier éclair du sourire....

Telle fut cette vision, ou tels furent du moins les détails principaux dont j'ai gardé le souvenir. L'état cataleptique [3] où je m'étais trouvé pendant plusieurs jours me fut expliqué scientifiquement, et les récits de ceux qui m'avaient vu ainsi me causaient une sorte d'irritation quand je voyais qu'on attribuait à l'aberration d'esprit les mouvements ou les paroles coïncidant avec les diverses phases de ce qui constituait pour moi une série d'événements logiques. J'aimais davantage ceux de mes amis qui, par une patiente complaisance ou par suite d'idées analogues aux miennes, me faisaient faire de longs récits des choses que j'avais vues en esprit. L'un d'eux me dit en pleurant : « N'est-ce pas que c'est vrai qu'il y a un Dieu ?

— Oui ! » lui dis-je avec enthousiasme. Et nous nous embrassâmes comme deux frères de cette patrie mystique que j'avais entrevue. — Quel bonheur je trouvai d'abord dans cette conviction ! Ainsi ce doute éternel de l'immortalité de l'âme qui affecte les meilleurs esprits se trouvait résolu pour moi. Plus de mort [4], plus de tristesse, plus d'inquiétude. Ceux que j'aimais, parents, amis, me donnaient des signes certains de leur existence éternelle, et je n'étais plus séparé d'eux que par les heures du jour. J'attendais celles de la nuit dans une douce mélancolie.

VI

Un rêve que je fis encore me confirma dans cette pensée. Je me trouvai tout à coup dans une salle qui faisait partie de la demeure de mon aïeul. Elle semblait s'être agrandie seulement. Les vieux meubles luisaient d'un poli merveilleux, les tapis et les rideaux étaient comme remis à neuf, un jour trois fois plus brillant que le jour naturel arrivait par la croisée et par la porte, et il y avait dans l'air une fraîcheur et un parfum des premières matinées tièdes du printemps. Trois femmes travaillaient dans cette pièce, et représentaient, sans leur ressembler absolument, des parentes et des amies de ma jeunesse. Il semblait que chacune eût les traits de plusieurs de ces personnes. Les contours de leurs figures variaient comme la flamme d'une lampe, et à tout moment quelque chose de l'une passait dans l'autre ; le sourire, la voix, la teinte des yeux, de la chevelure, la taille, les gestes familiers s'échangeaient comme si elles eussent vécu de la même vie, et chacune était ainsi un composé de toutes, pareille à ces types que les peintres imitent de plusieurs modèles pour réaliser une beauté complète.

La plus âgée me parlait avec une voix vibrante et mélodieuse que je reconnaissais pour l'avoir entendue dans l'enfance, et je ne sais ce qu'elle me disait qui me frappait par sa profonde justesse. Mais elle attira ma pensée sur moi-même, et je me vis vêtu d'un petit habit brun de forme ancienne, entièrement tissu à l'aiguille de fils ténus comme ceux des toiles d'araignées. Il était coquet, gracieux, et imprégné de douces odeurs. Je me sentais tout rajeuni et tout pimpant dans ce vêtement qui sortait de leurs doigts de fée, et je les remerciais en rougissant, comme si je n'eusse été qu'un petit enfant devant de grandes belles dames. Alors l'une d'elles se leva et se dirigea vers le jardin.

Chacun sait que dans les rêves on ne voit jamais le soleil, bien qu'on ait souvent la perception d'une clarté beaucoup plus vive. Les objets et les corps sont lumineux par eux-mêmes. Je me vis dans un petit parc où se prolongeaient des treilles en berceaux chargées de lourdes grappes de raisins blancs et noirs ; à mesure que la dame qui me guidait s'avançait sous ces berceaux, l'ombre des treillis croisés variait encore pour mes yeux ses formes et ses vêtements. Elle en sortit enfin, et nous nous trouvâmes dans un espace découvert. On y apercevait à peine la trace d'anciennes allées qui l'avaient jadis coupé en croix. La culture était négligée depuis de longues années, et des plants épars de clématites, de houblon, de chèvrefeuille, de jasmin, de lierre, d'aristoloche [1] étendaient entre des arbres d'une croissance vigoureuse leurs longues traînées de lianes. Des branches pliaient jusqu'à terre chargées de fruits, et parmi des touffes d'herbes parasites s'épanouissaient quelques fleurs de jardin revenues à l'état sauvage.

De loin en loin s'élevaient des massifs de peupliers, d'acacias et de pins, au sein desquels on entrevoyait des statues noircies par le temps. J'aperçus devant moi un entassement de rochers couverts de lierre, d'où jaillissait une source d'eau vive dont le clapotement harmonieux résonnait sur un bassin d'eau dormante à demi voilée de larges feuilles de nénuphar.

La dame que je suivais, développant sa taille élancée dans un mouvement qui faisait miroiter les plis de sa robe en taffetas changeant, entoura gracieusement de son bras nu une longue tige de rose trémière [2], puis elle se mit à grandir sous un clair rayon de lumière, de telle sorte que peu à peu le jardin prenait sa forme, et les parterres et les arbres devenaient les rosaces et les festons de ses vêtements ; tandis que sa figure et ses bras imprimaient leurs contours aux nuages pourprés de ciel. Je la perdais de vue à mesure qu'elle se transfigurait, car elle semblait s'évanouir dans sa propre grandeur. « Oh ! ne fuis pas ! m'écriai-je... car la nature meurt avec toi ! »

Disant ces mots, je marchais péniblement à travers les ronces, comme pour saisir l'ombre agrandie qui m'échappait ; mais je me heurtai à un pan de mur dégradé, au pied duquel gisait un buste de femme. En le relevant, j'eus la persuasion que c'était *le sien* [3].... Je reconnus des traits chéris, et, portant les yeux autour de moi, je vis que le jardin avait pris l'aspect d'un cimetière. Des voix disaient :

« L'univers est dans la nuit !... »

VII

Ce rêve si heureux à son début me jeta dans une grande perplexité. Que signifiait-il ? Je ne le sus que plus tard. Aurélia était morte [1].

Je n'eus d'abord que la nouvelle de sa maladie. Par suite de l'état de mon esprit, je ne ressentis qu'un vague chagrin mêlé d'espoir. Je croyais moi-même n'avoir que peu de temps à vivre, et j'étais désormais assuré de l'existence d'un monde où les cœurs aimants se retrouvent. D'ailleurs, elle m'appartenait bien plus dans sa mort que dans sa vie.... Égoïste pensée que ma raison devait payer plus tard par d'amers regrets.

Je ne voudrais pas abuser des pressentiments ; le hasard fait d'étranges choses ; mais je fus alors vivement préoccupé d'un souvenir de notre union trop rapide. Je lui avais donné une bague d'un travail ancien, dont le chaton était formé d'une opale taillée en cœur. Comme cette bague était trop grande pour son doigt, j'avais eu l'idée fatale de la faire couper pour en diminuer l'anneau ; je ne compris ma faute qu'en entendant le bruit de la scie. Il me sembla voir couler du sang....

Les soins de l'art m'avaient rendu à la santé sans avoir encore ramené dans mon esprit le cours régulier de la raison humaine. La maison où je me trouvais, située sur une hauteur[2], avait un vaste jardin planté d'arbres précieux. L'air pur de la colline où elle était située, les premières haleines du printemps, les douceurs d'une société toute sympathique, m'apportaient de longs jours de calme.

Les premières feuilles des sycomores me ravissaient par la vivacité de leurs couleurs, semblables aux panaches des coqs de Pharaon[3]. La vue, qui s'étendait au-dessus de la plaine, présentait du matin au soir des horizons charmants, dont les teintes graduées plaisaient à mon imagination. Je peuplais les coteaux et les nuages de figures divines dont il me semblait voir distinctement les formes. — Je voulus fixer davantage mes pensées favorites, et, à l'aide de charbons et de morceaux de brique que je ramassais, je couvris bientôt les murs d'une série de fresques où se réalisaient mes impressions. Une figure dominait toujours les autres : c'était celle d'Aurélia, peinte sous les traits d'une divinité[4], telle qu'elle m'était apparue dans mon rêve. Sous ses pieds tournait une roue, et les dieux lui faisaient cortège. Je parvins à colorier ce groupe en exprimant le suc des herbes et des fleurs. — Que de fois j'ai rêvé devant cette chère idole ! Je fis plus, je tentai de figurer avec de la terre le corps de celle que j'aimais ; tous les matins, mon travail était à refaire, car les fous, jaloux de mon bonheur, se plaisaient à en détruire l'image.

On me donna du papier, et pendant longtemps je m'appliquai à représenter, par mille figures accompagnées de récits, de vers et d'inscriptions en toutes les langues connues, une sorte d'histoire du monde mêlée de souvenirs d'études et de fragments de songes[5] que ma préoccupation rendait plus sensible ou qui en prolongeait la durée. Je ne m'arrêtais pas aux traditions modernes de la création. Ma pensée remontait au-delà : j'entrevoyais, comme en un souvenir, le premier pacte formé par les génies au moyen de talismans. J'avais essayé de réunir les pierres de la *Table sacrée*[6], et de représenter à l'entour les sept premiers *Éloïm*[7] qui s'étaient partagé le monde.

Ce système d'histoire, emprunté aux traditions orientales commençait par l'heureux accord des Puissances de la nature, qui formulaient et organisaient l'univers. — Pendant la nuit qui précéda mon travail, je m'étais cru transporté dans une planète obscure où se débattaient les premiers germes de la création. Du sein de l'argile encore molle s'élevaient des palmiers gigantesques, des euphorbes vénéneux et des acanthes tortillées autour des cactus ; — les figures arides des rochers s'élançaient comme des squelettes de cette ébauche de création, et de hideux reptiles serpentaient, s'élargissaient ou s'arrondissaient au milieu de l'inextricable réseau d'une végétation sauvage. La pâle lumière des astres éclairait seule les perspectives bleuâtres de cet étrange horizon ; cependant, à mesure que ces créations se formaient, une étoile plus lumineuse y puisait les germes de la clarté.

VIII

Puis les monstres changeaient de forme, et, dépouillant leurs premières peaux, se dressaient plus puissants sous des pattes gigantesques ; l'énorme masse de leurs corps brisait les branches et les herbages, et, dans le désordre de la nature, ils se livraient des combats auxquels je prenais part moi-même, car j'avais un corps aussi étrange que les leurs. Tout à coup une singulière harmonie résonna dans nos solitudes, et il semblait que les cris, les rugissements et les sifflements confus des êtres primitifs se modulassent désormais sur cet air divin. Les variations se succédaient à l'infini, la planète s'éclairait peu à peu, des formes divines se dessinaient sur la verdure et sur les profondeurs des bocages, et, désormais domptés, tous les monstres que j'avais vus dépouillaient leurs formes bizarres et devenaient hommes et femmes ; d'autres revêtaient, dans leurs transformations, la figure des bêtes sauvages, des poissons et des oiseaux.

Qui donc avait fait ce miracle ? Une déesse rayonnante guidait, dans ces nouveaux *avatars* [1], l'évolution rapide des humains. Il s'établit alors une distinction de races qui, partant de l'ordre des oiseaux, comprenait aussi les bêtes, les poissons et les reptiles : c'étaient les Dives [2], les Péris, les Ondins et les Salamandres ; chaque fois qu'un de ces êtres mourait, il renaissait aussitôt sous une forme plus belle, et chantait la gloire des dieux. — Cependant, l'un des Éloïm [3] eut la pensée de créer une cinquième race, composée des éléments de la terre, et qu'on appela *les Afrites* [4]. — Ce fut le signal d'une révolution complète parmi les Esprits, qui ne voulurent pas reconnaître les nouveaux possesseurs du monde. Je ne sais combien de mille ans durèrent ces combats qui ensanglantèrent le globe. Trois des Éloïm avec les Esprits de leurs races furent enfin relégués au midi de la terre où ils fondèrent de vastes royaumes. Ils avaient emporté les secrets de la divine *cabale* [5] qui lie les mondes, et prenaient leur force dans l'adoration de certains astres auxquels ils correspondent toujours. Ces nécromants [6], bannis aux confins de la terre, s'étaient entendus pour se transmettre la puissance. Entouré de femmes et d'esclaves, chacun de leurs souverains s'était assuré de pouvoir renaître sous la forme d'un de ses enfants. Leur vie était de mille ans. De puissants cabalistes les enfermaient, à l'approche de leur mort, dans des sépulcres bien gardés où ils les nourrissaient d'élixirs et de substances conservatrices. Longtemps encore ils gardaient les apparences de la vie, puis, semblables à la chrysalide qui file son cocon, ils s'endormaient quarante jours pour renaître sous la forme d'un jeune enfant qu'on appelait plus tard à l'empire.

Cependant, les forces vivifiantes de la terre s'épuisaient à nourrir ces familles, dont le sang toujours le même inondait des rejetons nouveaux. Dans de vastes souterrains, creusés sous les hypogées [7] et sous les pyramides, ils avaient accumulé tous les trésors des races passées et certains talismans qui les protégeaient contre la colère des dieux.

C'est dans le centre de l'Afrique, au-delà des montagnes de la Lune [8] et de l'antique Éthiopie qu'avaient lieu ces étranges mystères : longtemps j'y avais gémi dans la captivité, ainsi qu'une partie de la race humaine. Les bocages que j'avais vus si verts ne portaient plus que de pâles fleurs et des feuillages flétris ; un soleil implacable dévorait ces contrées, et les faibles enfants de ces éternelles dynasties semblaient accablés du poids de la vie. Cette grandeur imposante et monotone, réglée par l'étiquette et les cérémonies hiératiques, pesait à tous sans que personne osât s'y soustraire. Les vieillards languissaient sous le poids de leurs couronnes et de leurs ornements impériaux, entre des médecins et des prêtres, dont le savoir leur garantissait l'immortalité. Quant au peuple, à tout jamais engrené dans les divisions des castes, il ne pouvait compter ni sur la vie, ni sur la liberté. Au pied des arbres frappés de mort et de stérilité, aux bouches des sources taries, on voyait sur l'herbe brûlée se flétrir des enfants et des jeunes femmes énervés [9] et sans couleur. La splendeur des chambres royales, la majesté des portiques, l'éclat des vêtements et des parures, n'étaient qu'une faible consolation aux ennuis éternels de ces solitudes.

Bientôt, les peuples furent décimés par des maladies, les bêtes et les plantes moururent, et les immortels eux-mêmes dépérissaient sous leurs habits pompeux. — Un fléau plus grand que les autres vint tout à coup rajeunir et sauver le monde. La constellation d'Orion [10] ouvrit au ciel les cataractes des eaux ; la terre, trop chargée par les glaces du pôle opposé, fit un demi-tour sur elle-même [11], et les mers, surmontant leurs rivages, refluèrent sur les plateaux de l'Afrique et de l'Asie ; l'inondation pénétra les sables, remplit les tombeaux et les pyramides, et, pendant quarante jours une arche mystérieuse se promena sur les mers portant l'espoir d'une création nouvelle.

Trois des Éloïm s'étaient réfugiés sur la cime la plus haute des montagnes d'Afrique. Un combat se livra entre eux. Ici ma mémoire se trouble, et je ne sais quel fut le résultat de cette lutte suprême. Seulement, je vois encore debout, sur un pic baigné des eaux, une femme abandonnée par eux, qui crie les cheveux épars, se débattant contre la mort. Ses accents plaintifs dominaient le bruit des eaux.... Fut-elle sauvée ? Je l'ignore. Les dieux, ses frères, l'avaient condamnée ; mais au-dessus de sa tête brillait l'Étoile du soir, qui versait sur son front des rayons enflammés.

L'hymne interrompu de la terre et des cieux retentit harmonieusement pour consacrer l'accord des races nouvelles. Et, pendant que les fils de Noé travaillaient péniblement aux rayons d'un soleil nouveau, les nécromants, blottis dans leurs demeures souterraines, y gardaient toujours leurs trésors et se complaisaient dans le silence et dans la nuit. Parfois ils sortaient timidement de leurs asiles et venaient effrayer les vivants ou répandre parmi les méchants les leçons funestes de leurs sciences.

Tels sont les souvenirs que je retraçais par une sorte de vague intuition du passé ; je frémissais en reproduisant les traits hideux de ces races maudites. Partout mourait, pleurait ou languissait l'image souffrante de la Mère éternelle [12]. A travers les vagues civilisations de l'Asie et de l'Afrique, on voyait se renouveler toujours une scène sanglante d'orgie et de carnage que les mêmes esprits reproduisaient sous des formes nouvelles.

La dernière se passait à Grenade[13], où le talisman sacré s'écroulait sous les coups ennemis des chrétiens et des Maures. Combien d'années encore le monde aura-t-il à souffrir, car il faut que la vengeance de ces éternels ennemis se renouvelle sous d'autres cieux ! Ce sont les tronçons divisés du serpent qui entoure la terre.... Séparés par le fer, ils se rejoignent dans un hideux baiser cimenté par le sang des hommes.

IX

Telles furent les images qui se montrèrent tour à tour devant mes yeux. Peu à peu le calme était rentré dans mon esprit, et je quittai cette demeure qui était pour moi un paradis. Des circonstances fatales préparèrent, longtemps après, une rechute[1] qui renoua la série interrompue de ces étranges rêveries. — Je me promenais dans la campagne, préoccupé d'un travail qui se rattachait aux idées religieuses. En passant devant une maison, j'entendis un oiseau qui parlait selon quelques mots qu'on lui avait appris, mais dont le bavardage confus me parut avoir un sens ; il me rappela celui de la vision que j'ai racontée plus haut, et je sentis un frémissement de mauvais augure. Quelques pas plus loin, je rencontrai un ami que je n'avais pas vu depuis longtemps et qui demeurait dans une maison voisine. Il voulut me faire voir sa propriété, et, dans cette visite, il me fit monter sur une terrasse élevée d'où l'on découvrait un vaste horizon. C'était au coucher du soleil. En descendant les marches d'un escalier rustique, je fis un faux pas[2], et ma poitrine alla porter sur l'angle d'un meuble. J'eus assez de force pour me relever et m'élançai jusqu'au milieu du jardin, me croyant frappé à mort, mais voulant, avant de mourir, jeter un dernier regard au soleil couchant. Au milieu des regrets qu'entraîne un tel moment, je me sentais heureux de mourir ainsi, à cette heure, et au milieu des arbres, des treilles et des fleurs d'automne. Ce ne fut cependant qu'un évanouissement, après lequel j'eus encore la force de regagner ma demeure pour me mettre au lit. La fièvre s'empara de moi ; en me rappelant de quel point j'étais tombé, je me souvins que la vue que j'avais admirée donnait sur un cimetière, celui même où se trouvait le tombeau d'Aurélia[3]. Je n'y pensai véritablement qu'alors ; sans quoi, je pourrais attribuer ma chute à l'impression que cet aspect m'aurait fait éprouver. — Cela même me donna l'idée d'une fatalité plus précise. Je regrettai d'autant plus que la mort ne m'eût pas réuni à elle. Puis, en y songeant, je me dis que je n'en étais pas digne. Je me représentai amèrement la vie que j'avais menée depuis sa mort, me reprochant, non de l'avoir oubliée, ce qui n'était point arrivé, mais d'avoir, en de faciles amours, fait outrage à sa mémoire. L'idée me vint d'interroger le sommeil, mais *son* image, qui m'était apparue souvent, ne revenait plus dans mes songes. Je n'eus d'abord que des rêves confus, mêlés de scènes sanglantes. Il semblait que toute une race fatale se fût déchaînée au milieu du monde idéal que j'avais vu autrefois et dont elle était la reine. Le même Esprit qui m'avait menacé, — lorsque j'entrai dans la demeure de ces familles pures qui habitaient les hauteurs de la *Ville mystérieuse*, — passa devant moi, non plus dans ce costume blanc qu'il portait jadis, ainsi que ceux de sa race, mais vêtu en prince d'Orient. Je m'élançai vers lui, le menaçant, mais il se tourna tranquillement vers moi. O terreur ! ô colère ! c'était mon visage, c'était toute ma forme idéalisée et grandie.... Alors je me souvins de celui qui avait été arrêté la même nuit que moi et que, selon ma pensée, on avait fait sortir sous mon nom du corps de garde, lorsque deux amis étaient venus pour me chercher. Il portait à la main une arme dont je distinguais mal la forme, et l'un de ceux qui l'accompagnaient dit :

« C'est avec cela qu'il l'a frappé[4]. »

Je ne sais comment expliquer que, dans mes idées, les événements terrestres pouvaient coïncider avec ceux du monde surnaturel, cela est plus facile à *sentir* qu'à énoncer clairement. Mais quel était donc cet esprit qui était moi et en dehors de moi ? Était-ce *le Double* des légendes, ou ce frère mystique que les Orientaux appellent *Ferouër*[5] ? — N'avais-je pas été frappé de l'histoire de ce chevalier qui combattit toute une nuit dans une forêt contre un inconnu qui était lui-même ? Quoi qu'il en soit, je crois que l'imagination humaine n'a rien inventé qui ne soit vrai, dans ce monde ou dans les autres, et je ne pouvais douter de ce que j'avais *vu* si distinctement.

Une idée terrible me vint :

« L'homme est double », me dis-je.

« Je sens deux hommes en moi », a écrit un Père de l'Église[6]. Le concours de deux âmes a déposé ce germe mixte dans un corps qui lui-même offre à la vue deux portions similaires reproduites dans tous les organes de sa structure. Il y a en tout homme un spectateur et un acteur, celui qui parle et celui qui répond. Les Orientaux ont vu là deux ennemis : le bon et le mauvais génie.

« Suis-je le bon ? suis-je le mauvais ? me disais-je. En tout cas, *l'autre* m'est hostile.... Qui sait s'il n'y a pas telle circonstance ou tel âge où ces deux esprits se séparent ? Attachés au même corps tous deux par une affinité matérielle, peut-être l'un est-il promis à la gloire et au bonheur, l'autre à l'anéantissement ou à la souffrance éternelle ? »

Un éclair fatal traversa tout à coup cette obscurité.... Aurélia n'était plus à moi [7] !... Je croyais entendre parler d'une cérémonie qui se passait ailleurs, et des apprêts d'un mariage mystique qui était le mien, et où *l'autre* allait profiter de l'erreur de mes amis et d'Aurélia elle-même. Les personnes les plus chères qui venaient me voir et me consoler me paraissaient en proie à l'incertitude, c'est-à-dire que les deux parties de leurs âmes se séparaient aussi à mon égard, l'une affectionnée et confiante, l'autre comme frappée de mort à mon égard. Dans ce que ces personnes me disaient, il y avait un sens double, bien que toutefois elles ne s'en rendissent pas compte, puisqu'elles n'étaient pas *en esprit* comme moi. Un instant même cette pensée me sembla comique en songeant à Amphitryon [8] et à Sosie. Mais, si ce symbole grotesque était autre chose, — si, comme dans d'autres fables de l'antiquité, c'était la vérité fatale sous un masque de folie ?

« Eh bien, me dis-je, luttons contre l'esprit fatal, luttons contre le dieu lui-même avec les armes de la tradition et de la science. Quoi qu'il fasse dans l'ombre et la nuit, j'existe, — et j'ai pour le vaincre tout le temps qu'il m'est donné encore de vivre sur la terre. »

X

Comment peindre l'étrange désespoir où ces idées me réduisirent peu à peu ? Un mauvais génie avait pris ma place dans le monde des âmes ; — pour Aurélia, c'était moi-même, et l'Esprit désolé qui vivifiait mon corps, affaibli, dédaigné, méconnu d'elle, se voyait à jamais destiné au désespoir ou au néant. J'employai toutes les forces de ma volonté pour pénétrer encore le mystère dont j'avais levé quelques voiles. Le rêve se jouait parfois de mes efforts et n'amenait que des figures grimaçantes et fugitives. Je ne puis donner ici qu'une idée assez bizarre de ce qui résulta de cette contention d'esprit. Je me sentais glisser comme sur un fil tendu dont la longueur était infinie. La terre, traversée de veines colorées de métaux en fusion, comme je l'avais vue déjà, s'éclaircissait peu à peu par l'épanouissement du feu central, dont la blancheur se fondait avec les teintes cerise qui coloraient les flancs de l'orbe intérieur. Je m'étonnais de temps en temps de rencontrer de vastes flaques d'eau, suspendues comme le sont les nuages dans l'air, et toutefois offrant une telle densité, qu'on pouvait en détacher des flocons ; mais il est clair qu'il s'agissait là d'un liquide différent de l'eau terrestre, et qui était sans doute l'évaporation de celui qui figurait la mer et les fleuves pour le monde des esprits.

J'arrivai en vue d'une vaste plage montueuse et toute couverte d'une espèce de roseaux de teinte verdâtre, jaunis aux extrémités comme si les feux du soleil les eussent en partie desséchés, — mais je n'ai pas vu de soleil plus que les autres fois. — Un château dominait la côte que je me mis à gravir. Sur l'autre versant, je vis s'étendre une ville immense. Pendant que j'avais traversé la montagne, la nuit était venue, et j'apercevais les lumières des habitations et des rues. En descendant, je me trouvai dans un marché où l'on vendait des fruits et des légumes pareils à ceux du Midi.

Je descendis par un escalier obscur, et me trouvai dans les rues. On affichait l'ouverture d'un casino, et les détails de sa distribution se trouvaient énoncés par articles. L'encadrement typographique était fait de guirlandes de fleurs si bien représentées et coloriées, qu'elles semblaient naturelles. — Une partie du bâtiment était encore en construction. J'entrai dans un atelier où je vis des ouvriers qui modelaient en glaise un animal énorme de la forme d'un lama, mais qui paraissait devoir être muni de grandes ailes. Ce monstre était comme traversé d'un jet de feu qui l'animait peu à peu, de sorte qu'il se tordait, pénétré par mille filets pourprés, formant les veines et les artères et fécondant pour ainsi dire l'inerte matière, qui se revêtait d'une végétation instantanée d'appendices fibreux d'ailerons et de touffes laineuses. Je m'arrêtai à contempler ce chef-d'œuvre, où l'on semblait avoir surpris les secrets de la création divine. « C'est que nous avons ici, me dit-on, le feu primitif qui anima les premiers êtres.... Jadis, il s'élançait jusqu'à la surface de la terre, mais les sources se sont taries. » Je vis aussi des travaux d'orfèvrerie où l'on employait deux métaux inconnus sur la terre : l'un rouge, qui semblait correspondre au cinabre [1], et l'autre bleu d'azur. Les ornements n'étaient ni martelés ni ciselés, mais se formaient, se coloraient et s'épanouissaient comme les plantes métalliques qu'on fait naître de certaines mixtions chimiques. « Ne créerait-on pas aussi des hommes ? » dis-je à l'un des travailleurs. Mais il me répliqua : « Les hommes viennent d'en haut, et non d'en bas : pouvons-nous nous créer nous-mêmes ? Ici, l'on ne fait que formuler par les progrès successifs de nos industries une matière plus subtile que celle qui compose la croûte terrestre. Ces fleurs qui vous paraissent naturelles, cet animal qui semblera vivre, ne seront que des produits de l'art élevé au plus haut point de nos connaissances, et chacun les jugera ainsi. »

Telles sont à peu près les paroles, ou qui me furent dites, ou dont je crus percevoir la signification. Je me mis à parcourir les salles du casino et j'y vis une grande foule, dans laquelle je distinguai quelques personnes qui m'étaient connues, les unes vivantes, d'autres mortes en divers temps. Les premières semblaient ne pas me voir, tandis que les autres me répondaient sans avoir l'air de me connaître. J'étais arrivé à la plus grande salle, qui était toute tendue de velours ponceau à bandes d'or tramé, formant de riches dessins. Au milieu se trouvait un sofa en forme de trône. Quelques passants s'y asseyaient pour en éprouver l'élasticité ; mais les préparatifs n'étant pas terminés, ils se dirigeaient vers d'autres salles. On parlait d'un mariage, et de l'époux qui, disait-on, devait arriver pour annoncer le moment de la fête. Aussitôt un transport insensé s'empara de moi. J'imaginai que celui qu'on attendait était mon *double*, qui devait épouser Aurélia, et je fis un scandale qui sembla consterner l'assemblée. Je me mis à parler avec violence, expliquant mes griefs et invoquant le secours de ceux qui me connaissaient. Un vieillard me dit : « Mais on ne se conduit pas ainsi, vous effrayez tout le monde. » Alors je m'écriai : « Je sais bien qu'il m'a frappé déjà de ses armes, mais je l'attends sans crainte et je connais le signe qui doit le vaincre. »

En ce moment, un des ouvriers de l'atelier que j'avais visité en entrant parut, tenant une longue barre, dont l'extrémité se composait d'une boule rougie au feu[2]. Je voulus m'élancer sur lui, mais la boule qu'il tenait en arrêt menaçait toujours ma tête. On semblait autour de moi me railler de mon impuissance.... Alors je me reculai jusqu'au trône, l'âme pleine d'un indicible orgueil, et je levai le bras pour faire un signe qui me semblait avoir une puissance magique. Le cri d'une femme, distinct et vibrant, empreint d'une douleur déchirante, me réveilla en sursaut ! Les syllabes d'un mot inconnu que j'allais prononcer expiraient sur mes lèvres.... Je me précipitai à terre et je me mis à prier avec ferveur en pleurant à chaudes larmes. — Mais quelle était donc cette voix qui venait de résonner si douloureusement dans la nuit ?

Elle n'appartenait pas au rêve ; c'était la voix d'une personne vivante, et pourtant c'était pour moi la voix et l'accent d'Aurélia....

J'ouvris ma fenêtre ; tout était tranquille, et le cri ne se répéta plus. — Je m'informai au-dehors, personne n'avait rien entendu. — Et cependant je suis encore certain que le cri était réel et que l'air des vivants en avait retenti.... Sans doute, on me dira que le hasard a pu faire qu'à ce moment-là même une femme souffrante ait crié dans les environs de ma demeure. — Mais, selon ma pensée, les événements terrestres étaient liés à ceux du monde invisible. C'est un de ces rapports étranges dont je ne me rends pas compte moi-même et qu'il est plus aisé d'indiquer que de définir....

Qu'avais-je fait ? J'avais troublé l'harmonie de l'univers magique où mon âme puisait la certitude d'une existence immortelle. J'étais maudit peut-être pour avoir voulu percer un mystère redoutable en offensant la loi divine ; je ne devais plus attendre que la colère et le mépris ! Les ombres irritées fuyaient en jetant des cris et traçant dans l'air des cercles fatals, comme les oiseaux à l'approche d'un orage.

DEUXIÈME PARTIE

I

Eurydice ! Eurydice[1] *!*

UNE seconde fois perdue !

Tout est fini, tout est passé ! C'est moi maintenant qui dois mourir et mourir sans espoir ! — Qu'est-ce donc que la mort ? Si c'était le néant.... Plût à Dieu[2] ! Mais Dieu lui-même ne peut faire que la mort soit le néant.

Pourquoi donc est-ce la première fois depuis si longtemps que je songe à *lui ?* Le système fatal qui s'était créé dans mon esprit n'admettait pas cette royauté solitaire... ou plutôt elle s'absorbait dans la somme des êtres : c'était le Dieu de Lucretius[3], impuissant et perdu dans son immensité.

Elle[4], pourtant, croyait à Dieu, et j'ai surpris un jour le nom de Jésus sur ses lèvres. Il en coulait si doucement que j'en ai pleuré. O mon Dieu ! cette larme, — cette larme.... Elle est séchée depuis si longtemps ! Cette larme, mon Dieu ! rendez-la-moi !

Lorsque l'âme flotte incertaine entre la vie et le rêve, entre le désordre de l'esprit et le retour de la froide réflexion, c'est dans la pensée religieuse que l'on doit chercher des secours[5] ; — je n'en ai jamais pu trouver dans cette philosophie, qui ne nous présente que des maximes d'égoïsme ou tout au plus de réciprocité, une expérience vaine, des doutes amers ; — elle lutte contre les douleurs morales en anéantissant la sensibilité ; pareille à la chirurgie, elle ne sait que retrancher l'organe qui fait souffrir. — Mais pour nous, nés dans des jours de révolutions et d'orages[6], où toutes les croyances ont été brisées, — élevés tout au plus dans cette foi vague qui se contente de quelques pratiques extérieures et dont l'adhésion indifférente est plus coupable peut-être que l'impiété et l'hérésie, — il est bien difficile, dès que nous en sentons le besoin, de reconstruire l'édifice mystique dont les innocents et les simples admettent dans leurs cœurs la figure toute tracée. « L'arbre de science n'est pas l'arbre de vie ! » Cependant, pouvons-nous rejeter de notre esprit ce que tant de générations intelligentes y ont versé de bon ou de funeste ? L'ignorance ne s'apprend pas.

J'ai meilleur espoir de la bonté de Dieu : peut-être touchons-nous à l'époque prédite où la science, ayant accompli son cercle entier de synthèse et d'analyse, de croyance et de négation, pourra s'épurer elle-même et faire jaillir du désordre et des ruines la cité merveilleuse de l'avenir.... Il ne faut pas faire si bon marché de la raison humaine, que de croire qu'elle gagne quelque chose à s'humilier tout entière, car ce serait accuser sa céleste origine.... Dieu appréciera la pureté des intentions sans doute, et quel est le père qui se complairait à voir son fils abdiquer devant lui tout raisonnement et toute fierté ! L'apôtre [7] qui voulait toucher pour croire n'a pas été maudit pour cela !

Qu'ai-je écrit là ? Ce sont des blasphèmes. L'humilité chrétienne ne peut parler ainsi. De telles pensées sont loin d'attendrir l'âme. Elles ont sur le front les éclairs d'orgueil de la couronne de Satan.... Un pacte avec Dieu lui-même ?... O science ! ô vanité !

J'avais réuni quelques livres de cabale. Je me plongeai dans cette étude, et j'arrivai à me persuader que tout était vrai dans ce qu'avait accumulé là-dessus l'esprit humain pendant des siècles. La conviction que je m'étais formée de l'existence du monde extérieur coïncidait trop bien avec mes lectures, pour que je doutasse désormais des révélations du passé. Les dogmes et les rites des diverses religions me paraissaient s'y rapporter de telle sorte que chacune possédait une certaine portion de ces arcanes qui constituaient ses moyens d'expansion et de défense. Ces forces pouvaient s'affaiblir, s'amoindrir et disparaître, ce qui amenait l'envahissement de certaines races par d'autres, nulles ne pouvant être victorieuses ou vaincues que par l'Esprit.

« Toutefois, me disais-je, il est sûr que ces sciences sont mélangées d'erreurs humaines. L'alphabet magique, l'hiéroglyphe [8] mystérieux ne nous arrivent qu'incomplets et faussés soit par le temps, soit par ceux-là mêmes qui ont intérêt à notre ignorance ; retrouvons la lettre perdue ou le signe effacé, recomposons la gamme dissonante, et nous prendrons force dans le monde des esprits. »

C'est ainsi que je croyais percevoir les rapports du monde réel avec le monde des esprits. La terre, ses habitants et leur histoire étaient le théâtre où venaient s'accomplir les actions physiques qui préparaient l'existence et la situation des êtres immortels attachés à sa destinée. Sans agiter le mystère impénétrable de l'éternité des mondes, ma pensée remonta à l'époque où le soleil, pareil à la plante [9] qui le représente, qui de sa tête inclinée suit la révolution de sa marche céleste, semait sur la terre les germes féconds des plantes et des animaux. Ce n'était autre chose que le feu même qui, étant un composé d'âmes, formulait instinctivement la demeure commune. L'esprit de l'Être-Dieu, reproduit et pour ainsi dire reflété sur la terre, devenait le type commun des âmes humaines, dont chacune, par suite, était à la fois homme et Dieu. Tels furent les Éloïm.

Quand on se sent malheureux, on songe au malheur des autres. J'avais mis quelque négligence à visiter un de mes amis les plus chers, qu'on m'avait dit malade. En me rendant à la maison où il était traité, je me reprochais vivement cette faute. Je fus encore plus désolé lorsque mon ami [10] me raconta qu'il avait été la veille au plus mal. J'entrai dans une chambre d'hospice, blanchie à la chaux. Le soleil découpait des angles joyeux sur les murs et se jouait sur un vase de fleurs qu'une religieuse venait de poser sur la table du malade. C'était presque la cellule d'un anachorète italien. — Sa figure amaigrie, son teint semblable à l'ivoire jauni, relevé par la couleur noire de sa barbe et de ses cheveux, ses yeux illuminés d'un reste de fièvre, peut-être aussi l'arrangement d'un manteau à capuchon jeté sur ses épaules, en faisaient pour moi un être à moitié différent de celui que j'avais connu. Ce n'était plus le joyeux compagnon de mes travaux et de mes plaisirs ; il y avait en lui un apôtre. Il me raconta comment il s'était vu, au plus fort des souffrances de son mal, saisi d'un dernier transport qui lui parut être le moment suprême. Aussitôt la douleur avait cessé comme par prodige. — Ce qu'il me raconta ensuite est impossible à rendre : un rêve sublime dans les espaces les plus vagues de l'infini, une conversation avec un être à la fois différent et participant de lui-même, et à qui, se croyant mort, il demandait où était Dieu. « Mais Dieu est partout, lui répondait son esprit. Il est en toi-même et en tous. Il te juge, il t'écoute, il te conseille ; c'est toi et *moi*, qui pensons et rêvons ensemble, — et nous ne nous sommes jamais quittés, et nous sommes éternels ! »

Je ne puis citer autre chose de cette conversation, que j'ai peut-être mal entendue ou mal comprise. Je sais seulement que l'impression en fut très vive. Je n'ose attribuer à mon ami les conclusions que j'ai peut-être faussement tirées de ses paroles. J'ignore même si le sentiment qui en résulte n'est pas conforme à l'idée chrétienne.

« Dieu est avec lui, m'écriai-je... mais il n'est plus avec moi ! O malheur ! je l'ai chassé de moi-même, je l'ai menacé, je l'ai maudit ! C'était bien lui, ce frère mystique, qui s'éloignait de plus en plus de mon âme et qui m'avertissait en vain ! Cet époux préféré, ce roi de gloire [11] c'est lui qui me juge et me condamne, et qui emporte à jamais dans son ciel celle qu'il m'eût donnée et dont je suis indigne désormais [12] ! »

II

Je ne puis dépeindre l'abattement où me jetèrent ces idées. « Je comprends, me dis-je, j'ai préféré la créature [1] au créateur ; j'ai déifié mon amour et j'ai adoré, selon les rites païens, celle dont le dernier soupir a été consacré au Christ. Mais si cette religion dit vrai, Dieu peut me pardonner encore. Il peut me la rendre, si je m'humilie devant lui ; peut-être son esprit reviendra-t-il en moi ! » J'errais dans les rues, au hasard, plein de cette pensée. Un convoi croisa ma marche ; il se dirigeait vers le cimetière où elle avait été ensevelie ; j'eus l'idée de m'y rendre en me joignant au cortège. « J'ignore, me disais-je, quel est ce mort que l'on conduit à la fosse, mais je sais maintenant que les morts nous voient et nous entendent peut-être, — sera-t-il content de se voir suivi d'un frère de douleurs, plus triste qu'aucun de ceux qui l'accompagnent. » Cette idée me fit verser des larmes, et sans doute on crut que j'étais un des meilleurs amis du défunt. O larmes bénies ! depuis longtemps votre douceur m'était refusée !... Ma tête se dégageait, et un rayon d'espoir me guidait encore. Je me sentais la force de prier, et j'en jouissais avec transport.

Je ne m'informai pas même du nom de celui dont j'avais suivi le cercueil. Le cimetière où j'étais entré m'était sacré à plusieurs titres. Trois parents de ma famille maternelle y avaient été ensevelis ; mais je ne pouvais aller prier sur leurs tombes, car elles avaient été transportées depuis plusieurs années dans une terre éloignée, lieu de leur origine. — Je cherchai longtemps la tombe d'Aurélia, et je ne pus la retrouver. Les dispositions du cimetière avaient été changées, — peut-être aussi ma mémoire était-elle égarée.... Il me semblait que ce hasard, cet oubli, ajoutaient encore à ma condamnation. — Je n'osais pas dire aux gardiens le nom d'une morte sur laquelle je n'avais religieusement aucun droit.... Mais je me souvins que j'avais chez moi l'indication précise de la tombe, et j'y courus, le cœur palpitant, la tête perdue. Je l'ai dit déjà : j'avais entouré mon amour de superstitions bizarres. — Dans un petit coffret qui *lui* avait appartenu, je conservais sa dernière lettre. Oserai-je avouer encore que j'avais fait de ce coffret une sorte de reliquaire qui me rappelait de longs voyages où sa pensée m'avait suivi : une rose cueillie dans les jardins de Schoubrah [2], un morceau de bandelette rapporté d'Égypte, des feuilles de laurier cueillies dans la rivière de Beyrouth [3], deux petits cristaux dorés, des mosaïques de Sainte-Sophie [4], un grain de chapelet, que sais-je encore ?... enfin le papier qui m'avait été donné le jour où la tombe fut creusée, afin que je pusse la retrouver... Je rougis, je frémis en dispersant ce fol assemblage. Je pris sur moi les deux papiers, et, au moment de me diriger de nouveau vers le cimetière, je changeai de résolution. « Non, me dis-je, je ne suis pas digne de m'agenouiller sur la tombe d'une chrétienne ; n'ajoutons pas une profanation à tant d'autres !... » Et, pour apaiser l'orage qui grondait dans ma tête, je me rendis à quelques lieues de Paris, dans une petite ville [5] où j'avais passé quelques jours heureux au temps de ma jeunesse, chez de vieux parents, morts depuis. J'avais aimé souvent à y venir voir coucher le soleil près de leur maison. Il y avait là une terrasse ombragée de tilleuls qui me rappelait aussi le souvenir de jeunes filles, de parentes, parmi lesquelles j'avais grandi. Une d'elles [6]....

Mais opposer ce vague amour d'enfance à celui qui a dévoré ma jeunesse, y avais-je songé seulement ? Je vis le soleil décliner sur la vallée qui s'emplissait de vapeurs et d'ombre ; il disparut, baignant de feux rougeâtres la cime des bois qui bordaient de hautes collines. La plus morne tristesse entra dans mon cœur. — J'allai coucher dans une auberge où j'étais connu. L'hôtelier me parla d'un de mes anciens amis, habitant de la ville, qui, à la suite de spéculations malheureuses, s'était tué d'un coup de pistolet.... Le sommeil m'apporta des rêves terribles. Je n'en ai conservé qu'un souvenir confus. — Je me trouvais dans une salle inconnue et je causais avec quelqu'un du monde extérieur, — l'ami dont je viens de parler, peut-être. Une glace très haute se trouvait derrière nous. En y jetant par hasard un coup d'œil, il me sembla reconnaître A ***[7]. Elle semblait triste et pensive, et tout à coup, soit qu'elle sortît de la glace, soit que passant dans la salle elle se fût reflétée un instant avant, cette figure douce et chérie se trouva près de moi. Elle me tendit la main, laissa tomber sur moi un regard douloureux et me dit :

« Nous nous reverrons plus tard..., à la maison de ton ami. »

En un instant, je me représentai son mariage[8], la malédiction qui nous séparait... et je me dis : « Est-ce possible ? reviendrait-elle à moi ? — M'avez-vous pardonné ? » demandais-je avec larmes. Mais tout avait disparu. Je me trouvais dans un lieu désert, une âpre montée semée de roches, au milieu des forêts. Une maison, qu'il me semblait reconnaître, dominait ce pays désolé. J'allais et je revenais par des détours inextricables. Fatigué de marcher entre les pierres et les ronces, je cherchais parfois une route plus douce par les sentes du bois. « On m'attend là-bas ! » pensais-je. — Une certaine heure sonna.... Je me dis : *Il est trop tard !* Des voix me répondirent : *Elle est perdue*[9] *!* Une nuit profonde m'entourait, la maison lointaine brillait comme éclairée pour une fête et pleine d'hôtes arrivés à temps. « Elle est perdue ! m'écriai-je, et pourquoi ?... Je comprends, — elle a fait un dernier effort pour me sauver ; j'ai manqué le moment suprême où le pardon était possible encore. Du haut du ciel, elle pouvait prier pour moi l'Époux divin.... Et qu'importe mon salut même ? L'abîme a reçu sa proie ! Elle est perdue pour moi et pour tous !... » Il me semblait la voir comme à la lueur d'un éclair, pâle et mourante, entraînée par de sombres cavaliers....

Le cri de douleur et de rage que je poussai en ce moment me réveilla tout haletant. « Mon Dieu ! mon Dieu ! pour elle et pour elle seule mon Dieu pardonnez ! » m'écriai-je en me jetant à genoux. Il faisait jour. Par un mouvement dont il m'est difficile de rendre compte, je résolus aussitôt de détruire les deux papiers que j'avais tirés la veille du coffret : la lettre, hélas ! que je relus en la mouillant de larmes, et le papier funèbre qui portait le cachet du cimetière. « Retrouver sa tombe maintenant ? me disais-je, mais c'est hier qu'il fallait y retourner, — et mon rêve fatal n'est que le reflet de ma fatale journée ! »

III

La flamme a dévoré ces reliques d'amour et de mort, qui se renouaient aux fibres les plus douloureuses de mon cœur. Je suis allé promener mes peines et mes remords tardifs dans la campagne, cherchant dans la marche [1] et dans la fatigue l'engourdissement de la pensée, la certitude peut-être pour la nuit suivante d'un sommeil moins funeste. Avec cette idée que je m'étais faite du rêve comme ouvrant à l'homme une communication avec le monde des esprits, j'espérais... j'espérais encore ! Peut-être Dieu se contenterait-il de ce sacrifice [2]. — Ici je m'arrête ; il y a trop d'orgueil à prétendre que l'état d'esprit où j'étais fût causé seulement par un souvenir d'amour. Disons plutôt qu'involontairement j'en parais les remords plus graves d'une vie follement dissipée [3] où le mal avait triomphé bien souvent, et dont je ne reconnaissais les fautes qu'en sentant les coups du malheur. Je ne me trouvais plus digne même de penser à celle que je tourmentais dans sa mort après l'avoir affligée dans sa vie [4], n'ayant dû un dernier regard de pardon qu'à sa douce et sainte pitié [5].

La nuit suivante, je ne pus dormis que peu d'instants. Une femme qui avait pris soin de ma jeunesse m'apparut dans le rêve et me fit reproche d'une faute très grave que j'avais commise autrefois. Je la reconnaissais, quoiqu'elle parût beaucoup plus vieille que dans les derniers temps où je l'avais vue. Cela même me faisait songer amèrement que j'avais négligé d'aller la visiter à ses derniers instants. Il me sembla qu'elle me disait : « Tu n'as pas pleuré tes vieux parents aussi vivement que tu as pleuré cette femme. Comment peux-tu donc espérer le pardon ? » Le rêve devint confus. Des figures de personnes que j'avais connues en divers temps passèrent rapidement devant mes yeux. Elles défilaient, s'éclairant, pâlissant et retombant dans la nuit comme les grains d'un chapelet dont le lien s'est brisé. Je vis ensuite se former vaguement des images plastiques de l'Antiquité qui s'ébauchaient, se fixaient et semblaient représenter des symboles dont je ne saisissais que difficilement l'idée. Seulement, je crus que cela voulait dire : « Tout cela était fait pour t'enseigner le secret de la vie [6], et tu n'as pas compris. Les religions et les fables, les saints et les poètes s'accordaient à expliquer l'énigme fatale, et tu as mal interprété.... Maintenant il est trop tard ! »

Je me levai plein de terreur, me disant : « C'est mon dernier jour ! » A dix ans d'intervalle, la même idée que j'ai tracée dans la première partie de ce récit me revenait plus positive encore et plus menaçante. Dieu m'avait laissé ce temps pour me repentir, et je n'en avais point profité. — Après la visite du *convive de pierre* [7], je m'étais rassis au festin !

IV

Le sentiment qui résulta pour moi de ces visions et des réflexions qu'elles amenaient pendant mes heures de solitude était si triste, que je me sentais comme perdu. Toutes les actions de ma vie m'apparaissaient sous leur côté le plus défavorable, et dans l'espèce d'examen de conscience auquel je me livrais, la mémoire me représentait les faits les plus anciens avec une netteté singulière. Je ne sais quelle fausse honte m'empêcha de me présenter au confessionnal; la crainte peut-être de m'engager dans les dogmes et dans les pratiques d'une religion redoutable, contre certains points de laquelle j'avais conservé des préjugés philosophiques. Mes premières années ont été trop imprégnées des idées issues de la Révolution, mon éducation a été trop libre, ma vie trop errante, pour que j'accepte facilement un joug qui sur bien des points offenserait encore ma raison. Je frémis en songeant quel chrétien je ferais si certains principes empruntés au libre examen des deux derniers siècles, si l'étude encore des diverses religions ne m'arrêtaient sur cette pente. — Je n'ai jamais connu ma mère, qui avait voulu suivre mon père aux armées [1], comme les femmes des anciens Germains; elle mourut de fièvre et de fatigue dans une froide contrée de l'Allemagne, et mon père lui-même ne put diriger là-dessus mes premières idées. Le pays où je fus élevé était plein de légendes étranges et de superstitions bizarres. Un de mes oncles qui eut la plus grande influence sur ma première éducation s'occupait, pour se distraire, d'antiquités romaines et celtiques. Il trouvait parfois, dans son champ ou aux environs, des images de dieux et d'empereurs que son admiration de savant me faisait vénérer, et dont ses livres m'apprenaient l'histoire. Un certain Mars en bronze doré, une Pallas ou Vénus armée, un Neptune et une Amphitrite sculptés au-dessus de la fontaine du hameau [2], et surtout la bonne grosse figure barbue d'un dieu Pan souriant à l'entrée d'une grotte, parmi les festons de l'aristoloche et du lierre, étaient les dieux domestiques et protecteurs de cette retraite. J'avoue qu'ils m'inspiraient alors plus de vénération que les pauvres images chrétiennes de l'église et les deux saints informes du portail, que certains savants prétendaient être l'Ésus [3] et le Cernunnos des Gaulois. Embarrassé au milieu de ces divers symboles, je demandai un jour à mon oncle ce que c'était que Dieu. « Dieu, c'est le Soleil », me dit-il. C'était la pensée intime d'un honnête homme qui avait vécu en chrétien toute sa vie, mais qui avait traversé la Révolution, et qui était d'une contrée où plusieurs avaient la même idée de la Divinité. Cela n'empêchait pas que les femmes et les enfants n'allassent à l'église, et je dus à une de mes tantes quelques instructions qui me firent comprendre les beautés et les grandeurs du christianisme. Après 1815, un Anglais qui se trouvait dans notre pays me fit apprendre le Sermon sur la montagne, et me donna un Nouveau Testament [4].... Je ne cite ces détails que pour indiquer les causes d'une certaine irrésolution qui s'est souvent unie chez moi à l'esprit religieux le plus prononcé.

Je veux expliquer comment, éloigné longtemps de la vraie route, je m'y suis senti ramené par le souvenir chéri d'une personne morte, et comment le besoin de croire qu'elle existait toujours a fait rentrer dans mon esprit le sentiment précis des diverses vérités que je n'avais pas assez fermement recueillies en mon âme. Le désespoir et le suicide [5] sont le résultat de certaines situations fatales pour qui n'a pas foi dans l'immortalité, dans ses peines et dans ses joies ; — je croirai avoir fait quelque chose de bon et d'utile en énonçant naïvement la succession des idées par lesquelles j'ai trouvé le repos et une force nouvelle à opposer aux malheurs futurs de la vie.

Les visions qui s'étaient succédé pendant mon sommeil m'avaient réduit à un tel désespoir que je pouvais à peine parler ; la société de mes amis ne m'inspirait qu'une distraction vague ; mon esprit, entièrement occupé de ces illusions, se refusait à la moindre conception différente ; je ne pouvais lire et comprendre dix lignes de suite. Je me disais des plus belles choses : « Qu'importe ! cela n'existe pas pour moi. » Un de mes amis, nommé Georges [6], entreprit de vaincre ce découragement. Il m'emmenait dans diverses contrées des environs de Paris, et consentait à parler seul, tandis que je ne répondais qu'avec quelques phrases décousues. Sa figure expressive, et presque cénobitique, donna un jour un grand effet à des choses fort éloquentes qu'il trouva contre ces années de scepticisme et de découragement politique et social qui succédèrent à la révolution de Juillet. J'avais été l'un des jeunes de cette époque, et j'en avais goûté les ardeurs et les amertumes. Un mouvement se fit en moi ; je me dis que de telles leçons ne pouvaient être données sans une intention de la Providence, et qu'un esprit parlait sans doute en lui.... Un jour, nous dînions sous une treille, dans un petit village des environs de Paris ; une femme vint chanter près de notre table, et je ne sais quoi, dans sa voix usée mais sympathique, me rappela celle d'Aurélia. Je la regardai : ses traits mêmes n'étaient pas sans ressemblance avec ceux que j'avais aimés. On la renvoya, et je n'osai la retenir, mais je me disais : « Qui sait si *son esprit* n'est pas dans cette femme ! » et je me sentis heureux de l'aumône que j'avais faite.

Je me dis : « J'ai bien mal usé de la vie, mais, si les morts pardonnent, c'est sans doute à condition que l'on s'abstiendra à jamais du mal, et qu'on réparera tout celui qu'on a fait. Cela se peut-il ?... Dès ce moment, essayons de ne plus mal faire, et rendons l'équivalent de tout ce que nous pouvons devoir. » J'avais un tort récent envers une personne ; ce n'était qu'une négligence, mais je commençai par m'en aller excuser. La joie que je reçus de cette réparation me fit un bien extrême ; j'avais un motif de vivre et d'agir désormais, je reprenais intérêt au monde.

Des difficultés surgirent : des événements inexplicables pour moi semblèrent se réunir pour contrarier ma bonne résolution. La situation de mon esprit me rendait impossible l'exécution de travaux convenus. Me croyant bien portant désormais, on devenait plus exigeant, et comme j'avais renoncé au mensonge, je me trouvais pris en défaut par des gens qui ne craignaient pas d'en user. La masse des réparations à faire m'écrasait en raison de mon impuissance. Des événements politiques agissaient indirectement, tant pour m'affliger que pour m'ôter le moyen de mettre ordre à mes affaires. La mort d'un de mes amis vint compléter ces motifs de découragement. Je revis avec douleur son logis, ses tableaux, qu'il m'avait montrés avec joie un mois auparavant ; je passai près de son cercueil au moment où on l'y clouait. Comme il était de mon âge et de mon temps, je me dis : « Qu'arriverait-il, si je mourais ainsi tout à coup ? »

Le dimanche suivant, je me levai en proie à une douleur morne. J'allai visiter mon père [7], dont la servante était malade, et qui paraissait avoir de l'humeur. Il voulut aller seul chercher du bois à son grenier, et je ne pus lui rendre que le service de lui tendre une bûche dont il avait besoin. Je sortis conterné. Je rencontrai dans les rues un ami qui voulait m'emmener dîner chez lui pour me distraire un peu. Je refusai, et, sans avoir mangé, je me dirigeai vers Montmartre. Le cimetière était fermé, ce que je regardai comme un mauvais présage. Un poète allemand [8] m'avait donné quelques pages à traduire et m'avait avancé une somme sur ce travail. Je pris le chemin de sa maison pour lui rendre l'argent.

En tournant la barrière de Clichy, je fus témoin d'une dispute. J'essayai de séparer les combattants, mais je n'y pus réussir. En ce moment, un ouvrier de grande taille passa sur la place même où le combat venait d'avoir lieu, portant sur l'épaule gauche un enfant vêtu d'une robe couleur d'hyacinthe [9]. Je m'imaginai que c'était saint Christophe [10] portant le Christ, et que j'étais condamné pour avoir manqué de force dans la scène qui venait de se passer. A dater de ce moment, j'errai en proie au désespoir dans les terrains vagues qui séparent le faubourg de la barrière. Il était trop tard pour faire la visite que j'avais projetée. Je revins donc à travers les rues vers le centre de Paris. Au coin de la rue de la Victoire, je rencontrai un prêtre, et, dans le désordre où j'étais, je voulus me confesser à lui [11]. Il me dit qu'il n'était pas de la paroisse, et qu'il allait en soirée chez quelqu'un ; que, si je voulais le consulter le lendemain à Notre-Dame, je n'avais qu'à demander l'abbé Dubois.

Désespéré, je me dirigeai en pleurant vers Notre-Dame de Lorette [12], où j'allai me jeter au pied de l'autel de la Vierge, demandant pardon pour mes fautes. Quelques chose en moi me disait : « La Vierge est morte et tes prières sont inutiles. » J'allai me mettre à genoux aux dernières places du chœur, et je fis glisser de mon doigt une bague d'argent dont le chaton portait gravés ces trois mots arabes : *Allah* [13] ! *Mohamed ! Ali !* Aussitôt plusieurs bougies [14] s'allumèrent dans le chœur, et l'on commença un office auquel je tentai de m'unir en esprit. Quand on en fut à l'*Ave Maria*[15], le prêtre s'interrompit au milieu de l'oraison et recommença sept fois sans que je pusse retrouver dans ma mémoire les paroles suivantes. On termina ensuite la prière, et le prêtre fit un discours qui me semblait faire allusion à moi seul. Quand tout fut éteint, je me levai et je sortis, me dirigeant vers les Champs-Élysées.

Arrivé sur la place de la Concorde, ma pensée était de me détruire[16]. A plusieurs reprises, je me dirigeai vers la Seine ; mais quelque chose m'empêchait d'accomplir mon dessein. Les étoiles brillaient dans le firmament. Tout à coup il me sembla qu'elles venaient de s'éteindre à la fois, comme les bougies que j'avais vues à l'église. Je crus que les temps étaient accomplis, et que nous touchions à la fin du monde annoncée dans l'Apocalypse de saint Jean[17]. Je croyais voir un soleil noir dans le ciel désert et un globe rouge de sang au-dessus des Tuileries. Je me dis :

« La nuit éternelle commence, et elle va être terrible. Que va-t-il arriver quand les hommes s'apercevront qu'il n'y a plus de soleil ? »

Je revins par la rue Saint-Honoré, et je plaignais les paysans[18] attardés que je rencontrais. Arrivé vers le Louvre, je marchai jusqu'à la place, et là, un spectacle étrange m'attendait. A travers des nuages rapidement chassés par le vent, je vis plusieurs lunes qui passaient avec une grande rapidité. Je pensai que la terre était sortie de son orbite et qu'elle errait dans le firmament comme un vaisseau démâté, se rapprochant ou s'éloignant des étoiles qui grandissaient ou diminuaient tour à tour. Pendant deux ou trois heures, je contemplai ce désordre et je finis par me diriger du côté des halles. Les paysans apportaient leurs denrées, et je me disais : « Quel sera leur étonnement en voyant que la nuit se prolonge !... » Cependant, les chiens aboyaient çà et là, et les coqs chantaient[19].

Brisé de fatigue, je rentrai chez moi et je me jetai sur mon lit. En m'éveillant, je fus étonné de revoir la lumière. Une sorte de chœur mystérieux arriva à mon oreille ; des voix enfantines répétaient en chœur : « *Christe ! Christe ! Christe !...* Je pensai que l'on avait réuni dans l'église voisine (Notre-Dame-des-Victoires[20]) un grand nombre d'enfants pour invoquer le Christ. « Mais le Christ n'est plus[21] ! me disais-je ; ils ne le savent pas encore ! »

L'invocation dura environ une heure. Je me levai enfin et j'allai sous les galeries du Palais-Royal. Je me dis que probablement le soleil avait encore conservé assez de lumière pour éclairer la terre pendant trois jours, mais qu'il usait de sa propre substance, et, en effet, je le trouvais froid et décoloré. J'apaisai ma faim avec un petit gâteau pour me donner la force d'aller jusqu'à la maison du poète allemand. En entrant, je lui dis que tout était fini et qu'il fallait nous préparer à mourir. Il appela sa femme qui me dit : « Qu'avez-vous ? — Je ne sais, lui dis-je, je suis perdu. »

Elle envoya chercher un fiacre, et une jeune fille me conduisit à la maison Dubois [22].

V

Là, mon mal reprit avec diverses alternatives. Au bout d'un mois, j'étais rétabli. Pendant les deux mois qui suivirent, je repris mes pérégrinations autour de Paris. Le plus long voyage que j'aie fait a été pour visiter la cathédrale de Reims [1]. Peu à peu, je me remis à écrire et je composai une de mes meilleures nouvelles [2]. Toutefois, je l'écrivis péniblement, presque toujours au crayon, sur des feuilles détachées, suivant le hasard de ma rêverie ou de ma promenade. Les corrections m'agitèrent beaucoup. Peu de jours après l'avoir publiée, je me sentis pris d'une insomnie persistante. J'allais me promener toute la nuit sur la colline de Montmartre et y voir le lever du soleil. Je causais longuement avec les paysans et les ouvriers. Dans d'autres moments, je me dirigeais vers les halles. Une nuit, j'allais souper dans un café du boulevard et je m'amusai à jeter en l'air des pièces d'or et d'argent. J'allai ensuite à la halle et je me disputai avec un inconnu, à qui je donnai un rude soufflet [3] ; je ne sais comment cela n'eut aucune suite. A une certaine heure, entendant sonner l'horloge de Saint-Eustache [4], je me pris à penser aux luttes des Bourguignons et des Armagnacs, et je croyais voir s'élever autour de moi les fantômes des combattants de cette époque. Je me pris de querelle avec un facteur qui portait sur sa poitrine une plaque d'argent, et que je disais être le duc Jean de Bourgogne. Je voulais l'empêcher d'entrer dans un cabaret. Par une singularité que je ne m'explique pas, voyant que je le menaçais de mort, son visage se couvrit de larmes. Je me sentis attendri, et je le laissai passer.

Je me dirigeai [5] vers les Tuileries, qui étaient fermées, et suivis la ligne des quais ; je montai ensuite au Luxembourg, puis je revins déjeuner avec un de mes amis. Ensuite j'allai vers Saint-Eustache, où je m'agenouillai pieusement à l'autel de la Vierge, en pensant à ma mère. Les pleurs que je versai détendirent mon âme, et, en sortant de l'église, j'achetai un anneau d'argent. De là, j'allai rendre visite à mon père, chez lequel je laissai un bouquet de marguerites, car il était absent. J'allai de là au Jardin des plantes. Il y avait beaucoup de monde, et je restai quelque temps à regarder l'hippopotame qui se baignait dans un bassin. — J'allai ensuite visiter les galeries d'ostéologie [6]. La vue des monstres qu'elles renferment me fit penser au déluge, et, lorsque je sortis, une averse épouvantable tombait dans le jardin. Je me dis : « Quel malheur ! Toutes ces femmes, tous ces enfants vont se trouver mouillés !... » Puis, je me dis : « Mais c'est plus encore ! c'est le véritable déluge [7] qui commence. »

L'eau s'élevait dans les rues voisines ; je descendis en courant la rue Saint-Victor, et, dans l'idée d'arrêter ce que je croyais l'inondation universelle, je jetai à l'endroit le plus profond l'anneau que j'avais acheté à Saint-Eustache. Vers le même moment l'orage s'apaisa, et un rayon de soleil commença à briller.

L'espoir rentra dans mon âme. J'avais rendez-vous à quatre heures chez mon ami Georges ; je me dirigeai vers sa demeure. En passant devant un marchand de curiosités, j'achetai deux écrans de velours couverts de figures hiéroglyphiques. Il me sembla que c'était la consécration du pardon des cieux. J'arrivai chez Georges à l'heure précise, et je lui confiai mon espoir. J'étais mouillé et fatigué. Je changeai de vêtements et me couchai sur son lit. Pendant mon sommeil, j'eus une vision merveilleuse. Il me semblait que la déesse m'apparaissait, me disant : « Je suis la même que Marie [8], la même que ta mère, la même aussi que sous toutes les formes tu as toujours aimée. A chacune de tes épreuves, j'ai quitté l'un des masques dont je voile mes traits, et bientôt tu me verras telle que je suis.... » Un verger délicieux sortait des nuages derrière elle, une lumière douce et pénétrante éclairait ce paradis, et cependant je n'entendais que sa voix, mais je me sentais plongé dans une ivresse charmante. — Je m'éveillai peu de temps après et je dis à Georges : « Sortons. » Pendant que nous traversions le pont des Arts, je lui expliquais les migrations des âmes, et je lui disais : « Il me semble que ce soir j'ai en moi l'âme de Napoléon qui m'inspire et me commande de grandes choses. » Dans la rue du Coq j'achetai un chapeau, et, pendant que Georges recevait la monnaie de la pièce d'or que j'avais jetée sur le comptoir, je continuai ma route et j'arrivai aux galeries du Palais-Royal[9].

Là, il me sembla que tout le monde me regardait. Une idée persistante s'était logée dans mon esprit, c'est qu'il n'y avait plus de morts ; je parcourais la galerie de Foy en disant : « J'ai fait une faute », et je ne pouvais découvrir laquelle en consultant ma mémoire que je croyais être celle de Napoléon[10].... « Il y a quelque chose que je n'ai point payé par ici ! » J'entrai au café de Foy dans cette idée, et je crus reconnaître dans un des habitués le père Bertin [11] des *Débats*. Ensuite, je traversai le jardin et je pris quelque intérêt à voir les rondes des petites filles. De là, je sortis des galeries et je me dirigeai vers la rue Saint-Honoré. J'entrai dans une boutique pour acheter un cigare, et, quand je sortis, la foule était si compacte que je faillis être étouffé. Trois de mes amis me dégagèrent en répondant de moi et me firent entrer dans un café pendant que l'un d'eux allait chercher un fiacre. On me conduisit à l'hospice de la Charité [12].

Pendant la nuit, le délire s'augmenta, surtout le matin, lorsque je m'aperçus que j'étais attaché. Je parvins à me débarrasser de la camisole de force, et, vers le matin, je me promenai dans les salles. L'idée que j'étais devenu semblable à un dieu et que j'avais le pouvoir de guérir me fit imposer les mains à quelques malades, et, m'approchant d'une statue de la Vierge, j'enlevai la couronne de fleurs artificielles pour appuyer le pouvoir que je me croyais. Je marchai à grands pas, parlant avec animation de l'ignorance des hommes qui croyaient pouvoir guérir avec la science seule, et, voyant sur la table un flacon d'éther, je l'avalai d'une gorgée. Un interne, d'une figure que je comparais à celle des anges, voulut m'arrêter, mais la force nerveuse me soutenait, et prêt à le renverser, je m'arrêtai, lui disant qu'il ne comprenait pas quelle était ma mission. Des médecins vinrent alors, et je continuai mes discours sur l'impuissance de leur art. Puis je descendis l'escalier, bien que n'ayant point de chaussures. Arrivé devant un parterre, j'y entrai et je cueillis des fleurs en me promenant sur le gazon.

Un de mes amis était revenu pour me chercher. Je sortis alors du parterre, et, pendant que je lui parlais, on me jeta sur les épaules une camisole de force, puis on me fit monter dans un fiacre et je fus conduit à une maison de santé située hors de Paris [13]. Je compris, en me voyant parmi les aliénés, que tout n'avait été pour moi qu'illusions jusque-là. Toutefois les promesses que j'attribuais à la déesse Isis me semblaient se réaliser par une série d'épreuves que j'étais destiné à subir. Je les acceptai [14] donc avec résignation.

La partie de la maison où je me trouvais donnait sur un vaste promenoir ombragé de noyers. Dans un angle se trouvait une petite butte où l'un des prisonniers se promenait en cercle tout le jour. D'autres se bornaient, comme moi, à parcourir le terre-plein ou la terrasse, bordée d'un talus de gazon. Sur un mur, situé au couchant, étaient tracées des figures dont l'une représentait la forme de la lune avec des yeux et une bouche tracés géométriquement ; sur cette figure on avait peint une sorte de masque ; le mur de gauche présentait divers dessins de profil dont l'un figurait une sorte d'idole japonaise. Plus loin, une tête de mort était creusée dans le plâtre ; sur la face opposée, deux pierres de taille avaient été sculptées par quelqu'un des hôtes du jardin et représentaient de petits mascarons assez bien rendus. Deux portes donnaient sur des caves, et je m'imaginai que c'étaient des voies souterraines pareilles à celles que j'avais vues à l'entrée des Pyramides [15].

VI

Je m'imaginai d'abord que les personnes réunies dans ce jardin avaient toutes quelque influence sur les astres, et que celui qui tournait sans cesse dans le même cercle y réglait la marche du soleil. Un vieillard, que l'on amenait à certaines heures du jour et qui faisait des nœuds en consultant sa montre, m'apparaissait comme chargé de constater la marche des heures. Je m'attribuai à moi-même une influence sur la marche de la lune, et je crus que cet astre avait reçu un coup de foudre du Tout-Puissant qui avait tracé sur sa face l'empreinte du masque que j'avais remarquée.

J'attribuais un sens mystique aux conversations des gardiens et à celles de mes compagnons. Il me semblait qu'ils étaient les représentants de toutes les races de la terre et qu'il s'agissait entre nous de fixer à nouveau la marche des astres et de donner un développement plus grand au système. Une erreur s'était glissée, selon moi, dans la combinaison générale des nombres, et de là venaient tous les maux de l'humanité. Je croyais encore que les esprits célestes avaient pris des formes humaines et assistaient à ce congrès général, tout en paraissant occupés de soins vulgaires. Mon rôle me semblait être de rétablir l'harmonie universelle par art cabalistique et de chercher une solution en évoquant les forces occultes des diverses religions.

Outre le promenoir, nous avions encore une salle dont les vitres rayées perpendiculairement donnaient sur un horizon de verdure. En regardant derrière ces vitres la ligne des bâtiment extérieurs, je voyais se découper la façade et les fenêtres en mille pavillons ornés d'arabesques, et surmontés de découpures et d'aiguilles, qui me rappelaient les kiosques[1] impériaux bordant le Bosphore[2]. Cela conduisit naturellement ma pensée aux préoccupations orientales. Vers deux heures, on me mit au bain, et je me crus servi par les Walkyries[3], filles d'Odin, qui voulaient m'élever à l'immortalité en dépouillant peu à peu mon corps de ce qu'il avait d'impur.

Je me promenais le soir plein de sérénité aux rayons de la lune, et, en levant les yeux vers les arbres, il me semblait que les feuilles se roulaient capricieusement de manière à former des images de cavaliers et de dames, portés par des chevaux caparaçonnés. C'étaient pour moi les figures triomphantes des aïeux. Cette pensée me conduisit à celle qu'il y avait une vaste conspiration de tous les êtres animés[4] pour rétablir le monde dans son harmonie première, et que les communications avaient lieu par le magnétisme des astres, qu'une chaîne non interrompue liait autour de la terre les intelligences dévouées à cette communication générale, et que les chants, les danses, les regards, aimantés de proche en proche, traduisaient la même aspiration. La lune était pour moi le refuge des âmes fraternelles qui, délivrées de leurs corps mortels, travaillaient plus librement à la régénération de l'univers.

Pour moi déjà, le temps de chaque journée semblait augmenté de deux heures ; de sorte qu'en me levant aux heures fixées par les horloges de la maison je ne faisais que me promener dans l'empire des ombres. Les compagnons qui m'entouraient me semblaient endormis et pareils aux spectres du Tartare[5] jusqu'à l'heure où pour moi se levait le soleil. Alors je saluais cet astre par une prière, et ma vie réelle commençait.

Du moment que je me fus assuré de ce point que j'étais soumis aux épreuves de l'initiation sacrée, une force invincible entra dans mon esprit. Je me jugeais un héros vivant sous le regard des dieux ; tout dans la nature prenait des aspects nouveaux, et des voix secrètes sortaient de la plante, de l'arbre, des animaux, des plus humbles insectes, pour m'avertir et m'encourager. Le langage de mes compagnons avait des tours mystérieux dont je comprenais le sens, les objets sans forme et sans vie se prêtaient eux-mêmes aux calculs de mon esprit ; — des combinaisons de cailloux, des figures d'angles, de fentes ou d'ouvertures, des découpures de feuilles, des couleurs, des odeurs et des sons, je voyais ressortir des harmonies jusqu'alors inconnues. « Comment, me disais-je, ai-je pu exister si longtemps hors de la nature et sans m'identifier à elle ? Tout vit, tout agit, tout se correspond ; les rayons magnétiques [6] émanés de moi-même ou des autres traversent sans obstacle la chaîne infinie des choses créées ; c'est un réseau transparent qui couvre le monde, et dont les fils déliés se communiquent de proche en proche aux planètes et aux étoiles. Captif en ce moment sur la terre, je m'entretiens avec le chœur des astres, qui prend part à mes joies et à mes douleurs ! »

Aussitôt je frémis en songeant que ce mystère même pouvait être surpris. « Si l'électricité, me dis-je, qui est le magnétisme des corps physiques, peut subir une direction qui lui impose des lois, à plus forte raison des esprits hostiles et tyranniques peuvent asservir les intelligences et se servir de leurs forces divisées dans un but de domination. C'est ainsi que les dieux antiques ont été vaincus et asservis par des dieux nouveaux ; c'est ainsi, me dis-je encore, en consultant mes souvenirs du monde ancien, que les nécromants dominaient des peuples entiers, dont les générations se succédaient captives sous leur sceptre éternel. O malheur ! la Mort elle-même ne peut les affranchir ! car nous revivons dans nos fils comme nous avons vécu dans nos pères, — et la science impitoyable de nos ennemis sait nous reconnaître partout. L'heure de notre naissance [7], le point de la terre où nous paraissons, le premier geste, le nom, la chambre, — et toutes ces consécrations, et tous ces rites qu'on nous impose, tout cela établit une série heureuse ou fatale d'où l'avenir dépend tout entier. Mais, si déjà cela est terrible selon les seuls calculs humains, comprenez ce que cela doit être en se rattachant aux formules mystérieuses qui établissent l'ordre des mondes. On l'a dit justement : rien n'est indifférent, rien n'est impuissant dans l'univers ; un atome peut tout dissoudre, un atome peut tout sauver !

« O terreur ! voilà l'éternelle distinction du bon et du mauvais. Mon âme est-elle la molécule indestructible, le globule qu'un peu d'air gonfle, mais qui retrouve sa place dans la nature, ou ce vide même, image du néant qui disparaît dans l'immensité ? Serait-elle encore la parcelle fatale destinée à subir, sous toutes ses transformations, les vengeances des êtres puissants ? » Je me vis amené ainsi à me demander compte de ma vie, et même de mes existences antérieures [8]. En me prouvant que j'étais bon, je me prouvai que j'avais dû toujours l'être. « Et si j'ai été mauvais, me dis-je, ma vie actuelle ne sera-t-elle pas une suffisante expiation ? » Cette pensée me rassura, mais ne m'ôta pas la crainte d'être à jamais classé parmi les malheureux. Je me sentais plongé dans une eau froide, et une eau plus froide encore ruisselait sur mon front. Je reportai ma pensée à l'éternelle Isis [9], la mère et l'épouse sacrée ; toutes mes aspirations, toutes mes prières se confondaient dans ce nom magique, je me sentais revivre en elle, et parfois elle m'apparaissait sous la figure de la Vénus antique, parfois aussi sous les traits de la Vierge des chrétiens. La nuit me ramena plus distinctement cette apparition chérie, et pourtant je me disais : « Que peut-elle, vaincue, opprimée peut-être, pour ses pauvres enfants ? »

Pâle et déchiré, le croissant de la lune s'amincissait tous les soirs et allait bientôt disparaître ; peut-être ne devions-nous plus le revoir au ciel ! Cependant il me semblait que cet astre était le refuge de toutes les âmes sœurs de la mienne, et je le voyais peuplé d'ombres plaintives destinées à renaître un jour sur la terre....

Ma chambre est à l'extrémité d'un corridor habité d'un côté par les fous, et de l'autre par les domestiques de la maison. Elle a seule le privilège d'une fenêtre, percée du côté de la cour, plantée d'arbres, qui sert de promenoir pendant la journée. Mes regards s'arrêtent avec plaisir sur un noyer touffu et sur deux mûriers de la Chine. Au-dessus, l'on aperçoit vaguement une rue assez fréquentée, à travers des treillages peints en vert. Au couchant, l'horizon s'élargit ; c'est comme un hameau aux fenêtres revêtues de verdure ou embarrassées de cages, de loques qui sèchent, et d'où l'on voit sortir par instants quelque profil de jeune ou vieille ménagère, quelque tête rose d'enfant. On crie, on chante, on rit aux éclats ; c'est gai ou triste à entendre, selon les heures et selon les impressions.

J'ai trouvé là tous les débris [10] de mes diverses fortunes, les restes confus de plusieurs mobiliers dispersés ou revendus depuis vingt ans. C'est un capharnaüm [11] comme celui du docteur Faust. Une table antique à trépied aux têtes d'aigle, une console soutenue par un sphinx ailé, une commode du XVIIe siècle, une bibliothèque du XVIIIe siècle, un lit du même temps, dont le baldaquin, à ciel ovale, est revêtu de lampas [12] rouge (mais on n'a pu dresser ce dernier) ; une étagère rustique chargée de faïences et de porcelaines de Sèvres, assez endommagées la plupart ; un narguilé [13] rapporté de Constantinople, une grande coupe d'albâtre, un vase de cristal ; des panneaux de boiseries provenant de la démolition d'une vieille maison que j'avais habitée sur l'emplacement du Louvre [14], et couverts de peintures mythologiques exécutées par des amis aujourd'hui célèbres [15] ; deux grandes toiles dans le goût de Prudhon [16], représentant la Muse de l'histoire et celle de la comédie. Je me suis plu pendant quelques jours à ranger tout cela, à créer dans la mansarde étroite un ensemble bizarre qui tient du palais et de la chaumière, et qui résume assez bien mon existence errante. J'ai suspendu au-dessus de mon lit mes vêtements arabes [17], mes deux cachemires industrieusement reprisés, une gourde de pèlerin, un carnier de chasse. Au-dessus de la bibliothèque s'étale un vaste plan du Caire ; une console de bambou, dressée à mon chevet, supporte un plateau de l'Inde vernissé où je puis disposer mes ustensiles de toilette. J'ai retrouvé avec joie ces humbles restes de mes années alternatives de fortune et de misère, où se rattachaient tous les souvenirs de ma vie. On avait seulement mis à part un petit tableau sur cuivre, dans le goût du Corrège [18], représentant *Vénus et l'Amour*, des trumeaux [19] de chasseresses et de satyres, et une flèche que j'avais conservée en mémoire des compagnies de l'arc du Valois, dont j'avais fait partie dans ma jeunesse ; les armes étaient vendues depuis les lois nouvelles [20]. En somme, je retrouvais là à peu près tout ce que j'avais possédé en dernier lieu. Mes livres, amas bizarre de la science de tous les temps, histoire, voyages, religions, cabale, astrologie, à réjouir les ombres de Pic de la Mirandole [21], du sage Meursius et de Nicolas de Cusa,

— la Tour de Babel [22] en deux cents volumes, — on m'avait laissé tout cela ! Il y avait de quoi rendre fou un sage ; tâchons qu'il y ait aussi de quoi rendre sage un fou.

Avec quelles délices j'ai pu classer dans mes tiroirs l'amas de mes notes et de mes correspondances intimes ou publiques, obscures ou illustres, comme les a faites le hasard des rencontres ou des pays lointains que j'ai parcourus. Dans des rouleaux mieux enveloppés que les autres, je retrouve des lettres arabes, des reliques du Caire et de Stamboul. O bonheur ! ô tristesse mortelle ! ces caractères jaunis, ces brouillons effacés, ces lettres à demi froissées, c'est le trésor de mon seul amour.... Relisons.... Bien des lettres manquent, bien d'autres sont déchirées ou raturées [23].

. . . .

APPENDICE

Une nuit, je parlais et chantais dans une sorte d'extase. Un des servants de la maison vint me chercher dans ma cellule et me fit descendre à une chambre du rez-de-chaussée, où il m'enferma. Je continuais mon rêve, et, quoique debout, je me croyais enfermé dans une sorte de kiosque oriental. J'en sondai tous les angles et je vis qu'il était octogone. Un divan régnait autour des murs, et il me semblait que ces derniers étaient formés d'une glace épaisse, au-delà de laquelle je voyais briller des trésors, des châles et des tapisseries. Un paysage éclairé par la lune m'apparaissait au travers des treillages de la porte, et il me semblait reconnaître la figure des troncs d'arbres et des rochers. J'avais déjà séjourné là dans quelque autre existence, et je croyais reconnaître les profondes grottes d'Ellorah [1]. Peu à peu, un jour bleuâtre pénétra dans le kiosque et y fit apparaître des images bizarres. Je crus alors me trouver au milieu d'un vaste charnier où l'histoire universelle était écrite en traits de sang. Le corps d'une femme gigantesque était peint en face de moi, seulement ses diverses parties étaient tranchées comme par le sabre ; d'autres femmes de races diverses et dont les corps dominaient de plus en plus, présentaient sur les autres murs un fouillis sanglant de membres et de têtes, depuis les impératrices et les reines jusqu'aux plus humbles paysans. C'était l'histoire de tous les crimes, et il suffisait de fixer les yeux sur tel ou tel point pour voir s'y dessiner une représentation tragique.

« Voilà, me disais-je, ce qu'a produit la puissance déférée aux hommes. Ils ont peu à peu détruit et tranché en mille morceaux le type éternel de la beauté, si bien que les races perdent de plus en plus en force et perfection[2].... »

Et je voyais, en effet, sur une ligne d'ombre qui se faufilait par un des jours de la porte, la génération descendante des races de l'avenir.

Je fus enfin arraché à cette sombre contemplation. La figure bonne et compatissante de mon excellent médecin me rendit au monde des vivants. Il me fit assister à un spectacle qui m'intéressa vivement. Parmi les malades se trouvait un jeune homme, ancien soldat d'Afrique, qui depuis six semaines se refusait à prendre de la nourriture. Au moyen d'un long tuyau de caoutchouc introduit dans son estomac, on lui faisait avaler des substances liquides et nutritives. Du reste il ne pouvait ni voir ni parler.

Ce spectacle m'impressionna vivement. Abandonné jusque-là au cercle monotone de mes sensations ou de mes souffrances morales, je rencontrais un être indéfinissable, taciturne et patient, assis comme un sphinx aux portes suprêmes de l'existence. Je me pris à l'aimer à cause de son malheur et de son abandon, et je me sentis relevé[3] par cette sympathie et par cette pitié. Il me semblait, placé ainsi entre la mort et la vie, comme un interprète sublime, comme un confesseur prédestiné à entendre ces secrets de l'âme que la parole n'oserait transmettre, ou ne réussirait pas à rendre. C'était l'oreille de Dieu sans le mélange de la pensée d'un autre. Je passais des heures entières à m'examiner mentalement, la tête penchée sur la sienne et lui tenant les mains. Il me semblait qu'un certain magnétisme réunissait nos deux esprits, et je me sentis ravi quand la première fois une parole sortit de sa bouche. On n'en voulait rien croire, et j'attribuais à mon ardente volonté ce commencement de guérison. Cette nuit-là, j'eus un rêve délicieux, le premier depuis bien longtemps. J'étais dans une tour, si profonde du côté de la terre et si haute du côté du ciel, que toute mon existence semblait devoir se consumer à monter et à descendre. Déjà mes forces s'étaient épuisées, et j'allais manquer de courage, quand une porte latérale vint à s'ouvrir ; un esprit se présente et me dit :

« Viens, mon frère !... »

Je ne sais pourquoi il me vint à l'idée qu'il s'appelait Saturnin. Il avait les traits du pauvre malade, mais transfigurés et intelligents. Nous étions dans une campagne éclairée des feux des étoiles ; nous nous arrêtâmes à contempler ce spectacle, et l'esprit étendit sa main sur mon front comme je l'avais fait la veille en cherchant à magnétiser mon compagon ; aussitôt une des étoiles que je voyais au ciel se mit à grandir et la divinité de mes rêves[4] m'apparut souriante, dans un costume presque indien, telle que je l'avais vue autrefois. Elle marcha entre nous deux, et les prés verdissaient, les fleurs et les feuillages s'élevaient de terre sur la trace de ses pas.... Elle me dit :

« L'épreuve à laquelle tu étais soumis est venue à son terme ; ces escaliers sans nombre, que tu te fatiguais à descendre ou à gravir, étaient les liens mêmes des anciennes illusions qui embarrassaient ta pensée, et maintenant rappelle-toi le jour où tu as imploré la Vierge sainte et où, la croyant morte, le délire s'est emparé de ton esprit. Il fallait que ton vœu lui fût porté par une âme simple et dégagée des liens de la terre. Celle-là s'est rencontrée près de toi, et c'est pourquoi il m'est permis à moi-même de venir et de t'encourager. » La joie que ce rêve répandit dans mon esprit me procura un réveil délicieux. Le jour commençait à poindre. Je voulus avoir un signe matériel de l'apparition qui m'avait consolé, et j'écrivis sur le mur ces mots : « Tu m'as visité cette nuit. »

J'inscris ici, sous le titre de *Mémorables*, les impressions de plusieurs rêves qui suivirent celui que je viens de rapter :

MÉMORABLES [1]

. . . .

Sur un pic élancé de l'Auvergne a retenti la chanson des pâtres. *Pauvre Marie !* reine des cieux ! c'est à toi qu'ils s'adressent pieusement. Cette mélodie rustique a frappé l'oreille des corybantes [2]. Ils sortent, en chantant à leur tour, des grottes secrètes où l'Amour leur fit des abris. — Hosannah ! paix à la terre et gloire aux cieux !

Sur les montagnes de l'Himalaya une petite fleur est née. — Ne m'oubliez pas. — Le regard chatoyant d'une étoile s'est fixé un instant sur elle, et une réponse s'est fait entendre dans un doux langage étranger. — *Myosotis* [3] !

Une perle d'argent brillait dans le sable ; une perle d'or étincelait au ciel.... Le monde était créé. Chastes amours, divins soupirs ! enflammez la sainte montagne... car vous avez des frères dans les vallées et des sœurs timides qui se dérobent au sein des bois !

Bosquets embaumés de Paphos [4], vous ne valez pas ces retraites où l'on respire à pleins poumons l'air vivifiant de la patrie. — « Là-haut, sur les montagnes, — le monde y vit content ; — le rossignol sauvage — fait contentement. »

Oh ! que ma grande amie est belle ! Elle est si grande, qu'elle pardonne au monde, et si bonne, qu'elle m'a pardonné. L'autre nuit, elle était couchée je ne sais dans quel palais, et je ne pouvais la rejoindre. Mon cheval alezan brûlé se dérobait sous moi. Les rênes brisées flottaient sur sa croupe en sueur, et il me fallut de grands efforts pour l'empêcher de se coucher à terre.

Cette nuit, le bon Saturnin [5] m'est venu en aide, et ma grande amie a pris place à mes côtés sur sa cavale blanche caparaçonnée d'argent. Elle m'a dit :

« Courage, frère ! car c'est la dernière étape. »

Et ses grands yeux dévoraient l'espace, et elle faisait voler dans l'air sa longue chevelure imprégnée des parfums de l'Yémen [6].

Je reconnus les traits divins de *** [7]. Nous volions au triomphe, et nos ennemis étaient à nos pieds. La huppe messagère nous guidait au plus haut des cieux, et l'arc de lumière éclatait dans les mains divines d'Apollyon [8]. Le cor enchanté d'Adonis [9] résonnait à travers les bois.

O Mort ! où est ta victoire [10], puisque le Messie vainqueur chevauchait entre nous deux ? Sa robe était d'hyacinthe soufrée, et ses poignets, ainsi que les chevilles de ses pieds, étincelaient de diamants et de rubis. Quand sa houssine [11] légère toucha la porte de nacre de la Jérusalem nouvelle [12], nous fûmes tous les trois inondés de lumière. C'est alors que je suis descendu parmi les hommes pour leur annoncer l'heureuse nouvelle [13].

Je sors d'un rêve bien doux : j'ai revu celle que j'avais aimée, transfigurée et radieuse. Le ciel s'est ouvert dans toute sa gloire, et j'y ai lu le mot *pardon* signé du sang de Jésus-Christ.

Une étoile a brillé tout à coup et m'a révélé le secret du monde et des mondes. Hosannah ! paix à la terre et gloire aux cieux !

Du sein des ténèbres muettes, deux notes ont résonné, l'une grave, l'autre aiguë, — et l'orbe éternel s'est mis à tourner aussitôt. Sois bénie, ô première octave qui commenças l'hymne divin ! Du dimanche au dimanche, enlace tous les jours dans ton réseau magique. Les monts te chantent aux vallées [14], les sources aux rivières, les rivières aux fleuves, et les fleuves à l'Océan ; l'air vibre, et la lumière irise harmonieusement les fleurs naissantes. Un soupir, un frisson d'amour sort du sein gonflé de la terre, et le chœur des astres se déroule dans l'infini ; il s'écarte et revient sur lui-même, se resserre et s'épanouit, et sème au loin les germes des créations nouvelles.

Sur la cime d'un mont bleuâtre une petite fleur est née. — Ne m'oubliez pas ! — Le regard chatoyant d'une étoile s'est fixé un instant sur elle, et une réponse s'est fait entendre dans un doux langage étranger. — *Myosotis !*

Malheur à toi, dieu du Nord [15], — qui brisas d'un coup de marteau la sainte table composée de sept métaux les plus précieux ! car tu n'as pu briser la *Perle rose* qui reposait au centre. Elle a rebondi sous le fer, — et voici que nous nous sommes armés pour elle.... Hosannah [16] !

Le *macrocosme* [17], ou grand monde, a été construit par art cabalistique ; le *microcosme*, ou petit monde, est son image refléchie dans tous les cœurs. La Perle rose a été teinte du sang royal des Walkyries. Malheur à toi, dieu-forgeron, qui as voulu briser un monde !

Cependant, le pardon du Christ a été aussi prononcé pour toi !

Sois donc béni toi-même, ô Thor, le géant, — le plus puissant des fils d'Odin ! Sois béni dans Héla, ta mère, car souvent le trépas est doux, — et dans ton frère Loki, et dans ton chien Garnur.

Le serpent qui entoure le Monde est béni lui-même, car il relâche ses anneaux, et sa gueule béante aspire la fleur d'anxoka [18], la fleur soufrée, — la fleur éclatante du soleil !

Que Dieu préserve le divin Balder, le fils d'Odin, et Freya la belle !

. . . .

Je me trouvais *en esprit* à Saardam [19], que j'ai visitée l'année dernière. La neige couvrait la terre. Une toute petite fille marchait en glissant sur la terre durcie et se dirigeait, je crois, vers la maison de Pierre le Grand. Son profil majestueux avait quelque chose de bourbonien. Son cou, d'une éclatante blancheur, sortait à demi d'une palatine de plumes de cygne. De sa petite main rose, elle préservait du vent une lampe allumée et allait frapper à la porte verte de la maison, lorsqu'une chatte maigre qui en sortait s'embarrassa dans ses jambes et la fit tomber. « Tiens ! ce n'est qu'un chat ! » dit la petite fille en se relevant. « Un chat, c'est quelque chose ! » répondit une voix douce. J'étais présent à cette scène, et je portais sur mon bras un petit chat gris qui se mit à miauler. « C'est l'enfant de cette vieille fée ! » dit la petite fille. Et elle entra dans la maison.

Cette nuit, mon rêve s'est transporté d'abord à Vienne. — On sait que sur chacune des places de cette ville sont élevées de grandes colonnes qu'on appelle *pardons*. Des nuages de marbre s'accumulent en figurant l'ordre salomonique [20] et supportent des globes où président assises des divinités. Tout à coup, ô merveille ! Je me mis à songer à cette auguste sœur de l'empereur de Russie, dont j'ai vu le palais impérial à Weimar [21]. — Une mélancolie pleine de douceur me fit voir les brumes colorées d'un paysage de Norvège éclairé d'un jour gris et doux. Les nuages devinrent transparents, et je vis se creuser devant moi un abîme profond où s'engouffraient tumultueusement les flots de la Baltique glacée. Il semblait que le fleuve entier de la Néva [22], aux eaux bleues, dût s'engloutir dans cette fissure du globe. Les vaisseaux de Cronstadt et de Saint-Pétersbourg s'agitaient sur leurs ancres, prêts à se détacher et à disparaître dans le gouffre, quand une lumière divine éclaira d'en haut cette scène de désolation.

Sous le vif rayon qui perçait la brume, je vis apparaître aussitôt le rocher qui supporte la statue de Pierre le Grand [23]. Au-dessus de ce solide piédestal vinrent se grouper des nuages qui s'élevaient jusqu'au zénith. Ils étaient chargés de figures radieuses et divines, parmi lesquelles on distinguait les deux Catherine et l'impératrice sainte Hélène, accompagnées des plus belles princesses de Moscovie et de Pologne. Leurs doux regards, dirigés vers la France, rapprochaient l'espace au moyen de longs télescopes de cristal. Je vis par là que notre patrie devenait l'arbitre de la querelle orientale [24], et qu'elles en attendaient la solution. Mon rêve se termina par le doux espoir que la paix nous serait enfin donnée.

C'est ainsi que je m'encourageais à une audacieuse tentative. Je résolus de fixer et d'en connaître le secret.

« Pourquoi, me dis-je, ne point enfin forcer ces portes mystiques, armé de toute ma volonté, et dominer mes sensations au lieu de les subir ? N'est-il pas possible de dompter cette chimère attrayante et redoutable, d'imposer une règle à ces esprits des nuits qui se jouent de notre raison ? Le sommeil occupe le tiers de notre vie. Il est la consolation des peines de nos journées ou la peine de leurs plaisirs ; mais je n'ai jamais éprouvé que le sommeil fût un repos. Après un engourdissement de quelques minutes une vie nouvelle commence, affranchie des conditions du temps et de l'espace, et pareille sans doute à celle qui nous attend après la mort. Qui sait s'il n'existe pas un lien entre ces deux existences et s'il n'est pas possible à l'âme de le nouer dès à présent ? »

De ce moment, je m'appliquais à chercher le sens de mes rêves, et cette inquiétude influa sur mes réflexions de l'état de veille. Je crus comprendre qu'il existait entre le monde externe et le monde interne un lien [25] ; que l'inattention ou le désordre d'esprit en faussaient seuls les rapports apparents, — et qu'ainsi s'expliquait la bizarrerie de certains tableaux, semblables à ces reflets grimaçants d'objets réels qui s'agitent sur l'eau troublée.

Telles étaient les inspirations de mes nuits ; mes journées se passaient doucement dans la compagnie des pauvres malades, dont je m'étais fait des amis. La conscience que désormais j'étais purifié des fautes [26] de ma vie passée me donnait des jouissances morales infinies ; la certitude de l'immortalité et de la coexistence de toutes les personnes que j'avais aimées m'était arrivée matériellement, pour ainsi dire, et je bénissais l'âme fraternelle [27] qui, du sein du désespoir, m'avait fait rentrer dans les voies lumineuses de la religion.

Le pauvre garçon de qui la vie intelligente s'était si singulièrement retirée recevait des soins qui triomphaient peu à peu de sa torpeur. Ayant appris qu'il était né à la campagne, je passais des heures entières à lui chanter d'anciennes chansons de village auxquelles je cherchais à donner l'expression la plus touchante. J'eus le bonheur de voir qu'il les entendait et qu'il répétait certaines parties de ces chants. Un jour, enfin, il ouvrit les yeux un seul instant, et je vis qu'ils étaient bleus comme ceux de l'esprit qui m'était apparu en rêve. Un matin, à quelques jours de là, il tint ses yeux grands ouverts et ne les ferma plus. Il se mit aussitôt à parler, mais seulement par intervalles, et me reconnut, me tutoyant et m'appelant frère. Cependant, il ne voulait pas davantage se résoudre à manger. Un jour, revenant du jardin, il me dit : « J'ai soif. »

J'allai lui chercher à boire ; le verre toucha ses lèvres sans qu'il pût avaler. « Pourquoi, lui dis-je, ne veux-tu pas manger et boire comme les autres ? — C'est que je suis mort, dit-il ; j'ai été enterré dans tel cimetière, à telle place.... — Et maintenant, où crois-tu être ? — En purgatoire, j'accomplis mon expiation. »

Telles sont les idées bizarres que donnent ces sortes de maladies ; je reconnus en moi-même que je n'avais pas été loin d'une si étrange persuasion. Les soins que j'avais reçus m'avaient déjà rendu à l'affection de ma famille et de mes amis, et je pouvais juger plus sainement le monde d'illusions où j'avais quelque temps vécu. Toutefois, je me sens heureux des convictions que j'ai acquises, et je compare cette série d'épreuves que j'ai traversées à ce qui, pour les Anciens, représentait l'idée d'une descente aux Enfers [28].

. . . .

NOTES

POÉSIES

ODELETTES

NOBLES ET VALETS. — PAGE 29. — Cette pièce fut publiée d'abord dans l'*Almanach des Muses* de 1832, ainsi que les quatre suivantes. — (1) *Ossements gigantesques :* voir *A Madame Sand* (p. 58). — (2) *Laridons :* cf. Flambeau : LA FONTAINE, *Fables*, VIII, 24. *L'Éducation*, p. 196 :

> Oh ! combien de Césars deviendront Laridons !

Un dessinateur, au début du XXe siècle, Forain, a repris le thème de ce sonnet dans une caricature fameuse.

LE RÉVEIL EN VOITURE. — PAGE 29. — Cette poésie et les suivantes : *Le Relais* (p. 30-32), *Une allée du Luxembourg*, *Dans les bois*, *Avril*, *La Cousine*, se rattachent au courant de poésie familière, représenté au XIXe siècle par Sainte-Beuve (*Poésies de Joseph Delorme*), Victor Hugo (*Chansons des rues et des bois*), François Coppée, etc.

NOTRE-DAME DE PARIS. — PAGE 31. — (1) Le roman de Victor Hugo, *Notre-Dame de Paris*, venait de paraître en 1831. En 1842, dans une pièce intitulée *A Victor Hugo qui m'avait donné son livre du Rhin*, Nerval rend hommage au grand poète du siècle.

> Moi, je sais que de vous, douce et sainte habitude,
> Me vient l'Enthousiasme et l'Amour et l'Étude,
> Et que mon peu de feu s'allume à vos autels.

Victor Hugo aida souvent Nerval, qui avait pris sa part de la bataille d'*Hernani* : il obtint des secours du gouvernement quand, malade, Nerval se trouva démuni d'argent.

FANTAISIE. — PAGE 32. — Cette célèbre odelette fut publiée, d'abord, dans les *Annales romantiques*, en 1832. — (1) *Rossini :* le compositeur italien (1792-1868) vint à Paris où il écrivit, pour l'Opéra, *Moïse* (1827) et *Guillaume Tell* (1829), son chef-d'œuvre : il s'installa en France en 1853, et devait y mourir. *Mozart* (1756-1791) était mort à Vienne, en 1791, dans la plus grande misère. Gérard avait un vrai culte pour ce musicien des élégances (*Don Juan*) et de l'occultisme (*La Flûte enchantée*). *Weber* (1786-1826), le plus romantique des compositeurs allemands s'inspira, comme Nerval, des légendes du folklore et s'éprit de panthéisme (*Freischütz* et *Obéron*). — (2) *Une dame, blonde aux yeux noirs.* On sait qu'un fantôme de femme a perpétuellement poursuivi Nerval. — (3) Cette odelette, de 1832, est la première manifestation de cet « épanchement du rêve dans la vie » qui caractérise l'œuvre de Nerval. Voir BAUDELAIRE, *La Vie antérieure*, poésie publiée dans la *Revue des Deux Mondes*, en juin 1855, donc après la mort de Nerval. (*Flambeau*. BAUDELAIRE, *Poèmes. Spleen et Idéal*, XII, p. 38). Mais Nerval a peut-être pris le thème des « ressemblances » dans Restif de la Bretonne, pour qui il eut une grande admiration (*Les Illuminés*).

LA GRAND-MÈRE. — PAGE 33. — *Annales romantiques*, en 1835. — (1) Marguerite-Victoire Boucher, grand-mère maternelle de Gérard, mourut à soixante et onze ans, le 8 août 1828. Après sa mort et celle de son grand-père (1834), il hérita une somme assez importante pour l'époque.

PENSÉE DE BYRON. — PAGE 34. — *Élégies nationales*, en 1827. — (1) C'est une élégie à la manière du poète anglais, célèbre en France depuis sa mort, en 1824, à Missolonghi, où il était allé aider la Grèce à recouvrer sa liberté. Lamartine avait donné en 1825 son *Dernier Chant du pèlerinage d'Harold*.

GAIETÉ. — PAGE 35. — Cette pièce fut publiée, pour la première fois, dans les *Châteaux de Bohême*, de 1852. — (1) *Piqueton*. Petit vin, piquette. Mareuil, Argenteuil, Surène : noms autrefois célèbres pour leurs vignobles. — (2) *M'avait laissé depuis la veille :* au lieu de *m'avait laissée*. Nerval fait remarquer que « c'est une faute dans le goût du temps ». — (3) Note de N... Lisez le *Dictionnaire des rimes*, à l'article « ampre », vous n'y trouverez que *pampre* : pourquoi ce mot si sonore n'a-t-il pas de rime ? Richelet (1631-1698) fut l'annotateur et l'éditeur du *Dictionnaire des rimes dans un nouvel ordre* (1667) dû à Frémont d'Ablancourt. Plus tard, l'ouvrage s'intitula *Dictionnaire des rimes par P. Richelet*.

POLITIQUE 1832. — PAGE 36. — Cette pièce parut le 4 décembre 1831, dans *Le Cabinet de Lecture*, ainsi que *Le Point noir*. — (1) Sainte-Pélagie : Nerval fut enfermé dans cette prison de Paris, à l'automne de 1831, pour tapage nocturne en joyeuse compagnie, puis quelques jours en février 1832 ; il avait été pris dans une rafle au moment du complot de la rue des Prouvaires. Dans *Mes prisons*, Nerval a donné un récit plaisant de ce second séjour et de la vie que menaient les détenus à Sainte-Pélagie. — (2) *Gramen :* graminée. — (3) Xavier Saintine (1798-1865) devait, quelques années plus tard, donner aux mêmes sentiments l'ampleur d'un livre entier (*Picciola*, 1836).

LE POINT NOIR. — PAGE 37. — Ce poème est inspiré de très près d'un sonnet du poète allemand Bürger, dont Nerval avait donné, en 1830, une traduction dans ses *Poésies allemandes* ; il publia aussi une traduction et deux adaptations de *Lénore*, du même auteur.

NI BONJOUR, NI BONSOIR. — PAGE 40. — Ce quatrain fut composé pendant le voyage de 1843 en Orient. C'est la paraphrase d'un refrain entendu d'un matelot, et Nerval en a donné lui-même le commentaire, dans *Le Voyage*, t. II. 2 Le prisonnier (Ed. Bernouard, p. 296.) « Nous arrivons bientôt à cette heure solennelle qui n'est plus le matin, qui n'est pas le soir... » Il fut publié dans les *Petits Châteaux de Bohême*, en 1852.

LES CYDALISES. — PAGE 40. — Destinée à être chantée, selon Nerval, cette dernière odelette redonne la vie aux jeunes filles et jeunes femmes qui animaient les soirées de la rue du Doyenné (*Châteaux de Bohême*, p. 67). Le nom précieux de *Cydalise* ou *Cidalise* avait désigné les comédiennes et les danseuses du XVIIIe siècle en robes Régence. « Cydalise Première » était l'amie de Camille Rogier, elle mourut en 1837.

LYRISME ET VERS D'OPÉRA

ESPAGNE. — PAGE 43. — (1) Cette pièce est extraite de l'acte III de l'opéra-comique *Piquillo*, représenté à Paris, pour la première fois, sur le théâtre royal de l'Opéra-Comique, le 31 octobre 1837. G. de Nerval avait écrit le livret en collaboration avec A. Dumas, Monpou composa la musique ; l'œuvre parut sous la signature d'Alexandre Dumas, selon les accords intervenus entre Gérard et lui : Gérard devait, à son tour, signer leur prochaine pièce, *Léo Burckart*. Ce fut Jenny Colon qui chanta le rôle de Sylvia, avec talent. En 1840, à Bruxelles, *Piquillo* fut repris avec Jenny Colon (voir *Aurélia*, p. 205, n, 1). — (2) *L'Arabie :* les Arabes, et d'autres Musulmans, occupèrent l'Espagne, on le sait, de 710 à 1492 (prise de Grenade et défaite de Boabdil). *Chœur d'amour* (p. 44), aussi, est extrait de *Piquillo*.

CHANSON GOTHIQUE. — PAGE 44. — Les pièces : *Chanson gothique*, *Chanson des femmes en Illyrie*, *Chant monténégrin* et *Chœur souterrain* ont été repris par Nerval, aux *Monténégrins* (1849), dont la musique était de Limmander.

LA SÉRÉNADE. — PAGE 45. — (1) Cette petite pièce fut publiée, pour la première fois, dans *Le Cabinet de Lecture* du 29 décembre 1830 : Nerval la recueillit dans les *Petits Châteaux de Bohême* (Troisième château). — (2) *Uhland*. Nerval, publia, en 1830, un recueil de *Poésies allemandes* (morceaux choisis et traduits).

LE ROI DE THULÉ. — PAGE 47. — Cette chanson du roi de Thulé fut recueillie par Nerval, en 1852, puis ne reparut pas dans l'édition de l'année suivante. Ce texte avait été utilisé dans la *Damnation de Faust*, de Berlioz. On sait que le jeune Gérard, encore élève au lycée Charlemagne, avait traduit le *Faust*, de Gœthe ; en 1828, dans son édition française de *Faust*, la traduction de cette ballade, chantée par Marguerite, est différente de ce texte. — (1) *Thulé :* île du nord de l'Atlantique, découverte par un navigateur grec du IVe siècle avant J.-C., Pythéas, qui fit une rédaction de son voyage dans sa *Description de l'Océan* : c'est probablement l'une des îles Shetland qu'il rencontra et désigna sous ce nom ; la légende fit de Thulé une île fabuleuse qui marquait la limite du monde.

LES CHIMÈRES

EL DESDICHADO. — PAGE 49. — Publié pour la première fois le 10 décembre 1853, dans *Le Mousquetaire* fondé par Alexandre Dumas, ce sonnet fut recueilli par Nerval à la fin des *Filles du Feu* (1854). — (1) Le déshérité (en espagnol) ; Nerval avait d'abord donné à ce sonnet le titre *Le Destin.* « El Desdichado » est la devise de Richard Cœur-de-Lion dans *Ivanhoé,* de Walter Scott (chap. VIII). — (2) *Le ténébreux :* habitué à vivre la nuit, voué aux ténèbres (désormais sans étoile). — *Le veuf :* qui perd celles qu'il aime : Adrienne (1832), puis Jenny Colon (1842). (Voir *Introduction,* p. 10 et 12.) — (3) Gérard Labrunie de Nerval croyait ou disait être le descendant d'un des chevaliers de l'empereur d'Allemagne Othon, Brunyer de la Brunie, installé dans le Périgord et dont les armoiries portaient trois tours d'argent. Il y fait allusion dans sa *Correspondance.* — (4) Le *soleil* noir de la *Mélancolie.* C'est Nerval lui-même qui a souligné typographiquement certains mots de ce sonnet. Tout ce vers est inspiré de la gravure de Dürer (Le soleil noir de la mélancolie qui verse des rayons obscurs sur le front de l'ange rêveur) (*Aurélia,* p. 206). — (5) Au cours d'un voyage en Italie, Nerval était sur le point de se donner la mort sur la côte napolitaine ; une jeune Anglaise le détourna de son projet. (Cf. *Octavie,* p. 152.) Le Pausilippe est la longue colline entre le golfe de Naples et celui de Pouzzoles qui domine Naples : la fleur à laquelle Nerval ne donne pas de nom est l'ancolie, symbole de la tristesse et aussi de la folie. — (6) *Lusignan* : l'un des comtes de Poitou qui furent, après les Croisades, rois de Chypre. *Biron* : maréchal de Henri IV. — (7) Allusion possible au baiser que Marguerite d'Écosse, dauphine de France, mit un jour, dit la légende, sur le front d'Alain Chartier endormi, le poète de la *Belle dame sans merci* (1386-1449) ; rappel d'un souvenir conté dans *Sylvie* (p. 107), le baiser reçu d'Adrienne. — (8) *La Grotte où nage la sirène :* voir *Octavie* (p. 151, note 24) et *La Reine des poissons,* dans les *Légendes du Valois* (p. 143). — (9) Nerval subit deux crises importantes, en 1841 et en 1853 (voir *Introduction,* p. 14 et 19) ; *l'Achéron,* fleuve des Enfers, que le nocher Caron faisait passer aux morts. Gérard a pu revenir de cette mort où son esprit sombra deux fois ; *Orphée,* on le sait, tenta de reprendre aux Enfers sa femme Eurydice, puis revint sur la terre. — (10) Pour Nerval, la sainte est Adrienne, qu'il a cru devenue religieuse ; la fée, soit Jenny Colon, artiste de talent, soit Sylvie, fée du Valois. L'exégèse de ce sonnet et des poèmes qui vont suivre a été tentée par Mme Jeanine Moulin (G. DE NERVAL, *Les Chimères,* Droz, éditeur).

MYRTHO. — PAGE 49. — (1) Ce sonnet a été publié, pour la première fois dans *L'Artiste,* du 15 février 1854 ; il fut placé à la fin des *Filles du Feu,* la même année ; il convient, pour mieux lire cette pièce, de lire aussi *Octavie* (p. 147). *Myrtho, divine enchanteresse,* c'est, en effet, Octavie, la jeune fille rencontrée près de Naples, et dont Gérard se serait épris : le myrte est l'emblème de Vénus ; André Chénier avait déjà donné ce nom à sa *Jeune Tarentine.* — (2) *Iacchus* ou Jacchos, Dionysos ou Bacchus, dieu du vin, des extases et des mystères (mythologie grecque). La jeune Anglaise a entendu le poète disserter des mystères divins et du culte d'Isis. (Voir *Isis*, p. 159.) — (3) *Volcan :* le Vésuve d'où s'échappait alors une lueur et des cendres, phénomène que Nerval semble attribuer aux cérémonies d'initiation de la veille. — (4) *Un duc normand.* Les commentateurs hésitent à désigner Robert Guiscard, qui occupa la péninsule italienne après la bataille de Civitalla (1053) et repoussa d'Italie les Byzantins et leurs dieux d'argile. Une autre version de ce sonnet, et du même titre, remplaçait les tercets par ceux de *Delfica* (p. 51).

HORUS. — PAGE 50. — C'est dans *Les Filles du Feu*, en 1854, que ce sonnet fut publié pour la première fois, ainsi que le suivant, *Antéros* et *Artémis.* — (1) *Horus*, dans la mythologie égyptienne, était fils d'Isis et d'Osiris : il personnifiait le soleil levant ; c'était le dieu du printemps. — (2) *Kneph*, le dieu éternel, créateur du monde et roi de la nature : les frimas et les volcans dépendaient de Kneph. — (3) *Isis*, épouse d'Osiris, mère d'Horus : déesse du ciel et de la lune ; elle fut longtemps représentée en Égypte, avec un corps de vache, puis avec un corps de femme et une tête de vache ; enfin, comme une femme avec des cornes de vache et un enfant (Horus) sur les genoux. Son culte déborda d'Égypte en Grèce et en Italie, puis dans l'Occident. Nerval s'est complu dans l'étude du culte d'Isis et des cérémonies d'initiation (voir *Isis*, p. 154, et *Aurélia*, *passim.* Isis lui apparaît dans ses rêves). Dans *Le Voyage en Orient* (1851), il dit : « La primitive Isis, au voile éternel, au masque changeant, tenant d'une main la croix ansée (la lettre T surmontée d'une anse) et, sur ses genoux, l'enfant Horus, sauveur du monde. » — (4) *Cybèle*, mère des dieux (mythologie grecque), personnifiait la terre et les forces naturelles (voir p. 52, note 9). — (5) *Osiris*, le soleil couchant (mythologie égyptienne), dieu de la végétation, ennemi de Set ou Typhon, dieu du désert et des ténèbres ; c'était le premier des dieux, l'Être bon par excellence, et aussi le dieu des morts : époux d'Isis et père d'Horus. — (6) *Conque dorée :* croissant de la lune. — (7) *Iris*, messagère des dieux grecs ; l'écharpe d'Iris : l'arc-en-ciel.
Un autre sonnet reprend *Horus* sous le titre : *A Louise d'O...*, reine, mais avec de nombreuses variantes. Le premier vers du premier tercet devenait :

L'aigle a déjà passé, Napoléon m'appelle.

ANTEROS. — PAGE 50. — *Antéros* a été publié pour la première fois dans *Les Filles du feu*, 1854). — (1) *Anteros*, fils d'Aphrodite-Vénus et d'Arès-Mars : pour Nerval, c'est le dieu réprouvé qui se dresse contre Jéhovah. — (2) *Antée*, fils de Poséidon-Neptune et de Gê-la Terre, était invincible, car il retrouvait sa force en touchant la terre : mais Hercule l'étouffa en réussissant à le soulever assez longtemps. — (3) *Le Vengeur :* c'est Adonaï-Jéhovah, qui détesta Caïn, meurtrier d'Abel, et jeta les autres dieux au néant. — (4) *Belus* ou Baal, c'est, pour les Juifs, le nom de tous les dieux autres que le vrai Dieu. — (5) *Dagon :* divinité des

Phéniciens et des Philistins ; il présidait à l'agriculture ; on le représentait avec un buste d'homme et une queue de poisson. — (6) *Cocyte :* fleuve des Enfers, dont l'Achéron était l'affluent. — (7) Les Amalécytes étaient ennemis des Juifs, et la Bible raconte comment David les extermina. — (8) *Dents du vieux dragon :* image empruntée à un épisode de la conquête de la Toison d'or par Jason ; ayant dompté les taureaux aux pieds d'airain, il sema, dans le champ consacré à Arès, qu'il leur fit labourer, des dents de dragon ; ainsi naquirent les Géants.

DELFICA ou DELPHICA. — PAGE 51. — Le texte de ce sonnet parut le 28 décembre 1845 dans l'*Artiste* ; il était daté : *Tivoli, 1843.* — (1) *Delphica :* la Delphique, c'est-à-dire la Sibylle de Delphes ; elle est représentée par Michel-Ange, aux murs de la Chapelle Sixtine, au Vatican (Sibylles et Prophètes) (voir *Octavie*, note 14). — (2) *Dafné* ou Daphné : nymphe aimée d'Apollon, qui personnifie souvent la Sibylle de Delphes dans les *Petits Châteaux de Bohême* (1852). — (3) *Sycomore :* Nerval parle, dans *Le Voyage en Orient*, d'un sycomore qui existait encore en Égypte, et sous lequel se serait abritée, dans sa fuite, la Sainte Famille (Joseph et Marie avec son enfant, Jésus). — (4) *Temple :* de Vesta ou d'Isis. — (5) *La grotte :* la grotte des Sirènes : voir *El Desdichado*, v. 11, ou la grotte del Cane, près des Thermes d'Agnano. — (6) *L'antique semence* (voir *Antéros*, n. 8). — (7) *La sibylle au visage latin :* celle de Cumes, évoquée par Virgile ; *Églogues*, IV. — (8) *L'arc de Constantin :* l'un des arcs de triomphe de Rome ; il rappelle, pour Nerval, l'empereur Constantin lui-même (274-337), qui, par son édit de Milan (313), proclama la liberté religieuse qui profita surtout aux chrétiens, jusqu'alors persécutés. — (9) *Le sévère portique :* cette image désigne ici la religion du Christ.
Un autre sonnet, *A J. y Colonna* (à Jenny Colon), reprend les deux quatrains de *Delfica* et les deux tercets de *Myrtho*, avec quelques variantes.

ARTÉMIS. — PAGE 51. — (*Les Filles du Feu*, 1854). — (1) *Artémis :* fille de Zeus et de Léto, déesse lunaire. Sur le manuscrit, le titre fut, un temps : *Ballet des Heures*. — (2) *La treizième :* la treizième heure ; quelques commentateurs ont pensé aussi à la treizième carte du tarot, celle de la mort ; à la treizième amante ; il y a aussi treize lunaisons dans l'année. — (3) *Celle que j'aimai :* Jenny, morte en 1841, ou bien la mère de Nerval, morte à vingt-cinq ans en Pologne, le 29 novembre 1810 (Nerval identifie souvent les deux femmes) ou la mort elle-même. — (4) *Rose trémière :* althéa rose. Dans *Aurélia* (même année), p. 217. — (5) *Sainte napolitaine :* sainte Rosalie, patronne de Naples, dont il évoque peut-être le souvenir. — (6) *Sainte Gudule :* vénérée à Bruxelles (voir *La Pandora*, p. 200). — (7) *La croix :* la foi religieuse. — (8) *Roses blanches :* les fleurs du christianisme. — (9) *Nos dieux :* les dieux des païens (voir ci-dessus *Horus*, et *Anteros*. — (10) *La sainte de l'abîme :* Aurélia, qui a le pouvoir de remonter de l'abîme pour Nerval (dans ses visions).

LE CHRIST AUX OLIVIERS. — PAGE 52. — Ce long poème fut publié le 31 mars 1844, dans la revue *L'Artiste*, puis recueilli dans les *Petits Châteaux de Bohême*, en 1852. — (1) *Jean-Paul :* Jean-Paul Richter (1763-1828), écrivain allemand, poète et humoriste (*Hesperus, Siebenkäs, Titan, Rede des todten Christus...*), inspira un grand nombre de poètes romantiques français : Nodier, Hugo, Vigny ; Nerval, féru de germanisme, donna une traduction française de quelques œuvres de Jean-Paul ; *Le Discours du Christ mort, prononcé du haut de l'édifice du monde* (1796), que Mme de Staël avait traduit, en 1810, dans *De l'Allemagne*, avait déjà inspiré Vigny pour *Le Mont des Oliviers* (1844). (VIGNY, *Poésies*, Flambeau p. 162). — (2) *L'ange des nuits :* Satan rejeté loin de la lumière de Dieu. — (3) *Solyme :* autre nom de Jérusalem (Hierosolyma). — (4) Ponce Pilate, procurateur, pour la Judée, de l'empereur romain Tibère, condamna le Christ, à la demande des membres du Sanhédrin, mais rejeta trop habilement toute responsabilité personnelle. — (5) *Satellites :* les gardes. — (6) *Icare :* fils de Dédale ; selon la mythologie grecque, reprise par Ovide dans *Les Métamorphoses*, Icare enfermé avec son père dans le labyrinthe du roi Minos, essaya de s'enfuir en s'envolant ; les ailes qu'il s'était faites, avec des plumes d'oiseaux et de la cire, se détachèrent au soleil et il fut précipité du haut du ciel dans la mer Égée (mer Icarienne). — (7) *Phaéton :* fils du soleil ; il voulut conduire le char de son père, mais les chevaux s'emballèrent et le feu envahit le ciel et la terre : il fut foudroyé par Zeus. — (8) *Atys :* aimé par Cybèle, il s'exposa à ses rigueurs. — (9) *Cybèle :* ou la Grande Déesse ; adorée en Phrygie, elle était considérée comme la mère des dieux ; son oracle se trouvait à Pessinonte : elle fut l'amante d'Atys et s'opposa à son mariage ; Atys devint fou, se mutila et mourut de sa blessure ; Cybèle le transforma en pin. — (10) *Jupiter Ammon :* identifiant à Jupiter le dieu de Thèbes Ammon, les Anciens appelèrent souvent Zeus de ce nom double. — (11) *Limon :* la terre d'où Dieu, selon la Genèse, a tiré l'homme.

VERS DORÉS. — PAGE 55. — Cette pièce fut publiée, pour la première fois dans *L'Artiste*, le 16 mars 1845. — (1) *Les Vers dorés*, de Pythagore. — (2) *Tout est sensible :* Pythagore ne distingue pas les êtres, qu'ils appartiennent au règne animal ou au règne végétal. L'homme, l'animal, les plantes sont des êtres sensibles. Nerval, aussi, veut reconnaître une âme même aux « objets inanimés ».

POÉSIES DIVERSES (œuvres posthumes).

LA TÊTE ARMÉE. — PAGE 57. — (1) Chateaubriand (*Mémoires d'outre-tombe*, livre XXIV, chap. XI) rapporte lui-même que les derniers mots saisis sur les lèvres de Napoléon furent : « Tête... armée... ou tête d'armée. » Sa pensée errait encore au milieu des combats. — (2) *Spectre de fumée :* cf. *Le Christ aux oliviers*, p. 52. Hélas ! et si je meurs, c'est que tout va mourir. — (3) *Un jeune homme.* Héros de la mythologie ou de l'histoire de l'Empire.

A HÉLÈNE DE MECKLEMBOURG. — PAGE 57. — (1) Le vieux palais. Ce sonnet, qui défie les commentateurs, est daté de Fontainebleau, mai 1837. Il fut repris par Nerval pendant son premier séjour chez le docteur Blanche, et il l'adressa à son ami Georges Bell, pensant qu'il serait un témoignage de sa guérison.

A MADAME SAND. — PAGE 58. — (1) George Sand (1803-1876). — (2) Le premier quatrain est emprunté à du Bartas : *Neuf Muses Pyrénées*, sonnets pour Henri IV allant délivrer le Comté de Foix des brigands qui l'infestaient. — (3) *Os excessifs :* voir *Nobles et Valets*, p. 29. — (4) *Du Bartas* (1544-1590), né à Auch, auteur de la *Semaine* et de la *Seconde Semaine.* — (5) *Lignage :* race, au sens de lignée de poètes. — (6) *Salzbourg :* pendant le voyage que Nerval fit en Autriche, en 1839. — (7) Le milan noir d'Europe centrale (1 m 50 d'envergure).

A MADAME IDA DUMAS. — PAGE 58. — Alexandre Dumas, grand ami et compagnon de voyage de Gérard, avait épousé, le 5 février 1840, Ida Ferrier, actrice du Théâtre de la Renaissance. — (2) *Michaël :* archange. — (3) *Mithra :* divinité dont le culte, originaire de l'Iran, se répandit en Grèce, à Rome, en Gaule même : à ce culte se rattachent le sacrifice du taureau, qui avait lieu dans des grottes sacrées et certaines cérémonies d'initiation et d'occultisme. — (4) *Tippoo* (1749-1799) : héros de l'Inde, qui fut en lutte contre les Anglais et fut vaincu, par eux, au moment où il pensait recevoir du secours de Bonaparte, alors en Égypte. — (5) Gabriel et Michel, archanges (?). — (6) *Ibrahim :* Ibrahim Pacha (1789-1848) : héros égyptien, vainqueur des Grecs, avant l'intervention des puissances européennes, et des Turcs en Syrie (1832-1839). — (7) *Abd-el-Kader* (1807-1883) : émir arabe, qui résista quinze ans à la conquête française de l'Algérie (1832-1847). — (8) *Alaric* (396-410) : roi des Visigoths, qui dévasta la Grèce et l'Italie ; il pilla Rome en 410. — (9) *Attila :* roi des Huns, surnommé *le fléau de Dieu.* Établi au milieu du ve siècle au nord du Danube, il fondit brusquement sur le Rhin, battit les Francs, avança jusqu'à Orléans sans toutefois pouvoir prendre Paris ; il fut vaincu aux Champs Catalauniques (451) mais, en 452, bouleversa l'Italie.

UNE FEMME EST L'AMOUR. — PAGE 59. — L'optimisme de cette pièce contraste avec certains poèmes des *Chimères* : on n'en connaît pas la date, elle fut retrouvée sur un carnet de Nerval, après sa mort, et publiée dans *L'Artiste*, en mai 1855.

RÊVERIE DE CHARLES VI. — PAGE 59. — Cette poésie fut publiée dans *La Sylphide*, en 1847. — (1) Charles VI (1368-1422), fatigué par les fêtes excessives données à la cour, fut victime d'égarements passagers. En 1843, on représenta, à Paris, un opéra : *Charles VI*, de Ludovic Halévy. — (2) La poésie est composée en 1842, l'année qui suivit le premier internement de Nerval. — (3) Ce rêve d'une vie simple dans la nature s'inspire de certaines pages de J.-J. Rousseau. — (4) Les quatre derniers vers ont paru, aux biographes de Gérard, une préfiguration de sa fin tragique.

MADAME ET SOUVERAINE. — PAGE 60. — (1) Ce poème accompagnait une lettre adressée, croit-on, à la princesse de Solms, fille de la princesse Lætitia Bonaparte, donc petite-fille de Lucien ; mariée au prince de Solms, et exilée par Napoléon III, elle fut bonne aux hommes de lettres et aux pauvres gens, si l'on en croit une autre lettre que lui adressa Nerval, en 1853 — (2) *Vieux avant l'âge :* Nerval, à plusieurs reprises, s'est plaint de ses traits vieillis. Les beaux portraits qu'en fit son ami Tournachon, le photographe Nadar, après 1850, en sont, en effet, le témoignage. G. de Nerval mourut en 1855, à l'âge de quarante-sept ans seulement. — (3) *Trompé par trop de gens :* cette note de misanthropie est rare chez Nerval, qui mérita des amis sincères : Théophile Gautier, Alexandre Dumas, Georges Bell, A. Houssaye, Hugo, Charles Colligny, Antony Deschamps, A. Karr, Heine, Francis Wey, etc. — (4) *Le Tintamarre* : un journal satirique publié à Paris, depuis 1840. — (5) Écrite pendant l'hiver 1854, le dernier de Gérard, cette complainte est une sorte de *Testament*.

ÉPITAPHE. — PAGE 61. — D'un ton villonesque, ce *dernier sonnet*, du poète, nous révèle un Nerval hanté par la Mort et prêt à l'accueillir ; écrit dans un moment de dépression, en 1854, il est aussi énigmatique que la lettre laissée à sa tante, l'avant-veille de sa mort ; « ne m'attends pas ce soir, disait-il, car la nuit sera *noire et blanche* ».

PETITS CHATEAUX DE BOHÊME

A UN AMI. — PAGE 65. — (1) Dans l'édition de *La Bohème galante*, la dédicace portait le nom d'Arsène Houssaye, poète, ami et protecteur de Gérard qui devint directeur du Théâtre-Français ; en 1835, il vivait avec Gérard et Camille Rogier, rue du Doyenné. L'épigraphe est empruntée au *Berger fidèle*, de Guarini (1590). « O printemps, jeunesse de l'année, mère splendide des fleurs, des plantes nouvelles et des nouvelles amours... »

PREMIER CHATEAU

I. — LA RUE DU DOYENNÉ. — PAGE 65. — (2) Cette voie solitaire était située sur l'ancienne place du Carrousel, alors encombrée de masures : on en peut lire la description dans *La Cousine Bette*, de Balzac, qui y place le logement des Marneffet à l'abri du Louvre des Médicis, déjà transformé partiellemens en musée, au XVIIIe siècle. — (3) *Arcades ambo :* Arcadien) tous les deux, c'est-à-dire poètes (VIRGILE, *Églogues*, VII, 4. — (4) *Doyen :* le doyen des chanoines qui desservaient cette chapelle du Doyenné. — (5) *Rocailles et guivres :* ornementations qui, au XVIIIe siècle, surchargeaient les petits meubles de rochers et de grottes, de serpents ou de têtes de serpents, — (6) *Peintres :* Célestin Nanteuil, Chassériau, Gavarni, Th. Rousseau, Chatillon fréquentaient le « salon ». — (7) *Les Cydalises :* voir p. 40. — (8) Rogier : illustrateur, amant de Cydalise Première ; en 1843, Nerval devait le retrouver à Constantinople, où il s'était installé en 1840 — (9) *Théophile* ou Théo; Gautier, peintre puis poète; le futur auteur d'*Émaux et Camées* et d'*España*. — (10) *Plessy*: Sylvaine Plessy, actrice de la Comédie-Française. — (11) *Jodelet*: comédie de Gérard, dans le goût du XVIIe siècle. — (12) *Édouard Ourliac* qui tenait les rôles d'Arlequin « notamment dans *Le Courrier de Naples* du théâtre des Grands Boulevards », ajoute en note G. de N. ; il collabora au *Figaro* vers 1836, de même que Nerval. — (13) *La Forêt coupée*, de Ronsard : il s'agit de l'*Élégie contre les bûcherons de la forêt de Gâtine*. — (14) *Célestin Nanteuil* (1813-1873) : élève d'Ingres, peintre, dessinateur et lithographe ; il illustra les œuvres de Gautier, de Hugo, de Dumas père ; *Vattier, A. de Chatillon, Chassériau*: peintres et portraitistes renommés. — (15) *Le Moine rouge*: « même sujet que le tableau qui se trouvait chez Victor Hugo » (note de G. de N...). — (16) *Cydalyse première*: la maîtresse de Rogier, devait mourir peu de temps après. — (17) Corot et Théodore Rousseau furent surtout des paysagistes ; Lorentz, un portraitiste. — (18) *Deux buffets*: « Heureusement, dit G. de N. en note, Alphonse Karr possède le buffet avec trois femmes et avec trois satyres, avec des ovales de peintures du temps sur les portes. » — (19) *Ribeira: La Mort de saint Joseph* est à Londres, chez Gavarni (note de G. de N.).

II. — PORTRAITS. — PAGE 68. — (1) *L'Antinoüs*: l'une des statues du favori de l'empereur Hadrien, qui le fit diviniser et représenter en Apollon (Belvédère, Vatican, Naples). — (2) *Pieds chinois*: d'une petitesse gracieuse. — (3) *Théophile de Viau*: poète du XVIIe siècle (1590-1626), auteur d'épîtres et de tragi-comédies, mais d'un art souvent relâché. — (4) *Robert le Diable*: opéra de Scribe, Germain Delavigne et Meyerbeer (1831). — (5) *Ziegler*: peintre et céramiste de l'époque (poteries de Ziegler) (1804-1856).

III. — LA REINE DE SABA. — PAGE 69. — (1) *Conseillers d'État*: l'un d'eux, dit G. de N. en note, s'appelait Van Daël, jeune homme charmant, mais dont le nom a porté malheur à notre château (?). — (2) *Cardinal Dubois*: le célèbre abbé Dubois, qui fit partie du Conseil de Régence pendant la minorité de Louis XV et s'attira la haine de Saint-Simon. — (3) *La reine du Sabbat*: jeu de mots pour *Reine de Saba* (voir plus loin, n. 5). — (4) *Cantique des Cantiques*: poème d'amour contenu dans la Bible et attribué à Salomon, comme *L'Ecclésiaste* d'ailleurs : il s'agit, ici, d'un poème d'amour de Th. Gautier. — (5) Gérard avait le projet d'un livret qu'il voulait présenter à Meyerbeer, pour un opéra. — *La reine de Saba*: les Abyssins appellent cette reine, reine du Midi, et la revendiquent pour leur, en prétendant qu'elle épousa Salomon. D'autres la nomment Balkis, et dans son *Voyage en Orient* Nerval a repris sa légende dans la partie intitulée : *Les Nuits du Rhamazan*. Les *Hémiarites* occupaient l'Arabie méridionale. — (6) *Les salamandres de François* Ier : la salamandre était l'emblème des comtes d'Angoulême et aussi de François Ier, qui appartenait à cette famille : sur ces armoiries, l'animal est posé sur un lit de flammes. — (7) *Une autre reine du matin*:

il s'agit encore de Jenny Colon, que Nerval aima toute sa vie. — (8) *La huppe miraculeuse : Les Nuits du Rhamazan*, de Nerval, ont développé cet épisode. *Voyage en Orient* (1851). — (9) *Meyerbeer :* compositeur allemand (1791-1864), qui connut d'énormes succès en Allemagne, en Autriche, en France, en Italie. A Paris, il fit jouer *Robert le Diable, Les Huguenots, L'Africaine*. Il n'accepta pas le projet de G. de N. — (10) *Dumas :* il s'agit d'Alexandre Dumas père, qui fut très lié avec Gérard, voyagea en Allemagne avec lui, en 1838, et accepta sa collaboration pour quelques pièces de théâtre : *Piquillo* (1837), *L'Alchimiste* (1839), *Léo Burckart* (1839), etc.

IV. — UNE FEMME EN PLEURS. — PAGE 71. — (1) *Mère Saguet : Les Contes et Facéties*, de Nerval, ont repris un récit intitulé *Le Cabaret de la mère Saguet*, publié en 1830 dans *Le Gastronome*. — (2) *Madrid :* célèbre « château galant » de l'époque, au Bois de Boulogne. — (3) *Comme toujours :* cette boutade contre soi-même contient moins la rancune de Gérard contre la vie que la souffrance qu'il a ressentie de ses déceptions amoureuses. Il écrit ces lignes en 1853.

V. — PRIMAVERA. — PAGE 72. — (1) *Le printemps*. — (2) *Je ronsardisais :* Gérard, à ses débuts de poète, imita, en effet, les odes et odelettes de Ronsard (voir p. 27). — (3) *Malherbe* (1555-1628) : quand il voulut réformer la poésie en France, Malherbe s'insurgea particulièrement contre les genres mis en honneur par Ronsard et contre sa poétique. — (4) *Juvenilia :* ici, production de jeunesse. — (5) *Dubellay :* Joachim du Bellay, ami et compagnon de Ronsard, dans le groupe littéraire de la Pléiade : il en fut le théoricien dans sa *Défense et Illustration de la Langue française*. Nerval publia, en 1830, un *Choix de poésies du XVIe siècle*, dont il écrivit l'introduction. — (6) Ronsard imita en effet le Grec Anacréon (VIe siècle av. J.-C.) dont Henri Estienne venait de publier les *Odes*, Bion (IIIe siècle av. J.-C.) et ses *Idylles*, Horace, poète latin (65-8 av. J.-C.), ses *Odes* et son *Art poétique*, Pétrarque, humaniste italien (1304-1374) ses *Rimes* et ses *Triomphes*. — (7) *L'Ode sur les papillons* (voir p. 37). — (8) *Cantique de Joseph : Joseph* de Méhul, représenté à l'Opéra-Comique, en 1807. — (9) *Roman comique :* œuvre de Scarron, publié en 1651 et 1657.

SECOND CHATEAU

PAGE 73. — (1) Voir p. 69, n. 5. — (2) *Corilla :* Gérard de Nerval, qui avait d'abord publié *Corilla* à la fin du *Second château*, la plaça, en 1853, dans *Les Filles du Feu* ; c'est aussi dans ce recueil qu'on la trouvera dans notre édition, p. 171.

TROISIÈME CHATEAU

PAGE 74. — (1) Charles Nodier, poète et conteur (1780-1844), fit partie du Cénacle qui se réunissait dans son salon, de 1824 à 1834 ; il était alors bibliothécaire à l'Arsenal. — (2) Allusion à *Fantaisie* (*Odelettes*) p. 32. — (3) Jenny Colon mourut, en effet, le 5 juin 1842, à Paris, à l'âge de trente-quatre ans. — (4) La dernière rencontre eut lieu à Bruxelles (voir : la notice sur *La Pandora*, p. 189 et *La Pandora*, p. 200).

PROMENADES ET SOUVENIRS

I. — LA BUTTE MONTMARTRE. — PAGE 77 — (1) *Arrivé d'Allemagne*. G. de Nerval fut en Allemagne en août 1838. Il séjourna à Baden, à Strasbourg et à Francfort avec A. Dumas. — (2) *Place du Louvre :* rue Saint-Thomas-du-Louvre, en 1848-1850 et rue du Mail, près de Notre-Dame des Victoires, en 1852-1853. — (3) *Grétry :* compositeur lyrique (1740-1813). — (4) *Chanterelle :* femelle d'un oiseau chanteur dont on se sert pour attirer les mâles. — (5) Rue de Navarin, chez Gauthier, en 1840-1841 et 1852, 6, rue Pigalle, en 1844 ; rue Norvins aussi, en 1841, quand il dut être hospitalisé dans la clinique du docteur Esprit Blanche. — (6) *Cuvier* (1769-1832) : naturaliste français, créateur de la paléontologie. — (7) *Mont de Mars :* l'étymologie de Montmartre, selon Nerval. Pour d'autres, Montmartre signifie mont des Martyrs, en souvenir des compagnons de saint Denis, saint Rustique et saint Éleuthère, qui y furent exécutés vers 275. — (8) *Château des Brouillards :* immeuble célèbre qui, durant le XIXe siècle, fut le domicile de plusieurs groupes d'artistes et d'écrivains (cf. R. DORGELÈS, *Le Château des Brouillards*). — (9) *Werther :* roman de Gœthe (*Les Souffrances du jeune Werther*, 1774). — (10) *Poudrette :* engrais obtenu avec les immondices desséchées. — (11) *Marais Pontins :* vastes marais d'Italie, sur la côte de la mer Tyrrhénienne, au Moyen Age. Ils ont été asséchés et rendus à la culture sous le gouvernement de Benito Mussolini, en 1933. — (12) *M. Vautour :* type créé par le vaudevilliste Désaugiers (1772-1827) et qui désigne un propriétaire impitoyable envers ses locataires. — (13) Nerval, pendant son voyage de retour d'Orient, visita Naples, Portici, Pompéi et les ruines (18 novembre-1er décembre 1843). — (14) Note de G. de N. « Certains propriétaires nient ce détail, qui m'a été affirmé par d'autres. N'y aurait-il pas eu, là aussi, les usurpations pareilles à celles qui ont rendu les fiefs héréditaires sous Hugues Capet ? »

II. — LE CHATEAU DE SAINT-GERMAIN. — PAGE 80. — (1) Enfant, Nerval allait en vacances à Saint-Germain-en-Laye, chez une de ses tantes : une lettre à son ami Stadler raconte quelques scènes de cette période et les jeux avec Sidonie-Sylvie. C'est en 1854, et peut-être en 1855, qu'il habita Saint-Germain-en-Laye, que l'on gagne par le chemin de fer de Saint-Lazare, d'où la plaisanterie du n° 130, rue Saint-Lazare. Tous les noms de villes cités ici appartiennent à ce qu'on nomme la banlieue Saint-Lazare. — (2) *Lucienne* ou Louciennes : ancien nom de Louveciennes, dont les habitants sont toujours appelés Luciennois. — (3) Henri IV habita un temps le château élevé par Louis VI et reconstruit par Charles V et François Ier. — (4) *Diane de Poitiers :* favorite de Henri II, l'un des Valois. — (5) Les *Valois* régnèrent en France, de Philippe VI à Henri III (1328-1589) ; les *Bourbons*, de Henri IV à Louis-

Philippe. La Cour des Stuarts, famille écossaise dont le septième du nom devint roi d'Écosse, en 1371, sous le nom de Robert II ; Jacques II Stuart, chassé d'Angleterre, s'installa, en 1618, sous la protection de Louis XIV, au château de Saint-Germain. *Médicis :* les filles de la famille florentine des Médicis s'allièrent aux rois de France Henri II et Henri IV. — (6) *Ravenswood :* personnage de roman de W. Scott. — (7) *En Orient :* Nerval alla en Égypte, en Syrie et en Turquie, en 1843, du 1er janvier au 5 décembre. — (8) *Cloportes :* toute cette suite de reparties « montmartroises » est de la meilleure veine du temps des *Châteaux de Bohême.* — (9) *Exposition des Champs-Élysées :* il y eut, en effet, un temps, des expositions sur cette promenade. — (10) *Jacobites :* de la famille de Jacques Stuart. — (11) *Marie Stuart :* reine d'Écosse, décapitée sur ordre de la reine d'Angleterre, Elisabeth II, sa cousine. Son personnage intéressa les poètes français de la Renaissance, autant que Shakespeare, Schiller et bien d'autres après eux. — (12) *King-Charles :* race de chiens de petite taille, fort apprécié des mondains au XIXe siècle. — (13) *Monacos :* (argot) pièces de monnaie. — (14) *Flèche de Saint-Denis :* c'est à l'église abbatiale de Saint-Denis qu'étaient ensevelis les rois de France. — (15) *Saint-Cloud* fut résidence royale sous les Valois, Louis XVI, Louis XVIII, Charles X, Louis-Philippe.

III. — UNE SOCIÉTÉ CHANTANTE. — PAGE 84. — (1) *Buona mano :* pourboire. — (2) Nerval s'est souvent déclaré franc-maçon. — (3) *Garat :* chanteur et compositeur français (1764-1823), auteur de romances. — (4) O ma mère, guérissez-moi cette blessure par pitié ! Mélicerte fut l'archer par qui j'ai perdu la paix de mon cœur (trad. de G. de N...). — (5) Note de G. de N. : « L'intérieur est aujourd'hui restauré dans le style byzantin, et l'on commence à y découvrir des fresques remarquables, commencées depuis plusieurs années. — (6) *Sénancourt :* Étienne Pivert de Sénancourt, l'auteur d'*Obermann* (1804), mais aussi des *Rêveries sur la nature primitive de l'homme* (1799). — (7) Mortefontaine, où demeura Nerval, et Ermenonville, où mourut Rousseau, sont des villages voisins l'un de l'autre, dans le Valois (voir *Sylvie, passim.* et carte page 113).

IV. — JUVENILIA. — PAGE 88. — (1) *Hoffmann* (1776-1822) : l'auteur de *Contes nocturnes* (1817). — (2) *Valois :* contrée de l'Ile-de-France, qui comprend les pays entre l'Oise et la Marne, et la forêt de Compiègne et la forêt de Senlis ; le Beauvaisis est plus à l'ouest. — (3) *Ermenonville :* petite ville à 13 kilomètres de Senlis. Rousseau y fut enterré, dans l'île des Peupliers, en 1778. — (4) *Senlis :* chef-lieu de l'Oise, au nord de la forêt de Chantilly (voir la carte du Valois, p. 113). — (5) *Châalis :* au sud-ouest de Senlis ; lieu rendu célèbre par un monastère cistercien et de beaux étangs romantiques. — (6) *Marguerite de Valois :* fille cadette d'Henri II et de Catherine de Médicis (1553-1615). Elle naquit à Saint-Germain-en-Laye. C'est la reine Margot : sa vie fut mouvementée et scandaleuse ; elle divorça d'avec Henri IV. Nerval a toujours prêté beaucoup d'attention à ce personnage. — (7) *Nerva :* empereur romain, (22 à 98) mais non le dixième ; c'est d'une terre de sa famille maternelle, au lieudit Nerva, sis à Mortefontaine, que Gérard Labrunie tira son pseudonyme de *Nerval*, à partir de 1835. — (8) *Traçant :* vieux mot du terroir du Valois : bêcher. — (9) *Sa fille aînée :* la mère de Gérard, Marie-Antoinette-Marguerite Laurent mourut en Silésie le 29 novembre 1810 ; Gérard était né le 22 mai 1808. — (10) Le passage de la Bérésina eut lieu après la bataille perdue, fin novembre 1812.

V. PREMIÈRES ANNÉES. — PAGE 91. — (1) *Son héros :* Napoléon ; la distribution des étendards eut lieu le 1er juin 1815. Nerval a toujours montré beaucoup d'admiration pour l'Empereur. — (2) *Fils du Nord, cavales de l'Ukraine :* les Prussiens, les chevaux des cosaques. — (3) *Sapajou :* petit singe de l'Amérique du Sud. — (4) *Pastor fido :* voir p. 65, n. 1. *Faust*, de Gœthe, dont Gérard devait, à dix-huit ans, préparer une traduction. — (5) *Ovide :* le poète latin des *Métamorphoses* et des *Amours* (43 av. J.-C.-18 après J.-C.). *Anacréon :* poète grec du VIe siècle avant J.-C., auteur d'odes légères. — (6) *Iram :* Iran. — (7) *Morfontaine :* Mortefontaine, — (8) *La Gaieté :* théâtre de Paris dans le quartier de Montparnasse.

VI. — HÉLOÏSE. — PAGE 93. — (1) *Byron :* voir p., 34. 1. — (2) *Thomas Moore :* poète irlandais (1799-1852), auteur des mélodies irlandaises. G. de Nerval a écrit deux *Mélodies*, imitées de Thomas Moore. — (3) *Le Tasse :* Torquato Tasso, poète italien (1544-1595), qu'on prétendit avoir été amoureux de Léonore d'Este, sœur du duc ; c'est l'auteur de l'*Aminte* et de la *Jérusalem délivrée*. — (4) *Sylvie, Adrienne* héroïnes de l'admirable nouvelle *Sylvie* (p. 103) ; — (5) Certaines phrases de Nerval ont ici l'accent de *René* et d'*Atala*.

VII. — VOYAGE AU NORD. — PAGE 94. — (1) *Lélio, Octave, Arthur :* allusion aux innombrables romans autobiographiques de la première moitié du XIXe siècle. — (2) *A. Dumas :* il avait, à l'occasion d'une maladie de Gérard présenté, de lui une biographie peu flatteuse, dans *Le Mousquetaire* du 10 décembre 1853. — (3) *Pontoise :* petite ville du département de l'Oise, sur l'Oise. — (4) *Scribe :* auteur de comédies et de livrets d'opéra (1791-1861).

VIII. — CHANTILLY. — PAGE 97. — (1) *Saint-Leu-la-Forêt :* à 14 kilomètres de Pontoise. — (2) *Chantilly :* sur la Nonette, et à 10 kilomètres de Senlis, on y voit le célèbre château, transformé sous les ordres du grand Condé, puis, en 1840, par le duc d'Aumale : — (3) *Orry-la-Ville :* petit village dans la forêt de Chantilly. On trouvera tous ces noms sur la carte du Valois, p. 113. — (4) *Biron* (1524-1592) :maréchal de Henri IV, le plus vieux et le plus grand capitaine français, a dit Brantôme. — (5) *Velléda :* allusion à l'héroïne gauloise des *Martyrs*, de Chateaubriand. — (6) *La lutte des Condé :* cette lutte commença par la fuite à Bruxelles de Henri II de Bourbon, prince de Condé, en 1609. — (7) *La jeunesse guerrière du grand Condé :* quand, pendant la Fronde, il assiégea Paris, au faubourg Saint-Antoine, il se mit au service des Espagnols : il fit sa soumission au Traité des Pyrénées. C'est par la voix de Bossuet, que l'histoire (Clio) fit descendre l'oubli sur ces années de trahison. — (8) *Vatel* (cf. Mme DE SÉVIGNÉ, *Lettres*, Flambeau, p. 32). — (9) *Montfleury* (1600-1667) : célèbre comédien de l'Hôtel de Bourgogne, contemporain de Molière, qui ne le ménagea pas. — (10) *Mignon, Philine :* personnages du *Wilhelm Meister* de Gœthe (1821).

LES FILLES DU FEU

SYLVIE

I. — NUIT PERDUE. — PAGE 103. — (1) *Heures divines :* fresques célèbres représentant les heures comme des déesses. Nerval avait vu les ruines d'Herculanum à son retour du voyage d'Orient, en 1843. — (2) *Princesse d'Élide :* héroïne grecque de la comédie-ballet donnée par Molière à Versailles, au printemps de 1664. — (3) *Reine de Trébizonde :* l'empire grec de Trébizonde fut fondé en 1204 par les frères Comnène. — (4) Pérégrinus Proteus, philosophe cynique grec (105-165), passé par le christianisme, qui se jeta dans les flammes pendant les fêtes olympiques. — (5) *Apulée :* Lucius Apuléius (120-190) : romancier latin, auteur de *L'Apologie*, des *Florides* et des *Métamorphoses* (Ane d'Or). Nerval étudia ces ouvrages et connut par eux les cérémonies du culte d'Isis et les arcanes de la magie. — (6) *Isis :* voir p. 50, n. 3. — (7) Alexandrie d'Égypte devint, sous les Ptolémée, une ville florissante, célèbre par ses spectacles et ses artistes. — (8) *Whist :* jeu de cartes venu d'Angleterre en France, sous Louis XIV ; les joueurs doivent garder le silence (whist). — (9) *Opulence :* l'héritage de ses grands-parents qui, en 1834, rendit Nerval riche de quelques millions de notre monnaie. — (10) *Moloch :* dieu des Ammonites au temps de Salomon. — (11) *Archers :* sociétés de tireurs à l'arc.

II. — ADRIENNE. — PAGE 106. — (1) *Valois :* Nerval veut dire que, pendant des siècles, l'Ile-de-France fut la province centrale du royaume. — (2) *Sylvie :* le nom réel de cette jeune fille n'est pas certain (voir notice p. 101). — (3) Adrienne, qui domine le roman plus que Sylvie, semble emprunter sa réalité de femme à Sophie Dawes, maîtresse en Angleterre puis à Saint-Leu du dernier Condé, qui lui avait fait épouser le baron *Adrien* de Feuchères. Gérard avait pu la rencontrer à Mortefontaine, pendant sa jeunesse. — (4) *Béatrice de Dante :* le poète italien, Dante Alighieri (1265-1321) a chanté, dans sa *Vita Nuova* (1292), son amour pour Béatrice Portinari : elle inspira aussi la *Divine Comédie.*

III. — RÉSOLUTION. — PAGE 108. — (1) Voir *Le Secret de de G. de Nerval*, par L.-H. SÉBILOTTE, José Corti, éditeur, 1942, p. 99). — (2) Voir la carte, p. 113.

IV. — UN VOYAGE A CYTHÈRE. — PAGE 110. — (1) *Cythère :* île grecque au nord-ouest de la Crète, consacrée à Vénus, déesse de l'amour. Watteau aurait composé *L'Embarquement pour Cythère* à Mortefontaine. — (2) *Édifices légers :* c'est le marquis de Girardin, puis Le Peletier de Mortefontaine qui firent élever ces temples de la philosophie et ces monuments des amours, après 1763. — (3) *Uranie :* muse de l'astronomie. — (4) *Boufflers :* le marquis de Boufflers (1738-1815), maréchal de camp, gouverneur du Sénégal, poète sensible. — (5) *Chaulieu :* l'abbé de Chaulieu (1639-1720), poète épicurien, surnommé l'*Anacréon du Temple.* — (6) *Théorie :* procession antique.

V. — LE VILLAGE. — PAGE 112. — (1) Loisy est au bord des cinq hectares de la forêt d'Ermenonville. L'oncle Boucher habitait en réalité à Mortefontaine. — (2) Saint-Sulpice-du-Désert. — (3) *Butte aux Gens-d'Armes :* la Butte des Gens-d'Armes se montre entre les forêts d'Ermenonville et de Pontarmé. — (4) *Montméliant :* voir la carte. — (5) Le séjour dans un couvent de l'Adrienne de son enfance est une invention de Nerval. — (5) J.-J. Rousseau, on le sait, a parcouru toute cette région, à partir de mai 1778, — (6) *Auguste La Fontaine :* romancier allemand (1758-1831), dont les œuvres faciles eurent un succès populaire.

VI. — OTHYS. — PAGE 115. — (1) *Huche :* armoire où, au XIXe siècle encore, on conservait le pain. — (2) Où se faisait la dentelle de soie noire ou blonde. — (3) *Chasses princières :* on vit, de tout temps, des chasses à courre dans les forêts du Valois, et c'est vraisemblablement au cours de l'une d'elles que le jeune Nerval aperçut celle qui a prêté son visage à Adrienne (voir p. 106, n. 3). — (4) *Funambules :* théâtre du boulevard du Temple, à Paris ; créé en 1816, on y jouait des pantomimes et des vaudevilles. — (5) *La fée des légendes :* voir plus loin les *Chansons et Légendes du Valois* (p. 136). Dans une lettre à son ami Stadler, Nerval raconte la scène qui se passa à Saint-Germain : la jeune fille s'appelait Sidonie. — (6) *Sabots :* les manches à l'Isabelle, en honneur sous Louis XVI, étaient très ouvertes et évasées en sabot. — (7) *Greuze :* célèbre peintre du XVIIIe siècle, qui a reproduit des scènes de la vie familiale à la manière « sensible » du temps. — (8) *L'Ecclésiaste :* livre de l'Ancien Testament attribué à Salomon.

VII. — CHAALIS. — PAGE 119. — (1) *Cardinaux :* c'est en effet pour les cardinaux Hippolyte et Louis d'Este que le Primatice décora, en 1547, les voûtes de la chapelle de l'abbé, à Châalis. — (2) *Francesco Colonna :* poète italien (1449-1529), auteur du *Discours du Songe de Polyphile,* dont le sujet est le Triomphe de l'Amour. La Fontaine s'en est inspiré. Nerval reçut une grande impression de l'histoire chaste et passionnée de Colonna et de la belle Lucrezia-Polia, qu'il lut peut-être dans le *Franciscus Colonna,* de Charles Nodier ; il voulut même consacrer une tragédie à ce projet (voir XIII, *Aurélie,* p. 131, note 3). — (3) Les élèves de la Maison de Saint-Cyr jouaient des tragédies. Racine écrivit, pour elles, *Esther* et *Athalie.*

VIII. — LE BAL DE LOISY. — PAGE 121. — (1) *La Nouvelle Héloïse,* de Rousseau, qui écrivit ce roman à Montmorency, de 1756 à 1758 : il fut publié en 1761. — (2) Saint-Preux est l'« amant » de Julie d'Étanges. — (3) *Terni :* voir *Octavie* p. 147, n° 2.

IX. — ERMENONVILLE. — PAGE 123. — (1) La maison de son grand-oncle Antoine se trouvait à Mortefontaine ; — (2) Moreau le Jeune (1741-1814) dessina et grava des illustrations pour les œuvres de Rousseau. — (3) *Le Désert :* le désert d'Ermenonville est constitué de collines sablonneuses, avec quelques pins et quelques genévriers ; il a été lui aussi aménagé par M. de Girardin, en souvenir de Rousseau et des philosophes. — (4) *Anacharsis :* l'abbé Barthélemy publia, en 1787, ce roman « pédagogique » : *Le Voyage du jeune Anacharsis en Grèce ; L'Émile,* de J.-J. Rousseau, est de 1762. — (5) *Temple de la philosophie :* ce monument existe encore dans le parc d'Ermenonville. — (6) La Sibylle de Tibur, qui est citée par Vincent de Beauvais parmi les dix sibylles antiques « recensées » au Moyen Age. — (7) *Virgile :* pour Nerval, Virgile c'est surtout le poète des *Bucoliques* et des *Géorgiques.* — (8) Connaître la raison des choses (Cicéron, *De finibus,* 2, 45). — (9) : en 1794, on enleva les ossements de Rousseau à son magnifique tombeau de l'île des Peupliers pour les enfouir dans la cave du Panthéon. Le Premier Consul avait eu l'intention de les ramener à Ermenonville. — (10) La tour fut, en fait, renversée pendant la Révolution.

X. — LE GRAND FRISÉ. — PAGE 125. — (1) *De l'ieau :* expression patoisante pour *de l'eau.*

XI. — RETOUR. — PAGE 127. — (1) *Walter Scott* (1771-1832) : la renommée et l'influence du romancier écossais furent immenses à partir du romantisme. — (2) C'est la scène de la page 107. — (3) *Porpora :* compositeur italien (1686-1767), à qui l'on doit plus de quarante opéras. — (4) Cette péripétie est importante. Nerval peut croire que la religieuse a quitté le couvent, si bien qu'il se persuade que l'actrice qu'il aime, c'est encore Adrienne (voir p. 120, ligne 1). — (5) *Aurélie :* c'est le nom que, dans *Sylvie,* porte Jenny Colon, la cantatrice aimée de Gérard (voir p. 103) : c'est elle aussi qui sera Aurélia.

XII. — LE PÈRE DODU. — PAGE 129. — (1) *Ciguës :* Rousseau, faut-il le dire, ne s'est point empoisonné ; ce fut peut-être, quelque temps, une légende chez les gens du pays d'Ermenonville. — (2) *Nayée :* pour noyée, déformation paysanne. — (3) *Ratafiat* (ou ratafia) : liqueur sucrée à base d'alcool de fruits.

XIII. — AURÉLIE. — PAGE 131. — (1) *Schiller :* poète dramatique allemand, contemporain de Gœthe (1759-1805). — (2) C'est en août 1838 que Nerval fit ce voyage en Allemagne, par Strasbourg et Baden. — (3) *Le dernier vers du drame écrit :* jamais Nerval ne mit son projet à exécution (voir p. 119, n. 2). — (4) *Les lettres les plus tendres :* une grande partie des lettres de Nerval à Jenny ont été conservées, certaines ont été, dans la première édition, placées à la suite d'*Aurélia.* — (5) *Dorante :* rôle du jeune homme amoureux. — (6) *Seigneur poète :* tradition du *Roman comique,* de Scarron (voir aussi *Le Capitaine Fracasse,* de Th. Gautier). — (7) Les quatre étangs de Commelle sont alimentés par la Thève ; au-dessus du déversoir, un château, construit en 1826 pour le duc de Bourbon, aurait, dit-on, remplacé un château de la reine Blanche de Navarre, femme de Philippe de Valois. — (8) *Mme de F...* : la baronne Adrien de Feuchères, née Sophie Dawes (voir p. 106, n. 3). Ce rapprochement trahit l'identité probable d'un modèle d'Adrienne . — (9) *Un drame* : monsieur l'auteur dramatique, vous cherchez un sujet de drame.

XIV. — DERNIER FEUILLET. — PAGE 134. — (1) *Clarens* : sur les coteaux qui dominent la rive suisse du lac Léman. Rousseau y a placé la célèbre scène des vendanges de sa *Nouvelle Héloïse*. — (2) *Gessner* : poète suisse de langue allemande (1730-1788) qui a écrit des *Idylles* et une épopée pastorale, traduites aussitôt en français. — (3) *Aldébaran* : étoile de première grandeur, de la constellation du Taureau. — (4) *Adrienne ou Sylvie* : *Sylvie*, c'est, en effet, le roman de la douce réalité ; *Aurélia*, l'idéal sublime : chacune des deux œuvres représente un aspect de Gérard de Nerval. — (5) *Roucher* : poète du XVIIIe siècle (1745-1794), guillotiné sous la Convention. — (6) *Maximes de bienfaisance* : on a déjà dit que le parc d'Ermenonville contient des stèles, des statues, des monuments où sont gravées des inscriptions à tendance philosophiques ou moralisatrices. — (7) *Pan* : le dieu de la vie universelle, pour les philosophes ; en Arcadie, où il était adoré, c'était le dieu des bergers et des bois : on le représente avec des cornes et des pieds de bouc. — (8) *Amazones fières* : une estampe conservée jusqu'à nous montre une chasse à courre avec des amazones, parmi lesquelles Sophie Dawes. — (9) Dammartin-en-Goële : il existe, dans l'église Saint-Jean-Baptiste, une ancienne statue en bois, représentant saint Jean. — (10) *Lolotte* : du nom de Charlotte, l'héroïne du *Werther* de Gœthe. — (11) La dernière phrase de *Sylvie* répond, clairement cette fois, à la demande de Gérard (XI, p. 128) : « Qu'est devenue la religieuse ? »

CHANSONS ET LÉGENDES DU VALOIS

PAGE 136. — (1) *Chansons patoises* : le XIXe siècle se prit en effet à faire revivre les textes du folklore provincial. Nerval y contribua beaucoup pour sa part ; il semble croire que le breton ou la langue d'oc sont des patois. — (2) *Hiatus* : on dit qu'il y a un hiatus quand deux voyelles se rencontrent sans élision, l'une à la fin d'un mot, l'autre au commencement du mot suivant : *il va à la messe*. — (3) *Collé* : l'auteur de *La Partie de chasse de Henri IV* (1709-1783) fut surtout un chansonnier. *Piis* (1755-1831) écrivit des chansons et des parodies ; il collabora à l'*Almanach des Muses*, comme Nerval. *Panard* (1674-1765) écrivit aussi des chansons satiriques et des opéras-comiques aux couplets fort appréciés. Ces trois poètes n'eurent pas peur des propos licencieux. — (4) *Chloris* ou Flora : déesse des fleurs, puis, au XVIIe siècle, nom donné par les poètes à la femme de leur cœur. — (5) *Lénore* : l'héroïne de la ballade de Bürger (1747-1794), traduite par Gérard de Nerval en plusieurs pièces de prose et de vers (« Les morts vont vite »). — (6) *Le roi des Aulnes* : célèbre ballade de Gœthe, sur un thème folklorique. — (7) Dans une pièce des *Filles du Feu*, *Angélique*, que nous ne donnons pas dans ce recueil. — (8) *Lautrec :* nom d'une ancienne famille du comté de Foix. — (9) Voir, page 143, *La Reine des poissons.* — (10) *Arcabonne, Mélusine :* personnages fabuleux des légendes du terroir. Mélusine ou la mère des Lusignan (dans l'Ouest). — (11) *Variantes :* différences de détail entre plusieurs textes sur un même sujet. — (12) *Interpolations :* il y a une interpolation quand, à un texte primitif, la tradition orale ou un copiste a ajouté un passage nouveau ou un commentaire qui devait rester en dehors du texte lui-même. — (13) *Schiraz* ou Chiraz : ville d'Iran, où vécurent les grands poètes perses Hafiz et Saadi. — (14) *Némésis :* déesse de la Vengeance, fille de la Nuit. — (15) *Biron* (voir p. 97, n. 4). — (16) *Percival,* ou Perceval : héros des romans de la Table Ronde (XIIe siècle). C'est aussi le Parsifal des drames de Wagner et de bien d'autres légendes. L'Italien Boccace (1313-1375) a transcrit la légende de *Grisélidis,* dans son *Décaméron.*

LA REINE DES POISSONS. — PAGE 143. — (1) *Elda :* recueil des légendes scandinaves. — (2) *Challepont :* Charlepont (pont de Charlemagne) (voir la carte p. 113). — (3) *Chêne vert :* chêne à feuillage persistant. C'est l' « yeuse » de Virgile. — (4) *Odin :* le roi des dieux de la Scandinavie ; c'est le Wotan des Germains. — (5) *Thor,* fils d'Odin est le dieu des orages. — (6) *Surgeons :* tiges qui repoussent de la souche d'un arbre abattu (rejeton ou drageon). — (7) La *Marne,* l'*Oise* et l'*Aisne* circonscrivent le pays du Valois. — (8) *Sylphe :* créature imaginaire ; de la famille des lutins et des fées ; les *ondines* peuplent les eaux.

OCTAVIE

PAGE 147. — (1) *1835 :* c'est, en réalité, en 1834 que Gérard partit pour Marseille et l'Italie. — (2) *Terni :* ville d'Ombrie. Nerval a déjà, dans *Sylvie,* vanté ses cascades. — (3) *Teverone* ou Anio : rivière qui forme les cascades du Tivoli, avant de se jeter dans le Tibre, en amont de Rome. Comme les romantiques, G. de Nerval aime créer la couleur locale avec des noms propres aux sonorités caractéristiques. — (4) *Trasimène :* lac de Pérouse, célèbre par la victoire d'Annibal sur les Romains (217 avant J.-C.). — (5) *Amour contrarié :* il ne connut Jenny Colon qu'au retour d'Italie, en 1835. — (6) *Quarantaine :* période de surveillance et d'observation imposée en temps d'épidémie aux personnes qui arrivent d'une ville contaminée. — (7) *Le Dôme, le Baptistère, les chefs-d'œuvre de Michel-Ange :* à Florence. — (8) *Campo-Santo :* célèbre nécropole ou cimetière de Pise, dont les galeries ont été enrichies de fresques et d'œuvres d'art (XIIIe siècle). — (9) *Le Vatican :* palais des papes à Rome, élevé sur la plaine du même nom, riche en collections de tableaux, de sculptures, de livres et de manuscrits précieux. — (10) *Colisée :* amphithéâtre achevé en 80 après J.-C., par Titus. Son nom vient du Colosse de Néron qu'il contenait. — (11) *Civita-Vecchia :* port sur la mer Tyrrhénienne ; à cette date, Stendhal était consul de France dans cette ville. Civita-Vecchia et

Ostie sont les deux ports de Rome. — (12) *Jeune Anglaise :* voir le sonnet *Delfica*, p. 51 :

> Reconnais-tu le temple au péristyle immense ?
> Et les citrons amers où s'imprimaient tes dents ?

(13) Nerval imite le langage défectueux de l'Anglaise. — (14) *Tibur :* ancien nom de Tivoli ; on y voyait le temple d'une Sibylle. Nerval, très curieux des religions de l'antiquité et de leurs rites, donne beaucoup d'importance aux Sibylles (voir *Delfica*, etc.), Sibylle de Delphes, Sibylle de Cumes, etc., que Michel-Ange a peintes aux murs de la chapelle Sixtine du Vatican. — (15) *Précieuses :* femmes du monde qui exagéraient la délicatesse des sentiments et du langage aux beaux jours du Salon de l'Hôtel de Rambouillet à Paris (voir MOLIÈRE, *Les Précieuses ridicules*, Flambeau, t. I). — (16) *Chambre bleue :* chambre tendue de draperies bleues où recevait Catherine de Rambouillet. — (17) *Éleusis :* ville grecque non loin d'Athènes, où se célébraient les mystères de Cérès. — (18) *Vesta :* déesse de la famille et du foyer où le feu ne doit jamais s'éteindre. Le temple de Vesta était situé entre le Forum et le Palatin ; six vestales, patriciennes vierges, étaient préposées au culte du feu leur vie durant. — (19) Jenny Colon. *Fatal*, dans le sens d'imposé par le destin. — (20) *Lacrima-Christi :* vin mousseux des environs de Naples. — (21) *Madone noire :* les statues de vierges noires, nombreuses en Italie et dans le Midi de la France. — (22) *Sainte Rosalie* (voir *Artémis*, p. 51). — (23) *Thessalie :* province de la Grèce du Nord. — (24) *Chiaia :* quartier de Naples, dominé par le Pausilippe : *la grotte fatale aux imprudents* (voir *Delfica*, p. 51, note 5). — (25) Cette idée de suicide, dans *Octavie*, ne confirme pas le suicide de Nerval en 1855 (voir *Introduction*, p. 22). — (26) *Château Saint-Elme :* au-dessus de Chiaia. — (27) *Portici :* ville située sur la baie de Naples et élevée sur l'emplacement d'Herculanum, détruite en 79 par une éruption du Vésuve : les fouilles, depuis 1711, ont révélé une partie de l'ancienne cité, ses temples et ses riches demeures. Non loin de là, Pompéi dévastée par le même cataclysme. — (28) *Isis* ; *Osiris*, époux d'Isis. Le temple d'Isis fut découvert en 1765 ; la villa des mystères, en 1909 (voir p. 50, notes 3 et 5). — (29) *Apulée* (voir p. 103, n. 5). — (30) *Parjure :* *Octavie* est une œuvre caractéristique ; comme avec Jenny (*Aurélia*), comme avec Marie Pleyel (*La Pandora*), avec la jeune Anglaise Nerval reconnaît qu'il ne peut aimer vraiment : l'apparition lui paraît un signe à ne pas négliger. — (31) *Venant d'Orient :* en 1843 ; *Octavie* fut, en effet, composée en 1853.

ISIS

I. — PAGE 155. — (1) *Résina :* près de Naples et de Portici. — (2) C'est d'abord une colonie grecque, puis les Romains l'ayant emporté sur les autres peuples de l'Italie, une colonie romaine. — (3) *Pansa, Salluste, Scaurus, Diomède :* Romains dont les villas ont été reconstituées. — (4) *Vestales* (voir p. 148, n. 18). La maison des vestales et celle des danseuses sont parmi les plus étonnantes de beauté des restes de Pompéi (voir E. C. COMTE CORTI, *Herculanum et Pompéi*, 1954, Plon, édit.) — (5) *Isis* (voir page 50, notes 3 et 5, et *Octavie*, p. 147, n. 28).

II. — PAGE 156. — (6) *Cabires :* en Grèce, dieux du feu et fils du Ciel et de la Terre. — (7) *Bacchanales :* cérémonies en l'honneur de Bacchus (Liber Pater). — (8) *Hébon :* forme campanienne de Bacchus, représenté avec un corps de taureau. — (9) *Sistre :* instrument de musique utilisé pendant les cérémonies religieuses dans l'ancienne Égypte : il se compose d'un manche sur lequel des tiges métalliques mobiles sont attachées : agité, il produit des sons stridents. — (10) *Liturgie :* l'ensemble et l'ordre d'un service religieux ou d'un culte. — (11) *Clepsydre :* horloge à eau.

III. — PAGE 157. — (12) *Mort d'Alexandre :* en 323 avant J.-C. — (13) *Zoroastre :* réformateur de la religion perse (660-583); il institua les mages, interdit les sacrifices sanglants. — (14) *Éphèse :* ville d'Asie Mineure, célèbre par son temple de Diane. — (15) *Théogonie :* on appelle ainsi un ensemble de divinités. — (16) *Jéhovah* ou Jahvé : dieu unique adoré par le peuple juif. — (17) *Sérapis :* dieu égyptien adoré surtout à Alexandrie. — (18) *Sérapéon :* temple de Sérapis. — (19) *Lazaret :* à l'origine, hospice pour les lépreux, puis, souvent, hôpital. — (20) *Pouzzoles :* sur le golfe de Naples. — *Caserte :* en Campanie, à l'intérieur des terres.

IV. — PAGE 159. — (21) *Zeus d'Homère :* le père des dieux et leur maître, résidant sur l'Olympe avec eux, tel est Zeus dans l'*Iliade* et l'*Odyssée*. — (22) *Priam :* roi des Troyens et de la Troade, époux d'Hécube, père d'Hector, de Pâris et de Cassandre, entre autres. — *Arsinoüs :* il s'agit d'Alcinoüs, roi des Phéaciens, à qui Nausicaa, sa fille, conduisit Ulysse rencontré au bord de la mer, au chant VI de l'*Odyssée*. — (23) *Litanies :* prières qui consistent en invocations renouvelées. Dans cette 4e partie, Nerval veut montrer que le christianisme a repris des cérémonies du culte d'Isis. — (24) *Agapes :* repas que les premiers chrétiens avaient l'habitude de prendre en commun après les cérémonies religieuses. — (25) *Hydria :* vase à eau (chez les Grecs) ; ceux qui le portaient s'appelaient les hydriophores. — (26) *Byzance :* ville installée sur le Bosphore par les colons grecs au VIIe siècle avant J.-C. ; elle devint Constantinople quand l'empereur romain Constantin, en l'an 330 de notre ère, y transporta la capitale de l'empire romain d'Orient. — (27) *Falerne :* cru de Campanie, célèbre chez les Romains. — *Chios :* cru renommé de l'île grecque du même nom.

V. — PAGE 162. — (28) *Sistron* ou sistre (voir p. 156, n. 9). — (29) Les rapsodes ou rabdodes allaient de village en village pour chanter leurs poèmes ou ceux d'autres poètes. — (30) *Croix ansée :* croix formée de la lettre grecque tau (T), surmontée d'une anse. — (31) *Daunou :* érudit français, professeur au Collège de France, et membre de l'Institut. L'île de Philé, ou

Philae, en amont de la première cataracte du Nil, contenait un temple consacré à Isis. — (32) *Rosette :* ville d'Égypte sur l'une des branches du Nil ; on y découvrit, en 1799, une stèle portant une inscription que Champollion déchiffra en 1831.

VI. — PAGE 163. — (33) *J'avais visité l'Orient* (*Introduction*, p. 14). — (34) *Maison de Diomède* (voir p. 154, n. 3). — (35) *Drogmans :* interprètes que les légations et les ambassades mettaient à la disposition de leurs nationaux. — (36) *Ciceroni :* guides officiels ou non, en Italie (bavards comme Cicéron). — (37) *Cella :* partie d'un temple où l'on avait placé la statue d'un dieu : entourée d'une clôture, elle correspondait au chœur ou aux chapelles de nos églises. — (38) *Hypaetron :* fenêtre grillée placée dans l'antiquité au-dessus de la porte principale d'un temple. L'érudition de Nerval est livresque : une grande partie de ces développements sont empruntés à Carl Böttiger qui, en 1809, avait publié *Die Isis Vesper*. Nerval le traduisit et l'adapta. — (39) *Décurions :* chefs héréditaires ou élus de l'administration d'une ville ou d'un territoire (hist. rom.). — (40) *Eau lustrale :* qui sert aux cérémonies de purification (quinquennales). — (41) Au moment de l'éruption du Vésuve. — (42) *Caprée :* Capri. — (43) *Volney :* historien et philosophe (1757-1820), arabisant et grand voyageur, se rendit célèbre par son œuvre, *Les Ruines*, méditations sur la révolution des Empires (1791). — (44) *Palmyre :* ville de Syrie, bâtie, croit-on, par Salomon, détruite par Nabuchodonosor, roi des Mèdes. — (45) *Dépeuplé les cieux :* en ruinant la croyance aux dieux païens. — (46) *Saïs :* ville du delta égyptien, dont les chefs gouvernèrent l'Égypte avec succès (renaissance saïte) ; détrônée par Alexandrie, en 332, Saïs conserva sa prépondérance religieuse.

VII. — PAGE 166. — (47) *Lucrèce :* poète latin et philosophe épicurien (98 ?-53 avant J.-C.), auteur de *La Nature des Choses*. — (48) *Plotin :* philosophe néo-platonicien (205-270 après J.-C.), auteur des *Ennéades*. *Proclus* (412-485) enseigna la philosophie néo-platonicienne à Athènes. *Porphyre* (232-304) : auteur d'une *Vie de Plotin* et d'une *Vie de Pythagore*, adversaire du christianisme. — (49) *Des serpents :* ceci explique les vipères d'Isis (p. 160). — (50) *Arabie Heureuse :* on appelle ainsi la zone littorale de l'Arabie (Hedjaz, Yémen) au climat moins tropical que celui de l'Arabie Pétrée. — (51) *Lucius (Apuléius) :* Apulée, à qui Nerval a fait de larges emprunts, dans *Isis*. — (52) *Orphée et Moïse :* Nerval n'a, nulle part, développé cette affirmation. — (53) On verra, dans *Aurélia*, Nerval confondre Isis, la Vierge Marie et les femmes qu'il a aimées (p. 241). — (54) *Dupuis :* l'auteur de *L'Origine de tous les cultes ou religion universelle* (1795) ; il vécut de 1742 à 1809. — (55) *La parole des sibylles :* dont les théologiens du Moyen Age donnèrent des interprétations favorables au christianisme. — (56) *Pélasges :* peuples non aryens qui, au troisième millénaire, envahirent la Grèce par le sud. — (57) *Io :* fille d'Inachos, prêtresse de Junon, séduite par Jupiter, puis transformée en génisse. — (58) *Adonis :* jeune dieu d'une grande beauté, aimé de Vénus. *Atys* (voir p. 52, n. 8). — (59) *Cosmogonique :* qui englobe le monde dans son ensemble.

CORILLA

PAGE 171. — (1) Le nom de *Corilla* fut porté par une actrice italienne, célèbre au siècle précédent, Maria Maddalena Morelli. *Prima donna :* la première cantatrice, dans un opéra. — (2) *Tous les soirs :* cette allusion à Nerval lui-même, assidu aux représentations de l'Opéra-Comique, où chante Jenny Colon, n'étonnera pas le lecteur de *Sylvie.* — (3) *Volée :* condition. — (4) *Ducat :* monnaie d'or ou d'argent à Venise, à l'effigie du doge Dandolo au XIIIe siècle, ou de ses successeurs ; il y eut aussi des ducats d'Espagne. — (5) *San Carlo :* théâtre Saint-Charles, à Naples ; en 1816, il fut détruit par un incendie, mais reconstruit tout aussitôt. — (6) *Pygmalion :* sculpteur grec qui devint amoureux de la statue d'ivoire qu'il avait créée (Galatée) ; protégé par Aphrodite-Vénus, il vit la statue prendre vie et il l'épousa. — (7) *Danaé :* allusion à la pluie d'or sous l'apparence de quoi Jupiter s'approcha de Danaé, mère de Persée. — (8) *La Vénus de Virgile :* qui apparaît à Énée (dans *L'Énéide,* I, 305-404). — (9) *Métastase :* poète italien (1698-1782), fort célèbre en Europe, au XVIIIe siècle, et dont les œuvres furent traduites à Paris en 1780 (idylles, tragédies, cantates). — (10) *Paesiello :* compositeur italien (1741-1816) (*Le Barbier de Séville, Le Roi Théodore*) ; il fut protégé par Bonaparte, et écrivit le *Te Deum* du couronnement ; on joua ses œuvres à l'Opéra. — (11) *Cimarosa :* compositeur dramatique italien (1749-1801) (*Le Mariage secret, Les Amants comiques*). — (12) *Sophonisbe :* héroïne de la défense de Carthage contre les Romains ; Tite-Live fit un récit touchant de son sacrifice. *Alcime* ou Alcine : l'enchanteresse qui séduisit Roger (ARIOSTE, *Le Roland furieux*). *Herminie :* prisonnière de Tancrède dans la *Jérusalem délivrée. Molinara* (la meunière) : opéra de Paesiello. — (13) *Lansquenet :* jeu de cartes introduit en France par les valets d'armes allemands au XVIe siècle (lansquenets). — (14) *Jettatura :* mauvais œil et aussi, comme ici, mauvais augure. — (15) *Chiaia :* faubourg de Naples (voir p. 147, n. 24). — (16) *Midas :* roi de Phrygie à qui, pour se venger de lui, Apollon donna des oreilles d'âne. Son barbier, ne pouvant garder le secret juré, fit un trou et dit, dans ce trou : « Le roi Midas a des oreilles d'âne », mais les roseaux qui poussèrent alentour répétaient, en se balançant au vent : « Le roi Midas a des oreilles d'âne. » — (17) *Héraut :* celui qui est chargé de proclamer votre gloire. — (18) Nerval a un idéal féminin (*bionda grassotta*) blonde et grassouillette (voir *La Pandora,* p. 194). — (19) *Caravaggio :* peintre italien (1549-1609), autodidacte et indépendant ; sa *Judith* est au musée de Naples. — (20) *Bradamante :* une des héroïnes de *Roland furieux* (poème de l'Arioste) ; elle délivre Roger. — (21) (?). — (22) *La liste de don Juan :* la liste des mille et une femmes conquises. Ce monologue est de la manière des comédies d'Alfred de Musset. — (23) *Pausilippe :* colline au sud-ouest de Naples. — (24) *Ischia :* petite île au bord de Naples (voir LAMARTINE, *Poésies,* Flambeau, p. 91). — (25) *Falot :* porteur de lanterne. — (26) *Deux-Siciles :* le royaume des Deux-Siciles comprenait la Sicile et le royaume de Naples ; il fut constitué en 1815, puis rattaché en 1860 au royaume d'Italie.

— (27) *Et lui aussi :* Nerval ne répugne pas à des traits comiques. — (28) *Ixion :* recueilli sur l'Olympe, par Jupiter ; essaya de séduire Junon : il ne saisit qu'une nuée faite à l'image de la femme de Jupiter ; pour le punir, Jupiter l'attacha à une roue de feu qui tourne perpétuellement dans les Enfers. — (29) *Ma mauvaise étoile*, et plus bas : *elle ressemble à celle que j'aime.* Nerval met encore, dans cet intermède, publié en 1839, le souvenir de son amour déçu. — (30) *Sainte-Lucie :* petit port à Naples, dans un quartier populaire. — (31) *Carlin :* monnaie d'or et d'argent du royaume de Naples, à l'effigie du roi Charles d'Anjou. — (32) *Belle image :* (voir *Octavie*, p. 153). — (33) C'est le chant divin qui a séduit l'amoureux de Jenny, autant que sa beauté. — (34) Formule qui terminait les comédies, autrefois.

LA PANDORA

I. — PAGE 191. — (1) Dans *Faust*, I, traduction de Gérard de Nerval (1830). — (2) *Pandora* (voir la notice, p. 189). — (3) *Bologne :* au Museo Civico. — (4) *Menzel :* Ch.-A. Menzel (1784-1855), écrivain allemand, auteur d'une *Histoire des Allemands.* — (5) *Saint-Graal :* vase qui contenait le sang du Christ. — (6) *Stock im Eisen :* le tronc dans le fer. Ce tronc d'arbre existait déjà au XVIe siècle : les apprentis qui quittaient Vienne pour faire leur tour d'Allemagne, enfonçaient un clou dans ce tronc qui, depuis, se trouve bardé de fer. — (7) *Maria Hilf :* Notre-Dame du Bon-Secours (1684) ; église située dans la rue la plus importante de Vienne. — (8) *Graben :* place, toute en longueur, qui occupe l'emplacement d'un *fossé*, du temps des Romains. — (9) *Augarten :* grand jardin public, planté en 1650. — (10) *Prater :* les Champs-Élysées de Vienne ; en 1839, c'était le rendez-vous des élégances. — (11) *Schœnbrunn :* le château impérial, au milieu d'un parc à la française. — (12) *Gloriette :* pavillon élevé en 1775, sous l'impératrice Marie-Thérèse, sur une colline qui domine le nord-ouest de Vienne. — (13) L'image de l'archiduchesse rappelle aussi, à Nerval, l'autre... une jeune fille qu'il a aimée dans son adolescence, à Saint-Germain (voir *Promenades et Souvenirs*, II). — (14) Saint-Germain-en-Laye. — (15) *Diane valoise* (voir p. 80, n. 4). — (16) Hélène et Clytemnestre. — (17) 30 décembre 1839. — (18) *Magyars :* ces descendants de Slaves, de Turcs et de Germains habitaient la Hongrie. — (19) *Saint-Étienne :* la cathédrale de Vienne. — (20) *Léopoldstadt :* dans un autre quartier de Vienne. *Rothenthor :* la Porte-Rouge dont il parle plus bas. — (21) Un baiser de ta lèvre rose, et je ne crains ni l'orage, ni l'écueil. — (22) *Ménestrel :* poète musicien qui, au Moyen Age, allait de château en château. — (23) *Charades :* mettre une charade en action, c'était, au siècle dernier, une distraction des salons (voir le *Théâtre* de Musset, Flambeau). — (24) *Morave :* dialecte du pays situé au nord de l'Autriche. — (25) *Tokai :* cru récolté sur les pentes du mont Tokai, en Hongrie. — (26) *Wurschell :* sans doute plat de petites saucisses à la viennoise. — (27) *Hoffmann :* l'auteur des *Contes nocturnes*, dont Nerval a traduit quelques-uns. — (28) *Zedlitz :*

poète autrichien (1790-1862) ; la *Revue nocturne* célèbre la gloire de Napoléon. — (29) *O Richard :* O Richard ! ô mon roi ! Air de *Richard Cœur-de-Lion*, opéra de Grétry (1789). — (30) *Baierisch-bier :* bière de Bavière. — (31) *Reconnu :* en tant que Français. — (32) *Burg :* c'était, depuis le XIIIe siècle, la résidence de l'Empereur — (33) Jenny.

II. — PAGE 195. — (1) En 1841. — (2) *Les Amours de Vienne* parurent dans *Le Mousquetaire* du 31 octobre 1854. — (3) *Dames :* note de G. de N. : « Nous disons encore les « dames », quoiqu'il soit de bon ton, dans le monde, de dire les « femmes ». — (4) C'est son propre portrait que fait Nerval. — (5) *Patito :* en italien, le soupirant d'une dame et son souffre-douleur. — (6) *La Grisi :* Carlotta, cantatrice italienne (1809-1899) ; le *Don Juan* de Mozart. — (7) Il faut raccorder cet alinéa à la scène où Pandora le condamne à l'habit noir (p. 193). — (8) *Heiduques :* valets de pied, vêtus à la hongroise. — (9) *Pattes de cerf :* pour aller plus vite. — (10) Ironique. — (11) *Prométhée :* Titan, qui créa l'homme avec l'argile en l'animant avec le feu du ciel : on sait qu'il fut puni par Zeus, qui donna l'ordre à Héphaistos-Vulcain de l'enchaîner sur un rocher du Caucase ; un aigle déchirait son foie, mais Héraclès-Hercule tua l'aigle et le délivra. Il faut lire *Pandora* (1708-1709) de Gœthe, où Prométhée et Épiméthée, fils de Japitos, Pandora, épouse d'Épiméthée exposent une situation analogue (voir aussi *Aurélia*, p. 203 et suiv.) — (12) *Pieds serpentins :* ce qui, avec la boîte à malice, désigne Pandora, la première femme, cause de tous les maux de l'humanité. — (13) *Prince de Ligne* (1735-1814) : il fut, en effet, en 1782, auprès de Catherine de Russie, et l'accompagna en Crimée. — (14) *Thoas :* roi de Tauride, dont il est question dans l'*Iphigénie en Tauride*, de Gœthe (1787). — (15) *Stamboul :* Constantinople, Istanbul. Nerval y séjourna en 1843. — (16) *Nécromanciens :* devins qui évoquent les morts pour connaître l'avenir. — (17) *Impéria* fut en effet célèbre par son esprit et sa beauté, sous les papes Jules II et Léon X (1455-1511). — (18) *Jésabel* ou Jézabel : mère d'Athalie dans la Bible et dans Racine. — (19) *Taïti* ou *Tahiti :* île du Pacifique. — (20) *Kohlmarkt* (marché aux choux) : c'est une avenue de Vienne. — (21) *Dorothee-Gasse :* la rue Dorothée, à Vienne. — (22) Il s'agit de Bruxelles, où, en effet, Gérard retrouva Marie Pleyel, en 1840 (voir plus bas : place de la Monnaie). — (23) *Alcide :* Hercule, petit-fils d'Alcée (voir n. 11).

AURÉLIA

PREMIÈRE PARTIE. — I. — PAGE 203. — (1) *Swedenborg :* Emmanuel Swedberg, théosophe suédois (1685-1772) : ses *Memorabilia*, traduits en français, connurent, vers 1830, une vogue nouvelle ; Nerval et Balzac s'éprirent de cet ouvrage, qui révélait l'importance des puissances secrètes partout répandues dans l'Univers. Balzac a décrit son enthousiasme dans *Louis Lambert* (1832) et dans *Séraphita*. — (2) *Apulée :* (voir p. 103 n. 5.) — (3) *La Divine Comédie* comprend trois parties : l'*Enfer*, le *Purgatoire*, le *Paradis* ; Dante Alighieri (1265-

1321) y décrit une vision du monde de l'au-delà. — (4) *Mieux portant :* il écrivait, le 9 novembre 1841, après sa crise : « Au fond, j'ai fait un rêve très amusant, et je le regrette... » — (5) *Vita nuova :* autre poème de Dante (1292), où il célèbre Béatrice. — (6) *Aurélia :* Jenny Colon, avant le voyage en Allemagne. C'est l'Aurélie de la fin de *Sylvie.* — (7) *Une faute dont je n'espérais plus le pardon.* Il semble bien que ce secret a été approché par L. H. Sébillotte, dans son étude : *Le Secret de G. de Nerval,* 1948, José Corti, éditeur. — (8) *Une ville d'Italie :* il s'agit, en réalité, de Vienne (voir *La Pandora,* p. 191). — (9) *Une femme d'une grande renommée :* Marie Pleyel, née Mocke, la célèbre pianiste (1811-1875) ; avant d'épouser Camille Pleyel, elle avait été fiancée à Berlioz (voir *La Pandora,* p. 192).

II. — PAGE 205. — (1) *Une autre ville :* Bruxelles, où Gérard, Jenny et Marie Pleyel se retrouvèrent, en 1840. — (2) *Une sorte d'étourdissement :* la première crise eut lieu, peu après le retour de Bruxelles, en février 1841. — (3) *Affaires :* il était revenu à Paris pour régler des dettes, le 1er janvier. — (4) *Mon âge :* trente-trois ans. — (5) *Sa mort ou la mienne :* l'idée de la mort a tenu Nerval toute sa vie en état d'angoisse ; il se crut soumis à une inéluctable fatalité. — (6) C'est le premier des rêves que décrit *Aurélia.* — (7) *Mnémosyne :* déesse de la mémoire et mère des neuf muses. — (8) *Escaliers immenses :* les rêves d'escaliers sont nombreux dans ce récit. — (9) *L'Ange de la Mélancolie* (voir *El Desdichado,* p. 49, n. 4). — (10) *Les mystères du monde :* l'occultisme, la magie, la cabale furent l'étude constante de Nerval, depuis ses lectures prématurées à Mortefontaine. — (11) *Je continuai ma marche :* c'est, en effet, le récit à peu près exact des manifestations de la première crise de Nerval, en février 1841 (voir A. MARIE, *ouvrage cité,* p. 168). — (12) *Antérieurs à la révélation :* au christianisme. — (13) Sa mère, Adrienne et Jenny.

III. — PAGE 207. — (1) *L'épanchement du songe dans la vie réelle :* formule qui peut définir Nerval, sa vie et son art (voir *Introduction,* p. 19). — (2) *Esprit du monde extérieur :* c'est l'idée de Swedenborg ; les âmes et les démons agissent sur chacun de nous. — (3) Voir p. 206, n. 11. — (4) *Les soldats qui m'avaient recueilli :* Gérard avait, en effet, été conduit au poste de police (23 février 1841). — (5) *Mon âme se dédoublait :* par sa connaissance des cultes antiques et de la littérature allemande, Nerval était familiarisé avec cette idée du *double,* le « ka » des Égyptiens, les « ombres » des Grecs, le reflet de Narcisse, le « double » et l' « ombre » des contes allemands (voir *Voyage en Orient,* le mariage de Hakem). C'est aussi *l'étranger vêtu de noir qui me ressemblait comme un frère,* d'A. de Musset (MUSSET, *Poésies,* Flambeau, p. 196). — (6) L'analyse de son état de 1841 est écrite en 1853, donc douze ans plus tard. — (7) *Deux amis :* Gautier et Karr. — (8) *Dans une maison de santé :* 6, rue de Picpus, d'abord, puis chez le docteur Esprit Blanche, rue de Norvins, à Montmartre.

IV. — PAGE 209. — (1) *Oncle flamand :* ses ancêtres maternels étaient picards, mais Nerval a prétendu qu'un de ses oncles était un peintre flamand. — (2) *Fée célèbre de ce rivage* (voir *Lorely* de Nerval, publié en 1852) *Lorelei,* le rocher des Esprits, sur la rive droite du Rhin. Henri Heine venait d'écrire sa *Lorelei.* — (3) *Les aïeux :* Nerval a repris, l'une après l'autre, toutes les théories sur la vie et la mort, y compris la métempsycose. — (4) *Je ne sais quel temps* (voir *Fantaisie,* p. 32, n. 2). — (5) Nerval a toujours marqué le désir qu'il avait de l'immortalité de l'âme. — (6) *Nombre typique :* c'était le nombre de la famille de Noé ; mais l'un des sept se rattachait mystérieusement aux générations antérieures des Éloïms (hommes forts et puissants, ou anges qui ont précédé les hommes). L'imagination, comme un éclair, me présenta les dieux multiples de l'Inde comme les images de la famille, pour ainsi dire primitivement concentrée. Je frémis d'aller plus loin, car, dans la Trinité, réside encore un mystère redoutable... Nous sommes nés sous la loi biblique... (Note de G. de Nerval.)

V. — Page 212. — (1) Nerval, en effet, est allé trop loin dans ces questions. — (2) *Escaliers :* Isis, plus tard, lui expliquera le sens de ce rêve (voir p. 250). — (3) *État cataleptique :* cet état peut être produit par une émotion forte, une idée fixe, une impression morale vive. — (4) *Plus de mort :* Nerval a besoin de revoir sa mère, qu'il a peu connue, et celles qu'il a aimées.

VI. — Page 215. — (1) *Aristoloche :* G. de Nerval montre une prédilection pour les plantes courantes ou grimpantes (voir p, 213 et p. 236). —(2) *Rose trémière* (voir *Artémis,* vers 8, n. 4) ; *rose au cœur violet* (vers 10) et ici, *rosace.* — (3) *Le sien :* le buste d'Aurélia-Jenny.

VII. — Page 217. — (1) *Aurélia était morte :* Jenny Colon-Leplus mourut à Paris, le 5 juin 1842, dans sa trente-quatrième année ; elle fut enterrée au cimetière Montmartre, avenue Samson. — (2) A Montmartre (voir p. 207, n. 8). — (3) *Coq de Pharaon :* sorte de petit faisan aux plumes dorées. — (4) On ne saurait mieux résumer la nouvelle de Nerval. — (5) A la demande du docteur Blanche (voir la notice, p. 201). — (6) *Table sacrée :* s'agit-il de la pierre noire sous la forme de quoi Vénus était adorée à Paphos ? — (7) *Éloïm :* ange ou géant.

VIII. — Page 219. — (1) *Avatar :* au sens propre, ce mot sanscrit signifie l'incarnation d'un dieu de la religion hindoue ; au sens actuel, c'est la métamorphose d'une personne ou d'une chose en une autre. — (2) *Dive :* génie du mal (mazdéisme) ; *péri :* génie bienfaisant ; *ondin, ondine :* génie des eaux (mythologie scandinave) ; *salamandre :* esprit du feu. — (3) *Éloïm* (voir p. 218, n. 7). — (4) *Afrite* (ou éfrite) : génie malfaisant (mythologie arabe). — (5) *Cabale* (ou Kabbale) : doctrine des savants juifs qui la conçurent et la transmirent aux initiés dans les deux siècles avant l'ère chrétienne ; on les appelle « les cabalistes ». — (6) *Nécromants* (ou nécromanciens) : qui évoquent les morts pour connaître l'avenir. — (7) *Hypogées :* chambres sépulcrales souterraines, en Égypte et dans tout le Proche-Orient. — (8) *Montagnes de la Lune :* on crut longtemps que le Nil prenait sa source dans une chaîne de monts appelés de ce nom. — (9) *Énervés :* privés d'énergie. — (10) *Constellation d'Orion :* visible pendant la mauvaise saison, cette constellation passait pour amener les pluies. — (11) *La terre fit un demi-tour :* des hypothèses sont émises, de nos jours (Hoerbiger) touchant un déluge universel, qui rejoignent en partie ce récit. — (12) *La Mère éternelle :* Cybèle (voir p. 50, n. 4). — (13) *Grenade :* lieu du dernier combat entre les Espagnols et les Maures ; la capitulation de Boabdil est du 2 janvier 1492. Pour les sources de ce chapitre VIII, consulter J. RICHER. *G. de Nerval et les Doctrines ésotériques :* Paris, Le Griffon d'or, 1947.

IX. — PAGE 222. — (1) *Une rechute :* celle de l'automne 1851, qui le conduit chez le docteur Emile Blanche, à Passy. — (2) *il eut « la poitrine fortement percutée et gonflée et un genou très endommagé »,* (Correspondance). — (3) *Tombeau d'Aurélia :* au cimetière Montmartre. — (4) Cela faisait allusion, pour moi, au coup que j'avais reçu dans ma chute (note de G. de Nerval). — (5) *Férouër :* l'esprit, l'ange gardien de l'homme, chez les Persans. — (6) Saint Paul. — (7) *Aurélia n'était plus à moi :* il y a un rapport fréquent entre des scènes d'*Aurélia* et des épisodes du *Voyage en Orient.* Celui de Hakem, frustré de sa sœur-fiancée Sétalmuc, devant ses propres yeux, par son *double* est un des textes les plus significatifs (édition Bernouard, II, p. 375). — (8) *Amphitryon, Sosie :* les deux héros de la légende, dont Plaute fit une comédie, *Amphitryon,* dont s'inspirèrent Rotrou et Molière, avant quelques autres.

X. — PAGE 224. — (1) *Cinabre :* rouge comme le sulfure naturel de mercure. Les rêves de Nerval sont très colorés (voir plus loin, p. 224, le *velours ponceau à bandes d'or tramé.* — (2) Certains éléments de ce dernier rêve ont paru à L. H. Sébilotte tout à fait caractéristiques de l'angoisse nervalienne (ouvrage cité, p. 129).

SECONDE PARTIE. — I. — PAGE 228. — Voir la notice, p. 201. — (1) Eurydice, deux fois perdue pour Orphée. — (2) *Plût à Dieu :* il souhaite, ici, que la mort soit le néant, mais il a désiré plus souvent encore une survie de l'âme. — (3) *Lucretius :* le poète Lucrèce, qui crut que l'homme, à sa mort, faisait retour au néant. — (4) *Elle :* Aurélia-Jenny. — (5) Dans cette partie, s'exprime fréquemment le vœu de retrouver la foi chrétienne (chrétien de cœur, p. 228), mais au fond Nerval établit un syncrétisme apaisant ; il veut dégager les éléments communs aux diverses doctrines religieuses qu'il a connues et il a vu, dans le christianisme, une synthèse des dogmes antérieurs. — (6) *Pour nous, nés dans des jours de révolutions et d'orages :* trop imprégnés des idées issues de la Révolution (de 1789-1793). — (7) L'apôtre Thomas Didyme, dans l'Évangile, selon saint Jean (XX, 25) voulut mettre la main dans les plaies du Christ pour croire que c'était bien lui qui était ressuscité. — (8) *L'hiéroglyphe :* il ne s'agit pas, ici, des signes qui servaient aux Égyptiens à exprimer des mots, mais de langue secrète, difficile à déchiffrer. — (9) L'héliante, nommé aussi grand soleil et tournesol. — (10) *Ami :* Henri Heine (1797-1856) peut-être, qui fut un excellent ami pour Nerval son traducteur, et devait mourir un an après lui. — (11) Expressions bibliques. — (12) *Celle qu'il m'eût donnée :* Aurélia, dont le dernier soupir a été consacré au Christ. Dans la première partie, Nerval se croyait coupable, envers Aurélia, d'une faute qu'il n'a pas révélée ; dans cette seconde partie, il se croit surtout coupable envers Dieu.

II. — PAGE 231. — (1) *J'ai préféré la créature au créateur :* en « adorant » Aurélia, et non Dieu. — (2) *Schoubrah :* quartier du Caire. — (3) *Beyrouth :* voyage de 1843. — (4) *Sainte-Sophie :* ancienne basilique de Constantinople dédiée en 532 à la Sagesse éternelle, puis convertie en mosquée en 1453. — (5) Nerval fit de fréquents retours vers Mortefontaine, Ermenonville et Châalis, en 1852 et 1853. — (6) *Une d'elles :* Sylvie ou Adrienne. — (7) A*** ne peut désigner qu'Aurélia. — (8) *Son mariage :* Jenny Colon épousa, en avril 1838, un flûtiste de l'Opéra-Comique, qui était aussi impresario de tournées en province : Louis-Gabriel Leplus. — (9) *Elle est perdue* (voir l'épigraphe, p. 228).

III. — PAGE 234. — (1) *Dans la marche :* Nerval avait, on l'a vu, la manie ambulatoire ; il était surtout noctambule. — (2) *Sacrifice :* celui qu'il a fait, en détruisant la dernière lettre et le papier qui portait l'indication précise de la tombe d'Aurélia lui semble un sacrifice propitiatoire. — (3) En réalité, d'après ses biographes tout au moins, la vie de Nerval ne fut pas follement dissipée. — (4) *Après l'avoir affligée dans sa vie :* soit en la harcelant de prières amoureuses, soit, comme le croit M. Sébillotte, en l'humiliant quand il eût pu être son amant. — (5) *Dernier regard de pardon :* allusion à l'entrevue de Bruxelles (voir p. 205, n. 1). — (6) *Le secret de la vie :* l'objet de ses lectures et de ses recherches. — (7) Allusion au *Convié de pierre,* de Tirso de Molina et de Zamora, et à l'acte V du *Dom Juan* de Molière (devant la statue du Commandeur).

IV. — PAGE 235. — (1) *Ma mère :* morte à vingt-cinq ans (*Introduction,* p. 9). — (2) *La fontaine du hameau :* il existe encore, en effet, à Mortefontaine, à une trentaine de mètres de la maison où Nerval vécut enfant, et qui est maintenant totalement transformée, une fontaine de pierre au sommet de laquelle un bas-relief représente Neptune et Amphitrite. — (3) *Ésus :* dieu des forêts de la Gaule ou de la mort ; *Cernunnos :* autre dieu des Celtes. — (4) *Le sermon sur la montagne :* épisode de l'Évangile où le Christ enseigne à ses disciples les conditions du bonheur de l'homme ; (saint Mathieu, V, 2 ; saint Luc, VI, 17). — (5) *Le désespoir et le suicide :* cette déclaration a fortifié les partisans de la thèse selon laquelle Gérard était incapable de se suicider (voir *Introduction,* p. 23). — (6) *Georges Bell :* l'un des amis les plus dévoués pour Nerval, pendant son dernier séjour à Passy. *La révolution de juillet :* celle des 27, 28, 29 juillet 1830. — (7) *Mon père :* sur la fin de la vie de Gérard, son affection pour son père ne s'était pas démentie, plus démonstrative toutefois dans ses lettres, semble-t-il, que dans leurs relations. — (8) *Un poète allemand :* Heine pendant ses voyages (voir p. 228, n. 10). — (9) *Couleur d'Hyacinthe :* bleu violet. —

(10) *Saint Christophe :* décapité à Sarnos, en 250. La légende le montre aidant l'Enfant-Jésus à passer une rivière en le portant sur ses épaules. — (11) Voir p. 235, IV, 8e ligne. — (12) *Notre-Dame de Lorette :* église parisienne située au pied de la colline de Montmartre, qui fut bâtie de 1823 à 1836. — (13) *Allah,* c'est Dieu ; *Mohamed* est la forme arabe de Mahomet (570-632) ; *Ali* fut le gendre de Mahomet (600-661). — (14) *Bougies :* ces flammes qui s'élèvent semblent, à Gérard, le signe de son pardon obtenu depuis que la bague musulmane (hérétique) n'est plus à son doigt. — (15) *Ave Maria :* prière à la Vierge, qui commence par ces mots : « Je vous salue, Marie. » — (16) *Me détruire :* la pensée du suicide est déjà dans *Octavie* (n. 25). En fait, Nerval aurait voulu se tuer, un jour, chez son ami Busquet, en se jetant par la fenêtre. — (17) *Apocalypse :* celle de saint Jean forme le dernier livre du Nouveau Testament ; elle contient l'annonce des événements qui précéderont le Jugement dernier. — (18) *Paysans :* allant aux Halles. — (19) *Les coqs chantaient :* il y avait encore des fermes, dans ce qui est maintenant le centre de Paris. — (20) Nerval habitait, alors, rue du Mail, donc assez près de l'église Notre-Dame-des-Victoires. — (21) *Le Christ n'est plus* (voir *Le Christ aux oliviers,* p. 52, et le « soleil noir » dans *El Desdichado*). — (22) C'est le deuxième séjour dans cette maison de santé, 110, faubourg Saint-Denis (février-mars 1853).

V. — Page 240. — (1) Le voyage de Nerval à Reims eut lieu au début de l'été 1853. — (2) *Sylvie,* qu'il a écrite en 1852-1853, et que la *Revue des Deux Mondes* publia le 15 août 1853. — (3) Dans une lettre à son ami, G. Bell, Nerval, en mai 1854, rappelle ce soufflet, donné « une nuit, à la Halle », à un inconnu à qui il voudrait donner une réparation. — (4) *Saint-Eustache :* église parisienne, en plein quartier des Halles. — (5) Des boulevards aux Halles, aux Tuileries, au Luxembourg, à Saint-Eustache, chez son père qui habitait rue Saint-Martin, puis au Jardin des Plantes, à la place Maubert, et chez Georges Bell, rue de Seine ; enfin par le pont des Arts aux galeries du Palais-Royal. — (6) *Ostéologie :* cette galerie du Muséum contient encore les squelettes de mammifères d'oiseaux, de poissons, etc. — (7) *Déluge* (voir p. 221, n. 11). — (8) C'est l'identification de la déesse qui lui apparaît, Isis, à la Vierge, à la mère de Gérard, à Aurélia, à Marie Pleyel ; c'est, de plus, la promesse d'une autre vie où il les retrouvera. — (9) *Galeries du Palais-Royal :* sous la Restauration, on borda les ailes du Palais-Royal de galeries couvertes, appelées galeries des Proues, de Foy, de Chartres et d'Orléans. — (10) *Napoléon :* Houssaye a écrit que Gérard « avait je ne sais quoi de féminin, à la Napoléon ». — (11) *Bertin,* l'aîné, directeur depuis 1841 du *Journal des Débats.* C'est le modèle du célèbre portrait par Ingres. — (12) Le 26 août 1853 : l'hôpital de la Charité, qui n'existe plus, était situé où s'élève maintenant la nouvelle Faculté de Médecine, rue Jacob et rue des Saints-Pères. — (13) Il passa de la Charité à Passy, chez le docteur Émile Blanche, qui avait succédé à son père Esprit. Passy était alors un village de 2 000 habitants ; indépendant de Paris. — (16) *Ces épreuves* tiendraient lieu de celles de l'initiation décrites dans *Isis*. — (15) Lors de son séjour au Caire, en février 1843.

VI. — PAGE 243. — (1) *Kiosques* (vient du turc *kiouchk*) : pavillons dont, en Orient, on ornait les jardins. — (2) *Le Bosphore :* le « Détroit de Constantinople » entre les rives d'Europe et celles d'Asie. — (3) *Walkyries* (ou Walkaries) : dans la mythologie scandinave, messagères du dieu Odin, ou Wotan. — (4) On retrouve ici, à la fois, des théories du *Faust* de Gœthe et des éléments venus du swedenborgisme. — (5) *Tartare :* les Enfers de la mythologie grecque. — (6) Le magnétisme avait été mis à la mode par Mesmer, en 1779 ; mais, en 1853, sa grande vogue était passée. — (7) Astrologie. — (8) *Existence antérieure :* thème nervalien par excellence, exposé souvent, emprunté d'ailleurs à Restif de la Bretonne (*Fantaisie*, p. 32 ; *Voyage en Orient*, rêve de Yousouf). — (9) *Isis, Vénus, La Vierge* (voir p. 240, n. 8). — (10) *Les débris :* Nerval avait fait transporter, chez le docteur Blanche, les pièces de mobilier qui lui restaient depuis la rue du Doyenné. — (11) *Capharnaüm :* pièce encombrée d'objets en désordre. — (12) *Lampas :* soieries d'ameublement orientales, ou à la manière des soieries d'Orient qui furent à la mode au XVIIIe siècle. — (13) *Narguilé :* pipe à eau, utilisée en Orient. — (14) *Vieille maison :* l'appartement de la rue du Doyenné, décrit dans le *Premier château* (voir p. 65). — (15) Camille Rogier, Célestin Nanteuil, Louis Boulanger, Devéria, Chatillon, etc. — (16) *Prudhon* (ou Prud'hon) : Pierre Paul (1758-1823), artiste original, célèbre sous l'Empire. — (16) Pendant son séjour en Orient, Nerval, désirant passer pour l'un d'eux, avait revêtu le costume des Arabes pour mieux observer le pays et les gens. — (18) *Le Corrège :* Antonio Allegri, peintre italien né et mort à Corrège (1494-1534), auteur de tableaux religieux et de scènes mythologiques (*Mariage mystique de sainte Catherine, L'Enlèvement de Ganymède*). — (19) *Trumeaux :* entre-fenêtres ou dessus de cheminée peints de paysages ou de petites scènes. — (20) *Lois nouvelles :* qui interdisaient aux particuliers de posséder des armes. — (21) *Pic de la Mirandole :* philosophe et théologien italien (1463-1494) ; auteur d'œuvres latines et de poésies en italien. Son érudition a fait de son nom le type même de l'érudit. *Meursius :* savant hollandais (1579-1639), historien et helléniste. *Nicolas de Cusa :* cardinal, théologien de grande autorité auprès des papes de son temps (1401-1464). — (22) *La Tour de Babel en deux cents volumes :* le gentil et spirituel Nerval reparaît dans cette description de son installation dans une maison de fous, comme il le dit lui-même. — (23) *Ce que je retrouve :* c'est à cet endroit que Th. Gautier et A. Houssaye avaient, dans la publication *Revue de Paris*, du 15 février 1855, placé des lettres à Jenny Colon, retrouvées dans les papiers de Gérard.

APPENDICE. — PAGE 248. — (1) *Ellorah :* localité du Nizam (Inde), célèbre par ses temples souterrains. — (2) Voir *Odelettes*, le sonnet *Nobles et valets* (p. 29). — (3) Plusieurs fois déjà Nerval s'est senti relevé par un geste de charité (voir *Aurélia*, p. 237). — (4) *La divinité de mes rêves :* (voir page 240, n. 8).

MÉMORABLES. — PAGE 250. — (1) C'est le titre même de l'ouvrage de Swedenborg, traduit du latin en français. — (2) *Corybantes :* prêtres danseurs du culte de Cybèle. — (3) *Myosotis :* dont le nom allemand signifie : « ne m'oubliez pas ». — (4) *Paphos :* ville de Chypre, dans l'ouest de l'île, célèbre par son temple de Vénus. — (5) Nom que Gérard donnait au jeune malade qu'il aidait à soigner, sur le conseil du docteur Blanche (p. 249). — (6) *Yémen :* province de l'Arabie, sur la côte de la mer Rouge. — (7) A. Béguin et J. Richer disent que ces trois astérisques remplacent le nom de Sophie, retrouvé sur un manuscrit ; Sophie Dawes ou Sophie, la Sagesse éternelle ? — (8) *Apollyon :* dans l'Apocalypse, génie destructeur ; « l'ange de l'abîme qui se nomme, en hébreu, Abaddon ; en grec, Apollyon (le destructeur) (*Apocalypse*, IX, 11). — (9) *Adonis :* il était si beau que Vénus descendit de l'Olympe pour le suivre à la chasse. — (10) *O mort, où est ta victoire?* la Rédemption, par le Christ, a sauvé l'homme qui, sans lui, eût été condamné à une mort éternelle. — (11) *Houssine :* baguette légère. — (12) *Jérusalem nouvelle :* formule de l'*Apocalypse*. « Et je vis descendre du ciel, d'auprès de Dieu, la ville sainte, une Jérusalem nouvelle, vêtue comme une nouvelle mariée, parée pour son époux » (XXI, 2). — (13) *Heureuse nouvelle :* c'est le sens même, en grec, du mot *Évangile*. — (14) *Les monts le chantent aux vallées :* expressions d'inspiration biblique. — (15) *Dieu du Nord* (voir plus bas, p. 252) : Thor, fils d'Odin et de Héla, le dieu forgeron des mythologies scandinaves. — (18) *Hosannah ! :* sauvez-nous maintenant (en hébreu). — (17) *Macrocosme :* l'Univers, dont l'homme n'est qu'un abrégé (*microcosme :* petit monde). — (18) *Anxoka :* Nerval gonfle son vocabulaire de termes étrangers puisés aux livres d'alchimie, de magie et aux écrivains mystiques. — (19) *Saardam :* Zaandam, dans la Hollande du Nord, où l'on visite la cabane en planches où le jeune tsar, Pierre, vécut en 1696, comme charpentier de navires. Nerval y fut en effet en mai 1852. — (20) *Ordre salomonique :* Salomon, bâtisseur du Temple de Jérusalem, est vénéré par les groupes maçonniques. — (21) *Weimar :* où Nerval, en juillet 1854, fut très bien accueilli par Liszt. — (22) *La Néva* (ou Néwa) : c'est sur son embouchure que Pierre le Grand bâtit, en 1703, Saint-Pétersbourg, « fenêtre ouverte sur l'Europe ». — (23) Cette statue colossale est due au statuaire français Falguière. — (24) *Querelle orientale :* c'est la phase marquée par la guerre de Crimée (1854). — (25) *Un lien entre le monde externe et le monde interne :* c'est la conception de Swedenborg : par le rêve, le magnétisme, la contemplation ascétique, les âmes attachées aux corps terrestres arrivent à percevoir celles qui n'ont plus d'existence visible. — (26) *Purifié des fautes :* il semble donc que les derniers feuillets marquent l'apaisement, la fin de ses « épreuves », la remontée des abîmes. — (27) *L'âme fraternelle :* celui qu'il appelle Saturnin plus haut (p. 249). — (28) *Descente aux Enfers :* comme celles de Virgile et de Dante.

Notes de H. ANDRÉ-BERNARD.

TABLE DES MATIÈRES

INTRODUCTION, par Jean-Louis Vaudoyer, *de l'Académie française* 7

POÉSIES 27

Odelettes.
Nobles et valets.... 29
Le réveil en voiture. 29
Le relais........... 30
Une allée du Luxembourg............ 30
Notre-Dame de Paris. 31
Dans les bois....... 31
Avril.............. 32
Fantaisie.......... 32
La grand-mère 33
La cousine......... 33
Pensées de Byron... 34
Gaieté............. 35
Politique 1832...... 36
Le point noir...... 37
Les papillons....... 37
Ni bonjour, ni bonsoir. 40
Les Cydalises 40

Lyrisme et vers d'opéra.
Espasgne 43
Chœur d'amour..... 44
Chanson gothique... 44
La Sérénade........ 45
Chant monténégrin.. 45
Chœur souterrain... 46
Chant des femmes en Illyrie 46
Le roi de Thulé.... 47

Les chimères.
El Desdichado 49
Myrtho 49
Horus 50
Antéros............ 50
Delfica 51
Artémis............ 51
Le Christ aux oliviers 52
Vers dorés 55

Poésies diverses.
La tête armée...... 57
A Hélène de Mecklembourg......... 57
A Madame Sand.... 58
A Madame Ida Dumas 58
Une femme est l'amour 59
Rêverie de Charles VI. 59
Madame et souveraine. 60
Épitaphe 61

PETITS CHATEAUX DE BOHÊME 63

PROMENADES ET SOUVENIRS 75

LES FILLES DU FEU 101
Sylvie 103
Chansons et légendes du Valois......... 136
Octavie............ 147
Isis 155
Corilla............. 171

LA PANDORA 189

AURÉLIA 201

NOTES 257

LIBRAIRIE HACHETTE
Paris N° 3049
Dépôt légal : 1er trim. 1955

Imprimé
en France.

Imprimerie CRÉTÉ
Corbeil-Essonnes (S.-et-O.)

N° 6049-I-3-1955